UNAMUNO EDUCADOR

COLECCION CIENCIAS DE LA EDUCACION

BIBLIOTECA DE CIENCIAS DE LA EDUCACION

Dirección: Emilio Redondo
Catedrático de la Universidad de Barcelona

Serie histórica:

Estructuras y regímenes de la enseñanza en diversos países
Comunismo y educación familiar
Unamuno educador

Serie sistemática:

Organización escolar moderna
Teoría y práctica de la Pedagogía comparada
Un nuevo concepto de programa escolar
Hacia nuevas estructuras escolares
Psicología educativa
Orientación del aprendizaje
La dinámica del examen psicológico
Principios y servicios de orientación escolar
Condicionamientos ambientales de la personalidad
Métodos de educación especial
Los fundamentos de la educación social
Didáctica de la lengua en la E. G. B.
Teoría de la educación
Práctica de la educación
Psicología general
Sociología de la educación
Didáctica de la Química

Serie técnica:

Máquinas de enseñar y enseñanza programada (2.ª edición)
Directores para una escuela mejor (2.ª edición)
La enseñanza elemental de las Ciencias
Orientaciones sobre didáctica de la Geografía (2.ª edición)
La enseñanza en la escuela de párvulos
La enseñanza en equipo («Team teaching»)
Entrevistas entre padres y maestros
Enseñanza individualizada por materias
Técnicas básicas de evaluación (2.ª edición)
La educación de niños deficientes

Serie práctica:

Por qué fracasan nuestros hijos en sus estudios
Cómo explotar al máximo nuestras facultades
¿Sabemos ser padres?
Desarrollo psicológico y sexual de la adolescente

Serie básica:

Psicología de la educación

BUENAVENTURA DELGADO CRIADO

UNAMUNO EDUCADOR

EDITORIAL MAGISTERIO ESPAÑOL
CALLE QUEVEDO, 1, 3 y 5
MADRID - 14

UNAMUNO EDUCADOR
Biblioteca de Ciencias de la Educación

Editorial Magisterio Español, S. A.
Calle de Quevedo, 1, 3 y 5 - Madrid-14 (España)

Depósito legal: M. 29.909-1973
I.S.B.N. 84-265-7139-5
Printed in Spain
Impreso en Editorial Gráficas Torroba
Julián Camarillo, 53 bis - Madrid-17

A mi querida esposa, en recuerdo de los ratos que pasamos juntos escribiendo esta obra.

INTRODUCCION

Como tantas otras cosas nuestras, la Historia de la Educación española anda muy necesitada de brazos —mejor, de mentes— que se metan con urgencia y seriedad en la tarea de estudiarla y escribirla. Además de un tópico, sería poco objetivo decir que «todo está aquí por hacer». Pero por más pena que nos dé y no poco que nos avergüence, hemos de aceptar, como se acepta un hecho, que está casi *todo por hacer. Y aún habría que añadir que buena parte del trabajo ya realizado anda también necesitado de revisión y pulimento.*

El universal interés suscitado por la educación, en su doble dimensión personal y social, es tan espectacular como reciente. Hoy, este interés —de mil modos expresado y reiterado— ya se nos ha convertido en un tópico. Pero, comparada con la que han despertado otros temas, bien puede decirse que la preocupación por la investigación pedagógica es prácticamente de ayer. Es verdad que esta reciente toma de conciencia de la importancia de la educación a nivel colectivo ha originado ya una magnífica floración de ciencias de la educación, *cuyos resultados no pueden ser más satisfactorios y esperanzadores. En otro sentido, habría que calificarlos también de espectaculares. Sin embargo, la atracción del tema pedagógico se ha polarizado casi exclusivamente —y desde luego, preferentemente— en la investigación* técnica *de la educación como realidad* actual. *La investigación histórico-pedagógica, en cambio, no presenta hoy a nuestros ojos el desarrollo paralelo y proporcionado que cabría esperar. Puestos a buscar las causas de semejante* parálisis, *podríamos pensar que, en definitiva, la Historia de la Educación ha padecido, como parte integrante de la Historia que es, los efectos de la crisis sufrida por ésta, tras el desarrollo que experimentó en el pasado siglo.*

Pero no es cosa de ponernos ahora a buscar las causas de semejante parálisis. *Basta constatar el hecho. Y el hecho presenta, además, otra cara: la desproporción, igualmente manifiesta, entre el cultivo y desarrollo de la Historia de la Educación con respecto a otros sectores de la Historia: político, económico, social, artístico, etc. Y tal vez haya que* buscar aquí la respuesta a esta pregunta: ¿por qué la Historia de la Pedagogía española se ha hecho —y la han hecho— hasta ahora desde otros territorios de la investigación histórica? Los historiadores de la educación tienen que agradecer a los cultivadores de otras ramas de la Historia no sólo la aportación del contexto que la misma investigación histórico-pedagógica necesita, sino el papel de suplencia que honrosamente han venido desempeñando. Pero tal vez es hora de que los historiadores de la educación asuman la tarea que les es propia y pongan manos a la obra.

Uno de ellos ha acudido ya a la cita con esta obra, que es el resultado de una paciente, honrada e ilusionada investigación histórico-pedagógica. Ha pateado archivos y lugares unamunianos, ha buscado incansablemente —y con éxito— documentos inéditos y papeles ignorados o escasamente conocidos y ha conversado con personas vivas vinculadas a don Miguel por los lazos del parentesco, del discipulado o de la amistad.

El profesor Delgado ha trabajado en esta obra con el debido, pero admirable tesón y la minuciosidad que requiere la investigación histórica. Sobre los resultados, el lector juzgará. Pero al hacerlo, debe tener en cuenta —es sólo una sugerencia— que el autor se ha propuesto hacer un estudio del pensamiento, la actitud y la vida de Unamuno, desde una perspectiva pedagógica. Pienso que sólo con esta óptica pueden detectarse adecuadamente los valores de la obra y también sus posibles deficiencias.

En todo caso, probablemente el lector estará de acuerdo en reconocer que tiene en sus manos una obra que ha sido realizada sine ira et studio, y con la que habrá que contar en adelante a la hora de seguir estudiando la figura y la obra de Unamuno y al escribir un importante capítulo de la Historia de la Educación española.

Emilio REDONDO

CONTENIDO

EL HOMBRE DE CARNE Y HUESO

I. EL ENTORNO FAMILIAR DE UNAMUNO

«Me llamo Miguel. Y ese nombre no me lo he puesto yo, sino que me lo pusieron mis padres porque nací el día de San Miguel Arcángel, el 29 de septiembre (de 1864).» [1]

Su padre marchó muy joven de Vergara, su pueblo natal, y se fue a Méjico. Regresó con una pequeña fortuna, se estableció en Bilbao y se casó con su sobrina Salomé Jugo, que entonces tenía veinte años. El matrimonio fructificó en seis hijos: María Felisa, María Jesusa, Miguel, Félix José, Susana y María Mercedes.

Cuando Miguel tenía seis años, murió su padre Félix. Pocos son los recuerdos que de él conserva su hijo. La imagen paterna flota en la memoria del Unamuno adulto como vaga, imprecisa y esfumada en la niebla, por más que intenta ahondar en su recuerdo. La única escena conservada en su mente es la de su padre hablando francés en la sala de gala de la casa.

Su madre, nacida en Vergara, en 1839, quedó viuda a los treinta y un años con cinco hijos y los escasos recursos económicos de Benita Unamuno, abuela materna de Miguel. Se había educado en Francia y hablaba correctamente el francés, que enseñó a su hijo siendo muy niño.

El único hermano varón de Unamuno fue Félix, un año menor que él. Durante muchos años fue la pesadilla de la familia y del propio Miguel. Su carácter inestable y nervioso, sus disputas constantes con los demás hermanos, sus amistades, sus fugas del hogar, sus despilfarros y sus reacciones imprevisibles, pusieron a prueba la paciencia de todos y la armonía familiar. En las pocas cartas de la madre de Unamuno se refleja siempre la obsesión por su hijo Félix, lo que en ocasiones le impide trasladarse a Salamanca, como sería su deseo [2].

---

1 Unamuno, «¿Mi nombre? ¡Miguel!», *Obras Completas,* vol. X, pág. 937.

2 Estas cartas se conservan en la Casa Museo de Unamuno en Salamanca.

Es obvio que Miguel fuese el predilecto del clan Unamuno, lo que al mismo tiempo le confería una gran responsabilidad sobre sus hombros, desde que fue consciente de ser el único varón de la familia. Esto abrevió los días de su infancia y le convirtió en hombre precoz, y le obligó a tomar en serio los estudios. Era apremiante hacer una carrera y trabajar; era preciso no defraudar las esperanzas en él depositadas y ayudar cuanto antes a la maltrecha economía familiar. En una carta a Clarín [3] resume Unamuno su infancia como la de un niño débil, taciturno y melancólico, educado en una familia vasca de costumbres muy austeras, con cierto matiz cuáquero o jansenista. En otra [4] subraya Unamuno que «en su casa no hubo hombre y, sobre todo, no hubo matrimonio. Y no sabe usted —continúa diciendo— todo lo que esto creo yo que significa».

Aspecto importante a señalar en la vida de Unamuno es el ambiente religioso respirado en su familia. En varias ocasiones se enorgullece de haber sido educado «en la más íntima y profunda piedad cristiana y católica». Que la huella religiosa fue honda no cabe duda; no hay más que recordar los encontrados deseos de Unamuno entre el sacerdocio y matrimonio con la que sería después su mujer Concha, o bien leer al azar cualquiera de sus páginas, o recordar el ejemplar del Nuevo Testamento que siempre llevaba consigo, o el respetable crucifijo metálico del que nunca se desprendió. Esta atmósfera religiosa la vivió siempre en el lar materno y en su propio hogar en Salamanca. En ambos se conservó la costumbre de rezar el rosario en familia después de cenar [5].

En una carta a su amigo Pedro de Mugica [6] dice: «Yo, hoy por hoy, no creo en dogma alguno religioso, pero siempre recordaré con cariño lo que me dio de chiquillo alimento al espíritu, las doctrinas que han formado mis costumbres. Debo a la religión de mi madre lo mejor que tengo, y no sé burlarme ni despreciar lo que me ha hecho hombre.»

«El colegio a que me llevaron no bien había dejado las sayas, era uno de los más famosos de la villa. Era colegio y no escuela —no vale confundirlos— porque las escuelas eran las *de balde,* las de la villa.» [7] Así comienza Unamuno sus *Recuerdos de niñez y de mocedad*. En la primera parte de esta obra sólo menciona a su maestro de primeras letras don Higinio, «un viejecillo que olía a incienso y alcanfor, cubierto con gorrilla de borla que le colgaba a un lado de la cabeza, narigudo, con largo levitón de grandes bolsillos —el tamaño de los bolsillos de la

---

[3] Salamanca, 9 de mayo de 1900.

[4] Carta de Unamuno a P. Corominas, Bilbao, 24 de junio de 1909, *Bulletin Hispanique, Annales de la Faculté des Lettres de Bordeaux,* LXII, 1, 1960.

[5] Unamuno, «Mi mirador de la Cruz», X, pág. 201.

[6] Bilbao, 6 de mayo de 1890. *Cartas Inéditas de M. de Unamuno.* Recopilación y prólogo de S. Fernández; Zig-Zag, Santiago de Chile, 1965.

[7] Unamuno, «Recuerdos de niñez y de mocedad», *Obras Completas,* I, pág. 236.

autoridad—, algodón en los oídos, y armado de una larga caña que le valió el sobrenombre de *el pavero*» [8]. Este maestro es el único protagonista de las escenas narradas por Unamuno. Sin embargo, cuando en escritos posteriores rememora sus años de escuela, habla siempre de don Sandalio. Nada más ser nombrado Unamuno Rector de la Universidad de Salamanca, recibió una carta de felicitación de don Sandalio que, cosa chocante para el propio Unamuno, no se atrevía a tutearle. «Lo que era un Rector (!!!) para él», anota Unamuno en uno de los márgenes [9].

En otra ocasión, hablando Unamuno de cierto condiscípulo [10], especifica: «De niños anduvimos juntos a la misma escuela, de Don Higinio, primero, y de Don Sandalio, después.» Al escribir los *Recuerdos de niñez y de mocedad,* su autor funde a los dos maestros en uno, en razón de la simplicidad e interés caricaturesco de la composición autográfico-novelesca. Don Higinio tenía un pasante, probablemente, don Sandalio, que le sustituyó en la dirección del colegio y fue el que enseñó a Unamuno las primeras letras y a orientarse por el mundo.

A los once años ingresó en el Instituto Vizcaíno. Los primeros años pasaron sin apenas dejar huella alguna. El cuarto fue el más importante de los cinco que componían el Bachillerato de entonces. «Aquel curso fue el curso que mayor revolución causó en mi espíritu, no por su labor oficial, sino por mis horas de vela, por las noches, leyendo a Balmes y Donoso.» [11] El fermento de esta revolución, más que en las lecturas de estos autores, habría que buscarlo dentro del mismo Unamuno, en plena crisis puberal, en el segundo nacimiento, como llaman los psicólogos a esta etapa de la vida humana.

La educación religiosa familiar siguió sin rotura durante el aprendizaje de las primeras letras y durante el Bachillerato. En el colegio de don Sandalio había una capilla donde se decía misa para los alumnos y se rezaba el rosario a diario. El mismo ambiente continuó impregnando a Miguel estudiante de Bachiller, gracias a la congregación de San Luis Gonzaga, de cuya junta directiva fue secretario. Con romántica nostalgia evoca Unamuno la fe sencilla y sin complicaciones de sus años de congregante; recuerda emocionadamente las meditaciones, al atardecer, en el claustro del Angel de la Basílica de Santiago: «Al arrullo del armonio, mecida en sus sones lentos, arrastrados y graves, que rebotaban por el claustro, mi pobrecita imaginación, plegadas sus implumes alas, acurrucadas, no meditaba en vuelo, sino soñaba en quietud.» [12] Soñaba

[8] *Ibídem,* pág. 237.

[9] Carta conservada en la Casa Museo de Unamuno en Salamanca.

[10] «Francisco de Iturribarría», *Hermes,* Bilbao, 15 de abril de 1919, *Obras Completas*, X, página 635.

[11] Unamuno, «Recuerdos...», *Obras Completas,* I, pág. 308.

[12] Unamuno, *ibídem,* pág. 315.

en ser santo, añade a continuación, pero en el camino de este ideal, se interponía su Concha con sus «lozanas pantorrillas», su pecho que «empezaba a alzarse» y «la trenza» que le caía por la espalda.

II. UN «MOZO MORRIÑOSO» EN MADRID

En 1880, henchido de ilusiones, marchó a Madrid, al Madrid de su «última misa sincera», y se hospedó como un estudiante más en una buhardilla de la red de San Luis, cerca del lugar que ocupa la actual Telefónica. La impresión que le causó Madrid fue deplorable. «Recuerdo —escribe más de cincuenta años después— el desánimo que me invadió al asomarme a uno de los menguados balconcillos, contiguos al tejado, que dan a la calle de Hortaleza y contemplar allí arriba el hormigueo de los transeúntes por la red de San Luis.» [13] Comenzó a estudiar con ahínco pensando en la necesidad que tenían de él su familia y su novia, a la que también había que redimir de su precaria situación económica.

La licenciatura de Filosofía y Letras constaba de tres años en los que se estudiaba Literatura general, dos cursos de Historia Universal, Griego y Metafísica, Literatura Española, Historia Crítica de España, Arabe y Hebreo. En el curso 1883-1884 hizo el Doctorado con otras cuatro asignaturas: Estética, Historia de la Filosofía, Historia Crítica de la Literatura Española y Sánscrito. El 21 de junio de 1883 superó el examen de licenciatura y en el mismo mes del año siguiente defendió su tesis doctoral titulada *Crítica del problema sobre el origen y prehistoria de la raza vasca,* en la que consiguió la máxima calificación.

Sus maestros universitarios más famosos fueron Juan Manuel Ortí y Lara, Lázaro Bardón, Moguel y Menéndez Pelayo. De éste fue discípulo durante dos cursos completos y de sus clases sacó «valiosos apuntes» [14]. Se burló siempre de las clases de Ortí y Lara, catedrático de Metafísica, por su ortodoxia a ultranza. No escatimó las alabanzas a su maestro de Griego, Lázaro Bardón, «nobilísimo y rudo maragato», «alma de niño» y «santo varón» [15], maestro en los mismos años de José Rizal, héroe tagalo de la independencia filipina.

---

[13] «Ciudad y campo. De mis impresiones de Madrid», *Nuestro tiempo,* año II, Madrid, julio de 1902.

[14] Unamuno, «La Universidad hace veinte años», *Ahora,* 17 de agosto de 1933. *Obras Completas,* X, pág. 989.

[15] Unamuno, Epílogo al libro de W. E. Retana, *Vida y escritos del Dr. José Rizal,* Madrid, 1907, *Obras Completas*, XVI, 754.

Las ilusiones con que Unamuno acudió a la Universidad madrileña se desvanecieron pronto. Al margen de sus estudios oficiales que no desatendió y en los que obtuvo brillantes calificaciones, intentó solucionar por su cuenta los problemas metafísicos que en torbellino agitaban su mente. Idolatró sucesivamente a Hegel, Spencer, Schopenhauer, Carlyle, Leopardi y Tolstoi, entre otros; a los líricos ingleses y, sobre todo, se aficionó a la lectura de los teólogos protestantes Baur, Harnack, Ritschl, Renán, los dos Sabatier, Stapfer, Schleiermacher y otros. «En un período de diez a doce años, del 80 al 92, leí enormemente y de cuanto caía en mis manos.» [16] Se convirtió en un devoralibros. Ni supo ni quiso especializarse en nada, cayendo en el poligrafismo, en el mismo defecto que criticó a Costa. Además de la Filosofía y Teología, le atraían la Psicología fisiológica, las Matemáticas, la Física, la Química, Ciencias Naturales... En una carta a Clarín escribe: «Yo que leo todavía química y física y que concluida mi carrera expliqué matemáticas dos cursos, y que hace tres veranos estudié proyectiva pura, no resisto el mote de *sabio*.» [17]

Unamuno vivió en Madrid la angustia de la tierra de nadie que es la adolescencia, la lucha entre el niño que muere para que nazca de sus cenizas el hombre. Sin freno y sin guía en sus lecturas, bebiendo a cada instante la soledad nostálgica de su «bochito» bilbaíno, de su familia y de su Concha, sin amigos apenas y con un duelo a muerte trabado en su mente entre las estructuras religiosas infantiles y el ambiente laico reinante, llegó a perder la fe en su afán de racionalizarla. La razón devoró la fe, pero le quedó latente la actitud religiosa, la nostalgia de recuperarla algún día.

Terminados con éxito sus estudios universitarios, regresó a su Bilbao natal con veinte años y un gran bagaje científico. Desde octubre de 1884 hasta mayo de 1891, en que obtuvo la cátedra de Griego de Salamanca, Unamuno vivió dando clases y preparando oposiciones. En el colegio de San Antonio explicó Latín, Psicología, Lógica y Etica, cobrando mensualmente cinco duros en oro [18]. Después dio clases de Retórica y Poética, de Matemáticas, Algebra, Geometría y Trigonometría. Puso en la prensa anuncios ofreciéndose como profesor de Letras; dio clases de castellano a extranjeros y comenzó a publicar sus primeros artículos. En el curso 1890-1891 —el año de su boda y de su última oposición— dio clases de Latín en el Instituto Vizcaíno.

---

[16] Unamuno, carta a F. Urales, hacia 1901, en «La evolución de la filosofía», *Revista Blanca,* Barcelona, 1934, II, págs. 503-213.

[17] Salamanca, 3 de abril de 1900, *Epistolario a Clarín,* Ed. Escorial, 1941.

[18] Unamuno, «Contestación a una pregunta», *La Semana,* Madrid, junio 1916. *Obras Completas,* X, pág. 369.

III. UNAMUNO DOMESTICO

Si queremos conocer con objetividad el carácter de Unamuno, tendremos que fijarnos en el ambiente doméstico en que vivió, rodeado de su mujer y de sus hijos, manifestándose con ellos tal como era, más que a través de sus paradojas, de sus sermones desconcertantes, de sus excentricidades y teatralidades en busca de la fama y de la gloria. En el castillo roquero de su hogar, lejos de la luz cegadora de las candilejas, aparece Unamuno como un niño a quien su mujer maneja como quiere, como un hombre tremendamente humano, enamorado de sus hijos y de sus nietos. «Dentro de mis cenizas de hugonote (o casi así) —escribe a P. Corominas— [19] guardo mi rescoldo humano; los vascos, por tétricos que le parezcamos a usted, somos profundamente domésticos. Sólo dentro de la familia somos todo lo que somos. Prefiero la roja lumbre de mi hogar a la del sol; mi casa es naturaleza.» En otra ocasión escribe al mismo amigo: «No hay más *turris eburnea* fecunda y humana que el propio hogar; encerrarse en él es una de las mejores y más honda manera de comunicarse con el mundo.» [20] En otra carta —esta vez a su amigo Maragall— describe su hogar con una bella alegoría: «En mi vida de lucha y de pelea, en mi lucha de beduíno del espíritu, tengo plantada en medio del desierto mi tienda de campaña. Y allí me recojo y me retemplo. Y allí me restaura la mirada de mi mujer, que me trae brisas de mi infancia.» [21]

Su mujer y sus hijos fueron su sentido de la realidad, el contrapeso de sus frecuentes crisis, abatimientos y cavilaciones. Encontró en su hogar el equilibrio, la paz interior, el contrapunto de sus preocupaciones trascendentes, la alegría nublada de continuo por la tristeza de tener que morirse un día y la duda torturante de si sería para siempre.

La familia tuvo nueve hijos, seis varones y tres hembras. El tercero —Raimundo Genaro— sufrió un ataque de meningitis a los pocos meses de nacer y poco a poco se le desarrolló una hidrocefalia que le llevó a la muerte, antes de cumplir los siete años. De él llevaba siempre en la cartera dos dibujos hechos a lápiz por él mismo. Las alusiones al hijo enfermo no escasean en su obra poética y epistolar. Murió en 1902, en el mismo año de la publicación de *Amor y Pedagogía.*

Escenas e incidentes domésticos son frecuentes en la poesía unamuniana. Un día será el niño que ha de tomar una medicina; otro, una hija que garabatea y pide a su padre que le lea lo escrito; en otra ocasión, el padre que se queda dormido junto a la cuna del hijo desvelado,

---

[19] Salamanca, 11 de enero de 1901, *Bulletin Hispanique,* ob. cit.
[20] 7 de junio de 1901.
[21] 15 de febrero de 1907.

o el niño que se cree solo y dibuja en el hule de la mesa, o bien el hijo que al alborear se sube a la cama de los padres y comienza a parlotear como pájaro mañanero. También es frecuente el tema del silencio nocturno roto únicamente por la rítmica respiración de los hijos dormidos.

¿Cómo educó Unamuno a sus hijos? Poco antes de casarse escribió: «El día que yo tenga hijos, si los tengo algún día, no irán a colegios; yo les enseñaré todo lo que sé y hasta lo que no sé. Yo les haré dibujos, yo mismo escribiré lo que han de leer; cuentos, lecturas, explicaciones, todo.» [22] La misma idea aparece expresada en *Amor y Pedagogía,* aunque después, al pensar en la necesidad de educar a los niños socialmente y creyendo que la escuela es insustituible en este aspecto, accede a escolarizar a sus hijos, a fin de que no sean «niños de estufa», educados al calor de las paredes del hogar. Unamuno educó a sus hijos como los padres de entonces solían hacerlo. En esto no fue una excepción. Fue liberal en el mejor sentido de la palabra, respetando las creencias religiosas inculcadas por la madre y permitiendo elegir libremente las profesiones más del gusto de sus hijos.

De pequeños fueron todos a colegios de religiosas y después a los estatales, menos uno de ellos que fue al colegio regentado por un sacerdote. No se inmiscuía en las prácticas religiosas de sus hijos, pero le hubiese molestado que no fueran practicantes. Ni los maltrató ni se manifestó distante con ellos, aunque el trato no fuese frecuente, dado el ritmo de vida de Unamuno y las costumbres de la época. Por la mañana pasaba el tiempo en su cátedra y en las cuestiones administrativas de la Universidad. Después de la comida, tertulia y cotilleo de café, paseo de dos horas y vuelta a casa para redactar el artículo periodístico diario sobre el tema pensado en alta voz en sus ininterrumpidos monodiálogos. Se acostaba pronto y dormía reglamentariamente ocho horas. Veía, por tanto, a sus hijos a las horas de las comidas.

Los hijos sentían por su padre un profundo respeto, pero nunca miedo. Jugaban y se escondían bajo la cama en que solía escribir. Cogía a uno de ellos, le daba en la cabeza con los nudillos y decía: «¿Qué hay aquí? Serrín.» Y si alborotaban demasiado y le impedían concentrarse en su trabajo, les daba cuatro voces y les echaba de su habitación. Si alguna vez oía el golpe que uno de ellos se había dado, no se quedaba tranquilo hasta que le oía llorar. Cuando el llanto era muy fuerte, lloraba él también, imitándole, hasta que el niño dejaba de hacerlo. No salía nunca con sus hijos al campo. De hacerlo, hubiera llamado la atención

---

[22] *Literatura Epistolar,* págs. 61-65. Clásicos Exito, v. XX. Citado por César Aguilera en «El pensamiento educacional de Don Miguel de Unamuno», *Revista Calasancia,* Madrid, 1965, núm. 44.

en Salamanca, por lo insólito. Sólo durante las vacaciones en Espinho, Portugal, o durante el destierro de Hendaya, salía con sus hijos al monte.

La familia vivía ajena a su producción literaria y a sus preocupaciones. Su hija Felisa —a la que debo estos datos— no leyó *Paz en la guerra* hasta después de la muerte de su padre, a pesar de que ésta es una de sus obras que se leen con menor esfuerzo. Concha decía: «Demasiado serio; es más divertido Taboada», novelista popular de entonces Unamuno podía quejarse y con toda razón de la soledad en que vivía, a pesar de su familia numerosa. Su esposa le comprendió como nadie a través de su instinto, a través de tantos años de convivencia, a través de su amor, aunque, en ocasiones, ello no fuera suficiente.

IV. RECTOR DE LA UNIVERSIDAD SALMANTINA

Uno de los hechos más importantes en la singladura biográfica unamuniana fue su nombramiento de Rector de la Universidad de Salamanca. Unamuno pronunció el discurso de apertura de curso 1900-1901 en la Universidad, discurso que tuvo cierta resonancia; a los pocos días quedaba vacante el rectorado, gracias a una orden de jubilación de todos los catedráticos de más de setenta años y el 26 de octubre firmaba el Rey el nombramiento de Unamuno, a propuesta del ministro de Instrucción Pública García Alix. La noticia produjo los efectos de una bomba en la tranquila ciudad castellana. «Figúrese usted eso de nombrar un gobierno conservador a un socialista, heterodoxo, propagador de ideas disolventes, que no pasa de treinta y seis años, que no es de la ciudad, que sólo lleva nueve años en el profesorado; y nombrarlo después de haber leído un discurso como el que leí.» [23]

El 22 de marzo de 1914 se votó entre los catedráticos al senador que debía representar a la Universidad salmantina. En lugar del candidato gubernamental Ismael Calvo Madroño, apoyado por el Conde de Romanones, fue elegido Luis Maldonado. Tal desafío al todopoderoso Conde comportaría graves consecuencias para la Universidad y para el propio rector, Unamuno. Meses más tarde, el señor Portela denunciaba en el Congreso la noticia de que el rectorado de Salamanca había convalidado un título de bachiller expedido en Bogotá. El ministro de Instrucción Pública Bergamín pidió a Unamuno aclaraciones sobre el asunto. A finales de agosto, los periódicos de Salamanca dieron la noti-

[23] Carta de Unamuno a J. Ilundain, Salamanca, 19 de octubre de 1900, *Revista de la Universidad de Buenos Aires*, III, 1948, pág. 352.

cia de la destitución del Rector [24]. La reacción de los amigos de Unamuno —Ortega, Marcelino Domingo, Giner de los Ríos e institucionistas, en general—, no se hizo esperar, aunque sus campañas fueron inútiles y Unamuno no recibió una explicación convincente ni fue repuesto en el rectorado. La respuesta a la carta de Unamuno en la que justificaba la legitimidad de la convalidación, de acuerdo con el convenio firmado entre España y Colombia en 1904 sobre la validez de títulos, «fue mi cese y una enorme Real Orden publicada en el mismo número de la *Gaceta* que el cese (creo que del 28 ó 29 de agosto), anulando la incorporación de esos títulos, invalidando los exámenes que hicieron y mandando que se les devuelva el dinero que pagaron por derechos. La razón que daba es que no es a los rectores sino al ministro a quien compete, previo informe del Consejo de Instrucción Pública, aceptar o no esos títulos» [25].

Unamuno encajó la destitución como una afrenta personal, como un baldón a su buen nombre y como un desprecio a todos sus méritos contraídos. Sus amigos de Madrid le ofrecieron la tribuna del Ateneo y el 25 de noviembre pronunció en ella su explosivo discurso *Lo que ha de ser un Rector en España.* El primer claustro presidido por el nuevo rector —don Salvador Cuesta y Martín— fue borrascoso. Unamuno comenzó a hablar de su destitución y la presidencia le retiró la palabra. Después de protestar airadamente, abandonó el local en unión de otros catedráticos que se solidarizaron con él [26].

Unamuno no volvió a asistir a las sesiones de claustro durante muchos años. Durante el rectorado de su amigo Luis Maldonado se hizo un llamamiento a la paz entre los claustrales y diplomáticamente se pidió la asistencia de todos los catedráticos retraídos de los mismos [27]. Unamuno siguió ausente sin deponer su actitud ofendida. En la sesión del 9 de noviembre de 1920 se expuso a la consideración del claustro una proposición protestando por la condena de Unamuno a la pena de dieciséis años de presidio, acusado de delito de lesa majestad, con la intención gubernamental de indultarle a continuación, como así fue. Las sesiones en que dicha propuesta fue discutida continuaron siendo apasionadas. En los últimos meses de 1921 el Claustro de la Universidad procedió a votar los cargos de Rector, Vicerrector y Decanos. Tras una

---

[24] Cfr. Emilio Salcedo, *Vida de don Miguel,* págs. 185-186.

[25] Carta de Unamuno a Ortega, Salamanca, 30 de noviembre de 1914, *Revista de Occidente,* Madrid, octubre de 1964.

[26] Los señores Bernis, La Calle, Giral y Maldonado, según el folio 25 del Libro de Actas de los Claustros Ordinarios y Extraordinarios de la Universidad de Salamanca, correspondiente a la sesión celebrada el 15 de septiembre de 1914.

[27] El primer claustro presidido por don Luis Maldonado tuvo lugar el 12 de enero de 1919.

y otra votación con resultados negativos, en la sesión correspondiente al 21 de enero de 1922, Unamuno obtuvo mayoría de votos para el cargo de Vicerrector. En la primera sesión que tuvo ocasión de presidir, dio las gracias por la elección y justificó el porqué de su inasistencia a los claustros; presentó excusas a quienes había podido ofender con su actitud y comenzó a intervenir regularmente en todas las sesiones. Durante más de nueve años se había mantenido apartado de toda intervención administrativa y se había reducido a sus clases universitarias. El rector era don Enrique Esperabé y Arteaga. El 21 de febrero de 1924 salía para Fuerteventura, desterrado por la Dictadura de Primo de Rivera.

Desde Fuerteventura, donde estuvo cuatro meses, salió rumbo a Cherburgo. La fuga la prepararon el director de *Le Quotidien* y el hijo mayor de Unamuno. Se instala en París, en una pensión cercana al Arco de la Estrella. Acude a diario a la tertulia de la Rotonde, donde se reúnen numerosos españoles, y acompañado de muchos amigos, atraviesa el Luxemburgo de regreso a su mísero y solitario hogar. Al poco tiempo abandona París y se instala en Hendaya, donde en colaboración con Eduardo Ortega y Gasset edita las *Hojas Libres,* que clandestinamente pasan la frontera española y en las que Unamuno se ensaña con los responsables del Directorio.

En olor de multitudes volvió Unamuno a su patria. En abril de 1931 los estudiantes de Salamanca asaltaron y forzaron las puertas del Paraninfo, hicieron huelga de clases y pidieron que se nombrase a Unamuno rector. Dimitieron las autoridades académicas y la Subsecretaría de Instrucción Pública envió un telegrama accediendo a su nombramiento. Unamuno fue elegido rector por 21 votos a favor, cinco en blanco y uno en contra. Su último acto como rector tuvo lugar en plena guerra civil, con motivo de la festividad de la Raza. Presidió la sesión don Miguel, acompañado de Millán Astray, Carmen Polo de Franco y Pla y Deniel. Hablaron don José María Ramos Loscertales, el dominico P. Vicente Beltrán de Heredia, don Francisco Maldonado y don José María Pemán. Al final del acto dijo don Miguel:

«Dije que no quería hablar porque me conozco, pero se me ha tirado de la lengua y debo hacerlo. Se ha hablado aquí de guerra internacional en defensa de la civilización cristiana; yo mismo lo he hecho otras veces. Pero no, la nuestra es sólo una guerra incivil. Nací arrullado por una guerra civil y sé lo que digo. Vencer no es convencer, sobre todo, y no puede convencer el odio que no deja lugar para la compasión; el odio a la inteligencia que es crítica y diferenciadora, inquisitiva, mas no de inquisición. Se ha hablado también de los catalanes y los vascos llamándoles la anti-España; pues bien, con la misma razón pueden ellos decir otro tanto. Y aquí está el señor obispo, catalán, para enseñaros la doctrina cristiana que no queréis conocer, y yo, que soy vasco, llevo toda mi vida enseñándoos la lengua española que no sabéis. Ese sí es imperio, el de la lengua española, y no...»

El discurso fue interrumpido por un «¡Mueran los intelectuales!» y «¡Viva la muerte!» [28]. Unamuno fue depuesto inmediatamente y recluido en su domicilio, del que apenas salió hasta su muerte el último día de diciembre del mismo año 1936. Años antes había presentido poéticamente este momento:

Vendrá de noche, sí, vendrá de noche,
su negro sello servirá de broche
que cierra el alma;
vendrá de noche sin hacer ruido,
se apagará a lo lejos el ladrido,
vendrá la calma...,
vendrá la noche...

V. LA COMPLEJA PERSONALIDAD UNAMUNIANA

A través de esta rápida ojeada por la biografía de Unamuno aparece reflejada su compleja personalidad. Pero, en realidad, ¿cómo era Unamuno? A principios de siglo había escrito:

«Unos me creen un señor grave y adusto, arisco y desabrido, que pasa seis u ocho horas al día sumergido entre librotes; otros me creen un hombre quisquilloso y malhumorado que tiene la manía de llevar a todos la contraria. Nadie está libre de la leyenda, y después de todo, ¡qué caramba!, peor sería no tenerla.» [29]

Existe una gran diferencia entre el Unamuno público y el Unamuno privado, entre el escritor y el padre de familia o, si se quiere, utilizando su propio lenguaje, entre el Unamuno histórico y el intrahistórico. Era muy distinta la óptica con que le veían los íntimos —familiares y amigos— y los extraños. Unos partían de la persona amable, sencilla y cariñosa; otros partían de sus escritos y de su conducta social, perfectamente pensados y estudiados, contra corriente y chocando con toda clase de principios y normas establecidos. Unamuno luchó siempre por labrarse un nombre, un prestigio que le confiriese autoridad para ha-

[28] Emilio Salcedo, *Vida de don Miguel,* pág. 407.

[29] «Macanas de Miguel», *La Nación,* Buenos Aires, 4 de junio de 1907, *Obras Completas,* X, pág. 158.

cerse oír, y no se detuvo ante la extravagancia o cabriola mental. La leyenda por él mismo forjada se le escapó de las manos y le aprisionó, bien que a su pesar. Se le atribuyeron frases ingeniosas que nunca pronunció y se le desfiguraron otras. Atento a la fama, no pudo redimirse del mito por él forjado. «Y si esto es ahora —escribía en 1920— qué será luego que muera... Lo que a pesar de mi hambre, sed y ardor de inmortalidad, no me sirve de consuelo ninguno, te lo juro por mi nombre venidero.» [30] En el fondo, le envanecía su leyenda; lo que le desquiciaba —y era muy fácil desquiciarle— era que le colgasen a su nombre «verdaderas tonterías».

«A medida que se amengua o apaga la fe sustancial del alma, enciéndese un furioso anhelo de salvar siquiera una sombra de ella. La sed de sobrevivirse empuja, resuelve, acalora y consume a los hombres de hoy, no bien logran sacudirse del apremio de tener que ganar el pan de cada día.» «Queremos —prosigue— que las historias consagren un renglón siquiera a nuestro nombre, y para conseguirlo, nos encastillamos en la torre marfileña.» [31]

Con estas palabras explica Unamuno el porqué de su conducta extraña, en ocasiones, y el porqué del carácter autobiográfico de sus escritos. El precio del renglón en las historias dedicado a Unamuno es la tensión íntima y constante para forjar y mantener su leyenda, yendo siempre contra corriente y perdiendo su intimidad, en su afán de convertirse en especie única e insustituible, «unamunizándose» cada vez más y «unamunizando» todo lo que le rodea; el medio seguro será el erostratismo. Don Fulgencio aconsejaba de este modo a su discípulo Apolodoro Carrascal: «Extravaga, hijo mío, extravaga cuanto puedas, que más vale esto que vagar a secas. Los mismos que llaman extravagante al prójimo, ¡cuánto darían por serlo! Que no te clasifiquen; haz como el zorro que con el jopo borra sus huellas; despístales. Sé ilógico a sus ojos hasta que renunciando a clasificarte se digan: es él, Apolodoro Carrascal, especie única. Sé tú, tú mismo, único e insustituible. No haya entre tus diversos actos y palabras más que un solo principio de unidad: tú mismo. Devuelve cualquier sonido que a ti venga, sea el que fuere, reforzándolo y prestándole tu timbre. El timbre será el tuyo. Que digan: «Suena a Apolodoro» como se dice «suena a flauta» o a caramillo o a óboe o a fagot.» [32]

---

[30] «Se presta al rico en defensa propia», *Caras y caretas,* Buenos Aires, 11 de septiembre de 1920, *Obras Completas,* X, pág. 447.

[31] Unamuno, «Discurso pronunciado en el acto de la entrega de premios del Concurso Pedagógico celebrado en Orense en junio de 1903», *Obras Completas,* VII, pág. 529.

[32] Unamuno, «Amor y Pedagogía», *Obras Completas,* II, pág. 507.

No cabe duda de que se trata del problema que Unamuno se propuso a sí mismo. Basta sustituir el nombre de Apolodoro por el suyo propio y encaja perfectamente en su conducta.

Unamuno sentía verdadera manía porque no le clasificasen. El pertenecer a un grupo político, religioso, intelectual, etc. suponía para él, a su juicio, perder la individualidad. Intenta diferenciarse de todos en sus ideas, en su estilo, en su conducta, en su manera de ser, en su modo de vestir. Alguien que frecuentó su trato a principios de siglo corrobora lo que acabo de decir:

«Estuvo explicando la razón de sus sinrazones, el porqué de sus chifladuras y locuras, el fin deliberado, según dice, que se ha propuesto haciéndose aparecer excéntrico y loco, que es el darse a conocer, el dar que hablar, el volver locos a los demás, para que así, formada atmósfera, como ahora dicen, poder hacerse oír y no que no pase desapercibido.» [33]

Y para ello, era preciso representar un papel —el suyo propio—, rizar el rizo con las paradojas, convertirse en número de feria, en un saltimbanqui intelectual que atrae las miradas y la atención de todos. Esta impresión dolorosa la siente Unamuno en numerosas ocasiones. En una de las digresiones de su *Vida de don Quijote y Sancho,* escribe hundido por el desaliento:

«Es ya de noche, he hablado esta tarde en público y aún se me revuelven en el oído tristemente los aplausos. Y oigo también los reproches y me digo: ¡tienen razón! Tienen razón: fue un número de feria; tienen razón: me estoy convirtiendo en un cómico, en un histrión, en un profesional de la palabra. Y ya hasta mi sinceridad, esta sinceridad de que he alardeado tanto, se me va convirtiendo en tópico de retórica.» [34]

El histrionismo que Unamuno creyó temporal se convirtió en algo sustancial. Nunca pudo —ni lo intentó quizá— destruir la leyenda forjada por él mismo, a pesar de que, desde los primeros años de siglo, su voz no necesitaba de la estridencia para hacerse oír dentro y fuera de España, ni sus ideas necesitaban revestirse paradójicamente para que fueran tenidas en consideración. Los frecuentes deseos de abandonar la pantomima tenían menos vigor que los de salvar su nombre, de no morir del todo. Era imposible dar marcha atrás y hacer que el río retrocediese hasta la fuente que le alumbró. El curso de la vida le cortaba el paso hacia el pasado y le imponía recuperar su yo ex futuro. «¡Mi novela!, ¡mi leyenda! —exclama en *Cómo se hace una novela*—. El Unamuno de mi leyenda, de mi novela, el que hemos hecho juntos mi yo

[33] «El Unamuno de 1901 a 1903 visto por M.», *C. C. M. U.*, II, pág. 22.
[34] *Obras Completas,* IV, pág. 312.

amigo y mi yo enemigo y los demás, mis amigos y mis enemigos, este Unamuno me da vida y muerte, me crea y me destruye, me sostiene y me ahoga. Es mi agonía. ¿Seré como me creo o como me creen? Y he aquí cómo estas líneas se convierten en una confesión ante mi yo desconocido e inconocible; desconocido e inconocible para mí mismo. He aquí que hago la leyenda en que he de enterrarme.» [35] Sus campañas contra la monarquía y contra la persona concreta del rey Alfonso XIII que firmó su destitución y su destierro, fueron seguidas por la mayoría como un espectáculo desigual. El mismo don Miguel se queja de la atracción y curiosidad que ejerce su persona cuando pronuncia una conferencia; los espectadores acuden más a verle que a escucharle; le conocen por fuera, superficialmente, e ignoran sus escritos. Esperan que no les defraude y desean sus paradojas e intemperancias de acuerdo con el esterotipo que de él tienen forjado.

Uno de los rasgos más salientes de la personalidad unamuniana es la agresividad. Tanto a través de sus escritos como en su trato social público, la punta de lanza de la agresividad destaca entre todo lo demás. Unamuno lo reconoce así e intenta justificarse:

Sí, ya lo sé, soy antipático a muchos de mis lectores, y una de las cosas que más antipático me hacen para con ellos es mi agresividad, mi agresividad tal vez morbosa, no lo niego. Pero es, amigo, que esa agresividad va contra mí mismo, que cuando arremeto contra otros es que estoy arremetiendo contra mí mismo, es que vivo en lucha íntima.» [36]

El camino hacia la conquista del superhombre que Unamuno quiso ser no podía carecer de obstáculos y de resistencias. Estas resistencias son los otros y el mismo Unamuno real, el de carne y hueso, que a cada momento contradice al Unamuno paradigmático propuesto como ideal. Uno y otro ponen en marcha el motor de la agresividad que se dispara con un «feroz dinamismo» contra todo lo que se le interpone. Los otros son rivales que luchan también por conseguir su lugar en el estrecho cielo de la fama. Unamuno intenta superar a todos y en su lucha reparte mandobles a diestro y siniestro pensando que la imagen que tiene forjada de sí mismo es superior a lo que en realidad son los demás. Los otros son beocios, filisteos, esclavos, ignorantes, gregarios... Sólo él es Miguel de Unamuno, el único con derecho a la admiración, reverencia y pleitesía por parte de todos. En su soberbia no concibe que se le ignore, que se le discuta, que se le critique o que se disienta de él. Con terquedad y obstinación arremete indistintamente contra todos para instalar su yo, para imponer sus ideas, sus puntos de vista y para comunicar a todos sus problemas, por íntimos que sean. Pasar desapercibido, pasar sin pena

[35] *Obras Completas,* X, pág. 865.
[36] Unamuno, «A mis lectores», *La Nación,* Buenos Aires, 6 de julio de 1909.

ni gloria por la vida supone un *no-ser,* a lo que se opone con todas sus fuerzas. Por eso va siempre de frente, partiendo por el eje, arremetiendo contra todos, a fin de ser y afirmarse en la existencia cada vez más.

El otro yo, el real, el que contradice inexorablemente al yo ideal, también es enemigo al que hay que combatir, también es una difícil —por no decir imposible— resistencia a vencer. Apenas existen valores singulares y que se puedan comparar a los suyos. En su opinión, nadie sabe ni siente ni vale lo que él, y si existe, no lo reconoce. Lo que es aún más paradójico es que el blanco de sus dardos envenenados sean también aquellos que no pueden ensombrecer su gloria, por su mediocridad o por su estupidez. Son numerosos los ensayos que escribió para combatir la tontería: «*¡Ramplonería!*», «*Vulgaridad*», «*Un filósofo del sentido común*», «*Leyendo a Flaubert*», etc. Los críticos llaman a esta tendencia «Enfermedad de Flaubert», por haber sentido también este escritor la misma aversión [37]. La raíz de esta aversión, ¿no radica en que los mediocres, por el hecho de serlo, no son capaces de apreciar un valor superior y, por tanto, no pueden quemar su grano de incienso en aras de la admiración?

Sin embargo, Unamuno nunca manifestaba su desprecio hacia el hombre ignorante de poco relieve social, cuando le trataba personalmente. Consecuente con su filosofía quijotesca y recordando el discurso de Don Quijote a los cabreros de Sierra Morena, era siempre amable y sencillo en su trato, tanto con un bedel universitario como con un campesino.

Junto a la agresividad brilla a gran altura su sinceridad, cualidad de la que siempre alardeó y reconocida incluso por aquellos a quienes Unamuno y sus cosas resultaban cargantes. El prestigio y fama de que gozó dentro y fuera de España, se debió, sin duda, a su independencia de juicio, a su espíritu insobornable que le hacía decir siempre lo que sentía y a sentir lo que decía, como quería Séneca, despreciando olímpicamente la oportunidad o inoportunidad de sus palabras. «Yo, señor mío —escribe—, como no hago oposiciones a ministro de la Corona, no tengo por qué medir las palabras para no comprometer mi porvenir, que jamás hipoteco.» [38] «Yo me he casado con la sinceridad —agrega—. Y si alguna vez me contradigo, me contradigo muy sinceramente.»

Equivocado o no, dejaba siempre hablar a su corazón, sin pensar en las consecuencias de sus palabras, o incluso pensándolas. Hay que añadir también que, durante bastante tiempo, las leyes fueron discri-

---

[37] Cfr. Clavería, *Temas de Unamuno,* Biblioteca Románica Hispánica, II, Estudios y Ensayos, Ed. Gredos, Madrid, 1953, pág. 61.

[38] Unamuno, «El dolor de pensar», *La Esfera,* Madrid, 7 de agosto de 1915, *Obras Completas,* X, pág. 314.

minatorias con él y le permitieron decir públicamente lo que no permitieron a ningún otro.

Este rápido bosquejo de la compleja personalidad del rector de Salamanca quedaría incompleto si no aludiera a su actitud religiosa. Julián Marías afirma que «la obra entera de Unamuno está inmersa en un ambiente religioso; cualquier tema acaba en él por mostrar sus raíces religiosas o culminar en una última referencia a Dios. Y en el fondo nada le interesaba si no podía reducirlo de algún modo a su preocupación permanente» [39]. Este interés religioso será también el guía que oriente sus lecturas y el que le haga preferir a los autores preocupados por el tema religioso.

La religión de Unamuno es personal; con él empieza y con él acaba. Más que elaborar una religión distinta a las existentes, manifiesta una actitud original frente a todo dogma católico o protestante. Sentimentalmente se encuentra a las puertas del catolicismo, pero racionalmente se aproxima a los racionalistas protestantes centroeuropeos como Lutero, Harnack, Schleiermacher, Ritschl... Su actitud religiosa gira alrededor de una fe íntima, medular e incluso inconsciente, pero típicamente modernista, admitiendo con los teólogos protestantes las diferencias entre el Cristo histórico y el Cristo de la fe, o lo que es lo mismo, entre el Cristo hombre de carne y hueso y el Cristo «legendario» cristiano. No creo que Unamuno adoptase una postura *frívola* en materia de tanta trascendencia para sí mismo, aunque es verdad que en cuestiones religiosas nunca supo a qué atenerse y, por supuesto, nunca logró franquear la duda. «En el orden religioso —escribió— apenas hay cosa alguna que tenga racionalmente resuelta, y como no la tengo, no puedo comunicarla lógicamente, porque sólo es lógico y transmisible lo racional.» [40]. La duda incluía la misma existencia de Dios. En el primero de sus magníficos salmos exclama:

Señor, Señor, ¿por qué consientes
que te nieguen ateos?
¿Por qué, Señor, no te nos muestras
sin velos, sin engaños?
¿Por qué, Señor, nos dejas en la duda,
duda de muerte?
¿Por qué te escondes?
¿Por qué encendiste en nuestro pecho el ansia
de conocerte,

[39] J. Marías, *Miguel de Unamuno,* Espasa-Calpe, Colección Austral, 4.ª edición, Madrid, 1965, pág. 145.

[40] Unamuno, «Mi religión», *La Nación,* Buenos Aires, 9 de diciembre, 1907, *Obras Completas,* XVI, pág. 119.

el ansia de que existas,
para velarte así a nuestras miradas?
¿Dónde estás, mi Señor; acaso existes?
¿Eres Tú creación de mi congoja,
o lo soy tuya? [41]

La frase evangélica que repite Unamuno reiteradamente y que mejor refleja el estado de su espíritu es «creo, ayuda mi incredulidad». Su sentido es claro: Quiero creer, sácame de la incredulidad. Para él Dios es el inmortalizador del hombre, un seguro de vida eterna. Si existe, también el hombre existirá de algún modo después de muerto. Al parafrasear los últimos versos de su «La oración del ateo»:

Sufro yo a tu costa,
Dios no existente, pues si tú existieras
existiría yo de veras

añade: «Sí, si existiera el Dios garantizador de nuestra inmortalidad personal, entonces existiríamos nosotros de veras. ¡Y si no, no!» [42]

[41] Unamuno, Salmo I. O. C., XIII, pág. 281.
[42] Unamuno, «Del sentimiento trágico de la vida», *Obras Completas,* XVI, página 246.

EL PENSAMIENTO DE UNAMUNO

I. ACTITUD FRENTE AL POSITIVISMO EUROPEO

La insaciable curiosidad intelectual y la fe perdida empujaron a Unamuno a zambullirse en el positivismo europeo de la época, creyendo encontrar en él lo que éste no podía darle. Conoció las obras del patriarca del positivismo Comte; las del «ingeniero inglés metido a metafísico», Spencer; las del fundador del primer laboratorio de psicología, Wundt; las de los materialistas Baur, Ribot, etc., sin olvidar a las del mayor de los positivistas italianos, Robert Ardigó. Para Unamuno, este pensador, en 1891, era «un filósofo portentoso, tan alto como el más alto de hoy... que puede figurar al lado de los más profundos de hoy» [1].

Dos años más tarde —1893— sigue devorado por la misma fiebre cientifista y pide la opinión a diversos amigos especialistas sobre los mejores tratados de ciencias naturales en francés, alemán o inglés, con la intención de adquirirlos. Muy pronto, sin embargo, superó la fascinación por la ciencia y pasó «el sarampión spenceriano», como él mismo lo llama [2]. El desencanto habrá que unirlo a la llamada crisis de 1897 —quizá un par de años antes— cuando intentaba recuperar la fe de sus años juveniles. La ciencia le defrauda porque mata el espíritu al dejar sin respuesta las preguntas que más importan al hombre; porque no da cabida al alma, a los anhelos trascendentes y porque reduce las pasiones y los sentimientos a productos materiales del cerebro; porque intentado superar todas las religiones existentes, la ciencia se convierte en otra religión. Unamuno no abandona por ello el estudio de la ciencia sino que la coloca en su justo valor, despojándola del ropaje mitológico con que la abrigaron los positivistas decimonónicos. Cae en la cuenta como caerían posteriormente otros muchos de que la ciencia no es un fin en sí mismo, sino un medio al servicio del hombre, al que no se puede

---

[1] Carta a P. de Mugica, Salamanca, 23 de noviembre de 1891. *Cartas inéditas...*, ob. cit., pág. 155.

[2] Carta a Carlos Vaz Ferreira, Salamanca, 29 de mayo de 1907.

inmolar en su altar. En una carta a Miguel Gayarre, escribió Unamuno: «Yo, en cambio, aunque cada vez más convencido del valor y virtualidad de la ciencia, cada día siento por ella más desvío. No la considero ya más que como narcótico, un opio para ahogar los dolores del ansia de eternidad afectiva.» [3] Es frecuente encontrar en las cartas escritas por Unamuno durante estos años frases groseras en desprecio de la ciencia.

Acertadamente considera Unamuno que tanto el individuo como la sociedad necesitan un fin, un motivo de vivir trascendente que no lo pueden dar ni la vida misma ni, por supuesto, la ciencia. Numerosos testimonios podríamos entresacar de sus escritos. En el ensayo *De la enseñanza superior en España* afirma:

«Sólo una finalidad trascendente es ideal, y sin ideal no hay vida verdaderamente humana, ni para el individuo ni para el pueblo (...) Si no sabemos para qué ha de vivir nuestra patria, jamás seremos patriotas.» [4]

Continúa después Unamuno hablando de la pasada grandeza de España, gracias al ideal colectivo que unió a todos los españoles en una empresa común. Lo paradójico radica en poder conciliar el ideal individual de «la fe que crea», «señora y no esclava de dogmas» y la fe colectiva de un pueblo que se proyecta en una empresa común *ad extra,* siguiendo la terminología del propio Unamuno. ¿Qué ideal colectivo anudará los ideales individuales? ¿Quién será el encargado de formular dicho ideal de manera que sea aceptado por todos no precisamente como dogma impuesto? Unamuno, como la mayoría de sus coetáneos noventaiochistas, no brilló por sus dotes políticas; más que aportar soluciones, plantea problemas y se refugia en la actividad literario-filosófica.

De todos los pensadores positivistas decimonónicos Spencer fue el mejor conocido por Unamuno. Algunas de cuyas obras tradujo al castellano, *pro pane lucrando*. Las citas de Spencer abundan a lo largo de su obra escrita. El rápido desencanto fue debido a la incapacidad metafísica del pensador inglés. Le parece vulgar y superficial, a pesar de lo mucho que le enseñó «el ingeniero filósofo inglés», «el mecánico desocupado», frase de Papini que Unamuno repite complacido. «Las doctrinas de Spencer están al alcance de la comprensión del hombre más falto de educación filosófica y aun incapaz de recibirla.» [5] Stuart Mill le parece «mucho más filósofo y más excelso que él» [6].

---

[3] Salamanca, 27 de septiembre de 1900. *Cartas inéditas...,* pág. 302.

[4] *Obras Completas,* III, págs. 107-108.

[5] Unamuno, «Cientifismo», *La Nación,* Buenos Aires, 9 de julio, 1907. *Obras Completas,* IV, 522.

[6] *Ibídem,* pág. 523.

Aunque no tan frecuentes, no faltan las alusiones al fundador del positivismo, Comte, «el demente genial» a juicio de Ortega. Respecto a la famosa ley de los tres estados —teológico, metafísico y positivo— puntualiza Unamuno en 1913:

«Las tres edades coexisten y se apoyan, aún oponiéndose, unas a otras. El flamante positivismo no es sino metafísica cuando deja de negar para afirmar algo, cuando se hace realmente positivo.» [7]

Aún no enfriado el fervor positivista, la literatura europea y sudamericana de la época emprendió una campaña de descrédito a través de la ficción novelesca, contra el positivismo en general y contra las nuevas orientaciones de la teoría y práctica educativas en particular. Entre las novelas más importantes, de acuerdo con su aparición cronológica, podrían citarse *Le Disciple* (1889), de Paul Bourget, en la que tantas semejanzas y paralelismos se hallan con *Amor y Pedagogía* (1902), de Unamuno, y *La Maestra Normal,* del argentino Manuel Gálvez. De ellas y de las implicaciones del positivismo en la pedagogía hablaremos más adelante.

II. LA HUELLA DE KIERKEGAARD

Cuando Kierkegaard era todavía un desconocido en Europa, Unamuno se abrevaba en sus obras y hablaba de él ininterrumpidamente.

Antes de 1900 ya conocía Unamuno al filósofo danés. En una carta a Luis Ruiz Contreras escribió:

«Todavía no sabe nadie en España quién es Kierkegaard y aquí estoy yo, aduanero de las letras, para ponerle el marchamo.» [8]

Las obras de Ibsen llevaron a Unamuno a conocer a Kierkegaard y con ese fin estudió danés y adquirió sus obras completas. La obra de Unamuno que más elocuentemente acusa la huella kierkegaardiana es *El sentimiento trágico de la vida.* Charles Noeller, en su trabajo *Quelques aspects de l'itineraire spirituel d'Unamuno* [9] revela que, cuando los estudiantes de Lovaina descubrieron el *Sentimiento trágico de la vida* en la traducción francesa de 1937 «nos marqua bien plus profondément

---

[7] Unamuno, «Del sentimiento trágico de la vida», *Obras Completas,* XVI, página 271.

[8] Carta citada por M. García Blanco, *En torno a Unamuno,* Taurus, Madrid, 1965, pág. 190.

[9] *Unamuno a los cien años.* Estudios y discursos salmantinos en su I Centenario, Salamanca, Universidad, Secretariado de Publicaciones, pág. 74.

que *La Condition humaine* de Malraux, en 1933, et *La nausée,* de Sartre, en 1938.

En cette époque, on connaissait mal Kierkegaard, en France et en Bélgique. Nous fûmes bouleversés de découvrir un homme qui l'avait lu dans l'original».

Las analogías entre Kierkegaard y Unamuno son notables, no sólo en el campo ideológico sino en el de la personalidad, e incluso, en la biografía de ambos. Parece que Unamuno —aparte las coincidencias temperamentales— se hubiese propuesto imitar conscientemente las actitudes y la manera de ser y de comportarse en la sociedad de su maestro. Coinciden ambos en la investigación continua y despiadada de sí mismos y, por tanto, en el carácter autobiográfico de sus obras, elevando a categoría universal sus casos personales. Coinciden en sus profundas crisis religiosas vividas agónicamente; en su anticonformismo y campañas contra la iglesia oficial de sus países respectivos, contra el estado y contra el pensamiento de los consagrados. La vida de ambos se convierte en escándalo permanente mediante el cual, a la vez que afirman su propia personalidad única, intentan provocar la reflexión y renovación colectivas. Uno y otro viven en tétrica soledad monologando, excitando a la regeneración de las almas y escandalizando a todos con sus paradojas y excentricidades. Kierkegaard «hizo de la paradoja un método dialéctico», observa René Horhen [10] y Unamuno es su continuador.

El pensamiento del rector de Salamanca gira en torno al hombre concreto, al hombre de carne y hueso, al hombre viviente y sufriente. El hombre es el único objeto de la Filosofía. En su *Del sentimiento trágico de la vida* sienta la base de su humanismo al decir:

«Hombres, hombres de carne y hueso, hombres que nacen, sufren y, aunque no quieran morir, mueren; hombres que son fines en sí mismos, no sólo medios; hombres que han de ser lo que son y no otros; hombres, en fin, que buscan eso que llamamos felicidad.» [11]

Es significativo que el primer capítulo de esta obra famosa lleve por título «El hombre de carne y hueso». No el hombre definido por los filósofos anteriores como bípedo implume, ni el animal social aristotélico, ni el contratante social rusoniano, ni los clásicos *homo oeconomicus, sapiens* o *faber;* son conceptos abstractos que escapan al aquí o allí y no son ni de ésta ni de ninguna época; ni tienen sexo ni patria ni pasiones ni sentimientos. Son hombres idea que no existen.

---

[10] Sartre, Jaspers y otros, *Kierkegaard vivo.* Coloquio organizado por la UNESCO en París del 21 al 23 de abril de 1964. Alianza Editorial, Madrid, 1968, página 11.

[11] *Obras Completas,* XVI, págs. 142-143.

«El nuestro —continúa— es el otro, el de carne y hueso; yo, tú, lector mío; aquel otro más allá, cuantos pisamos la tierra.» [12]

Kierkegaard había insistido en la necesidad de conquistarse a sí mismo, de aceptarse a sí mismo, de ser auténticamente en progresiva profundidad. Querer ser otro es una aberración, aunque haga «falta coraje para elegirse a uno mismo; pues en el momento en que uno parece aislarse más, más penetra en la raíz por la cual se relaciona con el conjunto» [13]. En otro lugar de la misma obra, puntualiza:

«Una de las características de esas personas que se llaman desgraciadas es adherirse a sí mismas lo más posible, *no desear por nada del mundo ser otra que ellas mismas,* a pesar de todos los sufrimientos.» [14]

Obsérvese la similitud de conceptos en Unamuno:

«No acabo nunca de comprender que uno quiera ser otro cualquiera. Querer ser otro es querer dejar de ser uno lo que es. Me explico que uno desee tener lo que no tiene, sus riquezas o sus conocimientos; pero ser otro es cosa que no me la explico. Más de una vez se ha dicho que todo hombre desgraciado prefiere ser el que es, aún con sus desgracias, a ser otro sin ellas. Y es que los hombres desgraciados cuando conservan la sanidad en su desgracia, es decir, cuando se esfuerzan por perseverar en su ser, prefieren la desgracia a la no existencia.» [15]

No basta, sin embargo, aceptarse a sí mismo, como no basta desdeñar ser otro negando la propia mismidad. Es preciso también querer ser otro dentro de la continuidad y unidad personales. En esto radica el proyecto existencial de engendrarse a sí mismo, de esculpir la propia alma.

Hermano mellizo del quijotesco «¡Yo sé quién soy!», equivalente en el comentario de Unamuno al «¡Yo sé quién quiero ser!», es el principio «¡No hay otro yo en el mundo!» La creencia unamuniana en que su persona —y por extensión las de los demás— es única e insustituible, resumen y punto de partida de la Historia, es un dogma que pervive a través de toda su vida. Es la melodía kierkegaardiana con distintas variaciones: la persona es una puntualidad irrepetible, no una parte de una multipilicidad ni un aspecto del Uno trascendental; el ser singular es único, trágicamente solitario en su libertad y responsabilidad, delante del mundo y frente a Dios.

La obra de Kierkegaard es una protesta del individuo contra la tiranía de la razón. «El individuo que siente, *existe,* cree, no puede ser

---

[12] *Ibídem,* págs. 127-128.

[13] Kierkegaard, *Estética y ética en la formación de la personalidad,* Ed. Nova, Buenos Aires, 2.ª edición, 1959, pág. 83.

[14] S. Kierkegaard, ob. cit., pág. 81. El subrayado es mío.

[15] Unamuno, «Del sentimiento trágico de la vida», *Obras Completas,* XVI, página 137.

aprisionado por los conceptos (...) conoce lo que es, sabe que es *sí mismo* en una subjetividad que es fuente, tensión, proyecto, que, lejos de cerrarse sobre sí misma, es estallido hacia lo trascendente, esfuerzo personal hacia lo otro, el valor, el Dios de la luz o de la oscuridad. La verdad subjetiva es, pues, más profunda que la prueba racional por lo que es *experiencia,* viva vivida, existencia que se busca y se quiere.» [16] La primacía de lo individual, de la subjetividad, de lo inmediato, es, pues, el punto en que convergen los diversos existencialismos modernos.

En esta óptica irracional se mueve el pensamiento de Unamuno. «No me someto a la razón —dice— y me rebelo contra ella y tiro a crear, en fuerza de fe, a mi Dios inmortalizador, y a torcer con mi voluntad el curso de los astros.» [17] Y es que lo vivo es dinámico, fluyente, nunca igual; por ello la razón es incapaz de comprender la existencia. «La mente busca lo muerto, pues lo vivo se le escapa; quiere cuajar en témpanos la corriente fugitiva, quiere fijarla.» [18] Y no obstante, nadie puede prescindir de la lógica con la que pensamos, elaboramos y transmitimos nuestros conceptos por irracionales e ilógicos que sean. Unamuno descubre el sentimiento trágico de la vida en la pugna perenne del sentimiento y de la razón; la lógica busca razones que satisfagan a la razón y con ella avanza la ciencia, pero frente a ella es necesario levantar el método de la pasión, de la arbitrariedad, de «la afirmación cortante porque sí, porque lo quiero, porque lo necesito, la creación de nuestra verdad vital —verdad es lo que nos hace vivir—, es el método de la pasión. La pasión afirma, y la prueba de su afirmación estriba en la fuerza con que es afirmada. No necesita otras pruebas» [19].

Es evidente la profunda huella kierkegaardiana y huelgan los comentarios.

Kierkegaard subrayó la inestabilidad de la vida del hombre, la situación angustiosa del hombre que camina al borde de un precipicio o, si se quiere, en las movedizas arenas del no-ser. La inmortalidad efectiva del yo humano carece de pruebas evidentes y flota en la incertidumbre. «Es un hermoso riesgo» cuya duda sólo puede disipar la fe. La misma libertad es un riesgo que aterra al pensador danés, porque obliga a elegir, a tomar decisiones, y esto entraña una tremenda

[16] Gaëtan Picon, *Panorama de las ideas contemporáneas,* Edic. Guararrama, Madrid, 1965, págs. 77-78.

[17] Unamuno, «Del sentimiento...», *Obras Completas,* XVI, 178.

[18] Unamuno, *ibídem,* pág. 217.

[19] Unamuno, «Sobre la europeización», *La España Moderna,* Madrid, diciembre, 1906, III, 1124.

responsabilidad. Pero con las opciones y decisiones nos afirmamos y llegamos a ser lo que somos.

No obstante, el hombre se siente desesperado al encontrarse a sí mismo entre lo caduco y lo efímero y la eternidad. La desesperación es algo ínsito en cada hombre; no es una duda sino una angustia vivida intensamente. La tragedia humana, al mismo tiempo que angustia, es nuestra redención, es el impulso que nos lanza hacia lo eterno, hacia las formas superiores de la vida interior. Nos pone frente a la elección entre lo temporal y lo eterno.

Pocos autores modernos habrán insistido tan machaconamente como Unamuno en el drama de la vida. A través de todas sus páginas aparece el ansia de inmortalidad, el deseo de no morir del todo y la necesidad de Dios inmortalizador del hombre. Paralelamente se desliza el tema de la muerte, previviendo en sus personajes «nivolescos» la suya propia. La obra *Del sentimiento trágico de la vida* me ahorrará numerosas citas que podrían aducirse.

Contra la limitación, finitud y caducidad del hombre, contra el «vanidad de vanidades y todo vanidad» escribe un ensayo titulado «Plenitud de plenitudes y todo plenitud». El drama unamuniano, su sentimiento trágico, su agonía personal, estriba en no poder hallar un momento de tregua entre la razón y el corazón. Las líneas de ambos son divergentes y no coinciden nunca. Nada más trágico que el hombre, perdido al nacer y en lucha por encontrarse. «El hombre por ser hombre, por tener conciencia, es ya respecto a un burro o a un cangrejo, un animal enfermo. La conciencia es una enfermedad» [20] y la única curación posible es la muerte, dirá en otro lugar.

Kierkegaard concebía al hombre como un haz de contradicciones y de oposiciones que conviven y fracturan la existencia. En cada individuo se agitan elementos opuestos e irreconciliables. Frente a las paradojas y la irracionalidad de la vida la filosofía y el pensamiento quedan anulados. La misma existencia es una inmensa contradicción por ser el punto de contacto entre lo finito y lo infinito. Ahora bien, el hombre necesita vivir de la contradicción, necesita pelear acosado por tendencias opuestas que le abocan a la destrucción. De esta muerte alimenta su vida.

Unamuno hace suyo el problema kierkegaardiano y vive también afirmándose a base de contradicciones. «Alguien podrá ver —afirma en su *Del sentimiento trágico de la vida*— un fondo de contradicción en todo cuanto voy diciendo, anhelando unas veces la vida inatacable, y diciendo otras que esta vida no tiene el valor que se le da. ¿Contradicción? ¡Ya lo creo! ¡La de mi corazón, que dice sí, y mi cabeza, que

[20] *Del sentimiento*..., ob. cit., pág. 144.

dice no! ...Sólo vivimos de contradicciones, y por ellas; como que la vida es tragedia, y la tragedia es perpetua lucha, sin victoria ni esperanza de ella; es contradicción.» [21]

Ahogado por la contradicción y la duda vive su yo angustiado, su yo que aspira a ser único e insustituible, al que le está permitido todo menos cruzarse de brazos y entregarse al descanso. Esta lucha, este estado agónico perpetuo le impulsa a la acción, a ser él mismo, auténtico en cada instante, a llevar a cabo el proyecto concebido y a proyectarse sobre los demás. Mediante sus obras intenta contagiar a sus lectores, a cada uno de ellos en particular, su zozobra, su comezón agónica, partiendo a todos por el eje y abriéndoles el corazón —es frase suya— para ponerles en él sal y vinagre, a fin de que no descansen nunca y vivan siempre despiertos como nuevos Prometeos, saboreando el propio drama.

¿Qué es, pues, el hombre, según Unamuno? Una contradicción, una paradoja, un sueño. «¿No ha pensado usted nunca en aquellas proféticas palabras del hombre Shakespeare, cuando dijo que estamos hechos de la madera misma de los sueños?» «¿No ha pensado usted que no somos sino sueño, «sueño de una sombra», según las palabras, proféticas también, del hombre Píndaro? ¿No ha pensado usted si no somos un sueño de Dios?» [22]

Con las precedentes líneas he intentado poner de relieve la profunda huella que Kierkegaard dejó en Unamuno, tanto en su pensamiento como en su praxis social. Podrían añadirse más analogías entre ambos como el concepto de religión, el sentimiento de soledad intensamente vivido, el asistematismo de sus obras escritas, etc., etc., pero ello nos alargaría excesivamente. Sólo resta añadir que Unamuno no se arrepintió nunca de haber estudiado danés para poder comprender mejor la obra de donde manan los modernos existencialismos y que la devoción hacia este teólogo danés no se enfrió nunca; es más, se hizo carne de su carne y alimento continuo de su espíritu.

III. EL AGUA DE OTRAS FUENTES

Julián Marías afirma en su *Miguel de Unamuno* que el pragmatismo influyó decisivamente en el pensamiento de Unamuno, sobre todo,

---

21 *Ibídem,* pág. 140.

22 Unamuno, «Soliloquios y conversaciones», *La Nación,* Buenos Aires, 11 de febrero de 1910, *Obras Completas,* IV, 561-562.

en su modo de entender la religión. No es menos cierto también que el pragmatista W. James ayudó a Unamuno a salir del atolladero positivista en el que había militado durante los primeros años de su madurez intelectual. «Me curé de él (del «sarampión spenceriano») y no es a W. James a quien usted cita, a quien menos se lo debo. Y acaso mañana haga falta quien cure a otros de la acción de W. James, porque la novedad de hoy es la rutina de mañana.» [23]

No creo que Unamuno se curase del pragmatismo. En sus obras más significativas aparece la huella del pensador norteamericano. Una muestra puede ser suficiente. En el capítulo XXXI de la primera parte de la *Vida de Don Quijote y Sancho* dice: «No es la inteligencia sino la voluntad la que nos hace el mundo, y al viejo aforismo escolástico de *nihil volitum quin praecognitum,* nada se quiere sin haberlo antes conocido, hay que corregirlo con un *nihil cognitum quin praevolitum,* nada se conoce sin haberlo antes querido.» [24] El texto prosigue en la más pura ortodoxia pragmatista. De admitir este criterio, lo que se consigue es destruir la verdad y la posibilidad de luchar por conquistarla. Habrá verdades parciales, subjetivas, que sirven para la vida, pero que nada tienen que ver con la verdad, siempre universal e idéntica para todos. El pragmatismo conduce inexorablemente al relativismo.

Entre los ídolos alemanes admirados por Unamuno, además de Hegel, en cuya *Lógica* aprendió alemán siendo estudiante universitario, figuran Goethe, Lenau, Voss y, sobre todo, Schopenhauer, del cual poseía las obras completas y al que leyó y admiró durante las última década del siglo [25].

Nietzsche, sin embargo, mucho más popular dentro y fuera de Alemania que el anterior, no gozó de simpatía ante Unamuno. En 1928 se defendía Unamuno del paralelismo ideológico que algunos críticos habían encontrado entre ambos. «Cuando alguna vez me han dicho si he tomado ciertos temas de Nietzsche —a quien todavía conozco muy mal y fragmentariamente—, respondo que él y yo —era también profesor de griego— lo hemos tomado de la misma fuente, dé la sofística helénica.» [26] Antes de 1898, cuya generación buscaba el superhombre, comenzó Unamuno a leer a Nietzsche, al que, en la Conferencia pronunciada en la Universidad de Valencia llama «loco sublime» y «desgra-

---

23 Unamuno, carta a Vaz Ferreira, Salamanca, 29 de mayo de 1907. *Correspondencia entre Unamuno y Vaz Ferreira,* vol. XIX, Montevideo, 1963.

24 *Obras Completas,* IV, págs. 188-189.

25 Cartas de Unamuno a Pedro de Mugica, Salamanca, 7 de octubre de 1893, 4 de octubre de 1891, 23 de noviembre de 1891 y 17 de mayo de 1892. *Cartas inéditas,* ob. cit., págs. 209, 153, 155 y 174, respectivamente.

26 Carta a M. Gálvez, Hendaya, 15 de abril de 1928. *Cuadernos Hispanoamericanos,* mayo, 1954, núm. 53, págs. 192-193.

ciado». A la conocida teoría nietzscheana del super-hombre opuso Unamuno la de ser todo un hombre, más importante, a su parecer, que ser un semidiós, «más que ser un dios a medias» [27].

Completar la lista de los pensadores que más influyeron en Unamuno llevaría demasiado lejos. Entre ellos descuellan San Agustín y Spinoza; Pascal y Rousseau, entre los franceses; Kant, Fichte y Schelling entre los alemanes, además de los ya citados; Croce y Papini, con los cuales cruzó correspondencia, y Ardigó, durante su período positivista, entre los italianos. Entre sus predilecciones literarias predominan los poetas ingleses Worsdsworth, Coleritge, Shelley, Shakespeare, Milton, etc. [28]

Con material tan diverso, asimilado y tamizado por su poderosa inteligencia, elaboró Unamuno su pensamiento al que los críticos niegan el nombre de filosofía. El mismo Unamuno es consciente de la limitación de su pensamiento, más elaborado con la pasión y la voluntad que con la razón. No fue capaz de elaborar ni las líneas maestras de un sistema filosófico, puesto que siempre se declaró enemigo de todo sistema. La contradicción y la paradoja son las muletas de las que se sirve en el camino de la verdad, imposible de alcanzar, a su juicio. Ni se tuvo por sabio ni por filósofo. En cierta ocasión escribe que no quiere «dar por filosofía lo que acaso no sea sino poesía o fantasmagoría, mitología en todo caso» [29]. Es más, no desea que se funde una escuela o teoría sobre él [30], como pedía el poeta Walt Whitman:

«I charge that there be no theory or school founded out of me.»

De toda su obra nada apreció tanto como su poesía y con el nombre de poeta quiso pasar a la posteridad.

Entonces, ¿no fue filósofo Unamuno? Para responder a esta pregunta sería preciso ponerse de acuerdo en lo que es filosofía. En la Historia de la Filosofía abundan más los pensadores que los filósofos auténticos. Si negamos el título de filósofo a Unamuno —mote que a él mismo le importaría un ardite— por su irracionalismo, por su asistematismo sistemático, habría que negar dicho título también a muchos pensadores modernos que son tenidos universalmente como tales. ¿No es sistemático su asistematismo? ¿Es que el irracionalismo no es racional, siguiendo la paradoja? ¿No se necesita la razón, la lógica, para oponerse a ellas?

---

[27] Cfr. M. García Blanco, «La cultura alemana», *En torno a Unamuno,* obra citada, págs. 479-485.

[28] Cfr. *ibídem,* págs. 509-579.

[29] Unamuno, *Del sentimiento trágico de la vida,* XVI, 253.

[30] Unamuno, *ibídem,* 253.

AMBIENTE CULTURAL DE FINES DEL SIGLO XIX Y PRINCIPIOS DEL XX

I. EL ALDABONAZO DE 1898

En el último cuarto de siglo vive Europa preocupada por los problemas pedagógicos: se cree que las cárceles y los hospitales reclutan sus clientes de las clases ignorantes y analfabetas; la llama de la revolución prende más fácilmente en las masas no ilustradas por la cultura; el respeto a las creencias ajenas, la solución a las más bajas pasiones, la felicidad de los pueblos, la armonía social, los pilares de la economía, de la industria y del comercio, y por ende, de la riqueza mejor repartida, habrá que buscarlos en la escuela, la única capaz de implantar de manera eficaz una especie de nuevo paraíso; la ignorancia es la causa de todos los males.

Estas ideas, expuestas casi con las mismas palabras, se habían extendido por la Europa del XVIII y vuelven a renacer en las postrimerías del XIX con nuevo vigor y con más eficacia. El desastre de Francia en 1870 ante las tropas prusianas no se debió a la inferioridad del propio ejército sino a la superioridad de la pedagogía alemana. La frase lapidaria de Jules Ferry «es el maestro quien ha vencido en Sedán» se aplica al desastre colonial español de 1898 [1].

Pocos desastres de la Historia de España han producido efectos más positivos que éste y pocos han calado más hondo en la mente de la parte más consciente del país. Con el golpe, España se repliega en sí misma y agrupa las energías dispersas, tan generosamente gastadas en latitudes alejadas de la patria. Se habla, se discute, se buscan las causas de la derrota y se intenta redescubrir la esencia de España. Mientras tanto, el pueblo duerme o bosteza, ajeno a toda polémica. «Dentro y fuera de España hay una porción de periódicos que no cesan de ha-

[1] Hacia 1870 los analfabetos en el ejército francés pasaban del 20 por 100, y sólo el 3 por 100 en el ejército prusiano. C. M. Cipolla, *Educación y desarrollo en Occidente,* pág. 21, Ediciones Ariel, 1970.

blar de la postración y marasmo de España. Quién dice que ha perdido la dignidad y la vergüenza; quién que es un pueblo en el último grado de descomposición, conquistable y repartible; algunos piensan que ha quedado aturdido por el exceso del golpe, pero que en cuanto se despeje sacudirá su legendaria melena y, zarpa aquí, mordisco allá, no dejará títere con cabeza. Y no falta quien afirma que la actitud de resignación y recogimiento ante la desgracia es digna de la admiración del mundo entero [2].

El desastre tuvo la virtud de despertar la conciencia de un sector amplio del país hasta entonces despreocupado de los problemas de la enseñanza. El reformismo educativo, privativo de los profesionales de la enseñanza, irrumpe con fuerza y se convierte en tema del día. Ensayistas, literatos, periodistas, políticos y economistas toman conciencia del problema de la educación y creen ciegamente que la solución de todos los males está en la escuela. «Personas tan diferentes —escribe Y. Turin [3]— como Menéndez Pelayo, Azcárate, Unamuno, Francisco Ferrer, el obispo de Salamanca, disertan sobre educación. Así se amontonan obras, artículos, revistas, cuya abundancia desespera al que trata de formarse una idea de conjunto. Hay, además, los Congresos Pedagógicos de 1882, 1888 y 1892; los discursos tan largos como numerosos y pesados algunas veces, pronunciados en las Cortes. Sí, repitiendo la expresión de Cossío, la atmósfera está «saturada de pedagogía».

II. LOS CONGRESOS PEDAGOGICOS NACIONALES DE FIN DE SIGLO

El primer Congreso de Pedagogía celebrado en España desarrolló sus tareas del 28 de mayo al 5 de junio de 1882. Los temas destacados, las ponencias y la organización recayeron, en gran parte, en el equipo de la Institución Libre de Enseñanza: Giner, Cossío, Costa, Azcárate... Se plantearon los problemas de la obligatoriedad, gratuidad y universalidad de la enseñanza, previstas anteriormente por la pedagogía de la Revolución Francesa y, en España, por la Ley Mo-

---

[2] Carta de Jiménez Ilundain a Unamuno, París, diciembre de 1898. *Revista de la Universidad de Buenos Aires*. III, 1948, 317.

[3] *La educación y la escuela en España de 1874 a 1902,* Aguilar, Madrid, 1967, página 7.

El ingenioso hidalgo D. Miguel de Unamuno

yano de 1857. Como novedad, y a cargo de los institucionistas, se defendieron los conceptos de educación integral, intuitiva, de la educación femenina y de la colaboración activa de la mujer en la enseñanza.

En algunas de las sesiones se desbordó el apasionamiento y se atacó injustamente a la Institución Libre de Enseñanza, precisamente en aquello que le daba más valor y la situaba en la línea europea educativa más avanzada [4].

En pocos años se celebraron nuevos congresos pedagógicos a escala regional, en Valencia, Pontevedra y Barcelona. El de esta última ciudad se celebró en 1888 y en él se habló de la formación religiosa del niño, de la eficacia de la educación y de la angustiosa situación de los maestros, cuyos emolumentos dependían de las Juntas locales; se pidió que fuese el Estado quien sufragase los gatos de la instrucción pública.

El Congreso Hispanoamericano-Portugués de 1892 no aportó nada nuevo. Pidió la reforma de la inspección, el pago de los maestros a cargo del Estado y la creación de un Ministerio de Instrucción Pública. A este congreso fue invitado Unamuno por si quería adherirse a él, cosa que no hizo por creer que tales congresos son ineficaces y suponen una pérdida de tiempo [5].

Por doquier pulularon los congresos, reuniones y asambleas organizadas por el Fomento de Artes, Sociedades de Amigos del País, Sociedades Obreras y Culturales, con el mismo objetivo: la reforma de la enseñanza.

Sin embargo, el ambiente cultural de España en 1898 no puede ser más desolador. Escribe Unamuno a su amigo Mugica [6]: «Lo peor es la incultura, la enorme incultura que aquí reina y hace que los dos millones de españoles que saben leer y escribir no sepan en sustancia más que los dieciséis que ni leen ni escriben. Un doctor es aquí en el fondo más ignorante que un charro porque éste no cree saber; Castelar, que escribe de todo lo que no conoce, es más ignorante que un labriego. Y es una pena, pues como me escribía hace poco el cónsul español en Helsingfors (que ahora va a Riga, y es uno de los jóvenes de mayor talento de España) el pueblo es en España de mayor despejo natural que en los países del Norte, menos torpe. Necesita cultura, mucha cultura. Y no se ve bien quién va a dársela.»

---

[4] Cfr. Y. Turin, ob.. cit., págs. 257-261.

[5] Carta de Unamuno a Mugica, finales de julio de 1892. C. I., 177.

[6] Salamanca, 28 de julio de 1898. C. I., 268.

III. UN MAL ENDEMICO: EL ANALFABETISMO

Las cifras de analfabetos en España han sido siempre elevadas. En 1875, casi lo eran las tres cuartas partes de la población: 12 millones de analfabetos en una población de 18. Veinticinco años más tarde comprendía el 63 por 100 de la población, mientras Suiza, Alemania, Estados Unidos e Inglaterra sólo el 22,3 por 100. El porcentaje era sólo superior en Portugal, Bulgaria y Rumania [7]. Otros autores, en vez del 63 señalaban un 68 por 100 [8].

Todavía en 1920 y, a pesar de la creación de nuevas escuelas y de los esfuerzos realizados por los poderes públicos, el porcentaje de analfabetos en la población total era del 52,23 por 100. Es decir, que la disminución anual de analfabetos entre los años 1860 y 1920, sólo había sido de 0,38 por 100 [9].

El valor de estas cifras es relativo. Es difícil saber de qué concepto de analfabeto se parte. Otras veces se trata de exagerar intencionadamente para lograr un aumento en el presupuesto. Lo que es indiscutible es que el porcentaje ha sido durante mucho tiempo uno de los más elevados de Europa y que los esfuerzos llevados a cabo para erradicar esta plaga han sido menos eficaces y más tardíos que en otros países.

En un artículo de Unamuno fechado en 1904, al referirse al mayor número de analfabetos, dice [10]: «En nación en que no saben leer el 49 por 100 de los adultos —tal es la cifra que da el último censo—, y en que las dos terceras partes de los que dicen saber leer no acostumbran hacerlo, y aunque sepan leer apenas si pronuncian, como el burro del gitano del cuento, claro es que suman más votos los analfabetos.» En este mismo artículo señala Unamuno el absurdo de llamar a España democracia, donde en la provincia más ilustrada, Alava, llega el número de analfabetos al 19,79 por 100, y en la menos ilustrada, Jaén, llega al 65,79 por 100. Más que democracia, España es una «analfabetocracia», agrega Unamuno.

Alfredo Calderón, colaborador de Giner y amigo de Unamuno, publica en 1905 un artículo furibundo en que achaca todos los males de España, no a la ignorancia del pueblo sino a quienes son sus responsables directos: los políticos que, en vez de movilizar las fuentes de la riqueza nacional, se han dejado guiar de torpes egoísmos parti-

---

[7] Cifras citadas por Y. Turin, ob. cit., pág. 45.

[8] Macías Picavea, *El problema nacional,* Madrid, 1899, librería «Victoriano Suárez».

[9] L. Luzuriaga, «El analfabetismo en España», BILE, tomo L, 1926, pág. 333.

[10] *Glosas a la vida. Sobre la opinión pública,* Salamanca, enero, 1904; IV, 454.

culares en perjuicio del pueblo «sumido en la ignorancia. Con arte diabólico —dice— hicisteis vanas para él todas las libertades públicas». Después de atacar acremente en el terreno político y económico, añade: «Yo creo con Giner, con Costa, con Unamuno, con Morote, con Altamira, con Posada, con todos cuantos aquí saben juntamente pensar y sentir, que el problema de España es un problema pedagógico y que la regeneración de la patria ha de proceder de la escuela». Hasta aquí no hace Calderón sino repetir lo que a todos suena reiterativamente en los oídos. A su juicio, no es la ignorancia del pueblo sino la perniciosa educación adquirida por los dirigentes la causa del mal. La escuela es la clave, pero no «la escuela donde se han formado nuestras misérrimas clases directoras. Con ser el analfabetismo un mal tan grave, todavía no ha sido el más grave de nuestros males. En nuestros desastres ha tenido la ignorancia una función pasiva. No los ha ocasionado; solamente los ha hecho posibles. Los causantes de nuestros infortunios sabían todos leer y escribir. Hace falta una escuela donde no sólo se enseñe el alfabeto, una escuela que sea ante todo y sobre todo fábrica de caracteres, productora de conciencias, taller donde se forjen hombres. ¿Es posible crear aquí una escuela semejante? Hay que intentarlo. Si no se logra estamos perdidos» [11].

IV. ESCUELA, MAESTRO Y UNIVERSIDAD

El P. Manjón describe en su libro *Cosas de antaño* la escuela a la que asistió de niño, en su pueblo natal, Sargentes de Lora. «La habitación destinada a la clase estaba en bajo y tenía por suelo tierra que, por ser polvorienta, cubrieron con lanchas los vecinos; por techo unas vigas y ripias de duela sin afinaciones de garlopa ni ajustes de cielos rasos; las paredes estaban enjalbegadas con tierra blanca; las mesas eran tres, obra prima del maestro, quien era carpintero de afición, y la capacidad calcúlela el que sepa, pues tenía de ancha algunas varas, de larga siete y de alta, tres y media, sin otro respiradero que una ventana de una vara que daba al mediodía, por donde entraba la oscura luz a aquella mísera y lóbrega estancia. Gracias que para evacuar y por las entradas y salidas del maestro y de los que con él iban a conversar, se renovaba algo el aire, que al poco tiempo de entrar los

---

[11] Alfredo Calderón, «Los malos pastores», *La Publicidad,* Barcelona, enero de 1905.

niños se mascaba y olía, y no a ámbar.» [12] Con una fina ironía sigue con la descripción del maestro en cuanto a su retrato y a su preparación: «El maestro de aquella angustiosa y lóbrega escuela era, por aquellos tiempos, un vecino de Rocamundo, casado y con tres hijos, sin título alguno, de unos cuarenta años, alto, nervioso y escueto, muy enérgico, de cara tiesa, voz de autoridad con tono de mal humor y asomos de riña; quien sabía hacer letras, pero sin ortografía; leer, pero sin gusto, y calcular, pero en abstracto y, sólo con números enteros, hasta dividir por más de una cifra.» [13] Mientras conversaba con sus amigos o salía a la calle a tomar el sol, encargaba leer en voz alta a sus alumnos, «y si acaso el guirigay cesaba, él entraba furioso en clase, empuñaba las disciplinas, y a todos *zurraba* hasta ponerles las orejas encarnadas, con lo cual se renovaban los gritos, el maestro desfogaba y se volvía a salir para airearse o solearse, según los tiempos» [14]. Y como el sueldo era mísero, el buen maestro hacía de «sacristán, cantor, campanero, relojero, barbero, carpintero, cazador, pescador, secretario, amanuense y lector de familias y soldados, y el *factotum* del pueblo, todo con letras mayúsculas y minúsculas retribuciones» [15].

Estos casos extremos, intencionadamente exagerados, quizá, para mejor impresionar a los poderes públicos, no son exclusivos de España, como pudiera creerse. Escuelas semiabandonadas, maestros mal preparados y peor remunerados, son comunes a la mayoría de los países en el siglo XIX, salvo unas cuantas excepciones: Suecia y Holanda, en Europa, y Estados Unidos, en América. Muy a finales del XIX comenzó la inspección médica en las escuelas. «En la primavera de 1895, unos 7.000 escolares de las escuelas públicas de Wiesbaden fueron sometidos a reconocimiento médico por orden del concejo de la ciudad. Se pudo establecer que el 25 por 100 de los escolares eran enfermizos, físicamente débiles o claramente afectados por enfermedades contagiosas.» [16] La situación era parecida en las escuelas inglesas, donde abundaban las enfermedades típicamente escolares [17].

En 1907, según estadística oficial, faltaban en España 10.148 escuelas, de las cuales correspondían a Galicia 2.280 [18]. Este número

[12] A. Manjón, *Obras selectas,* vol. IX, Patronato de las Escuelas del Ave María, 1955, Madrid, págs. 320-321.

[13] A. Majón, ob. cit., pág. 321.

[14] A. Majón, ob. cit., pág. 322.

[15] A. Majón, ob. cit., pág. 322.

[16] C. Cipolla, *Educación y desarrollo en Occidente,* Edic. Ariel, E. de Llobregat, 1970, págs. 35-36.

[17] Cfr. C. Cipolla, ob. cit., págs. 35-36.

[18] Costa, *Maestro, escuela y patria,* Biblioteca Costa, v. X, Madrid, 1916. Nota de la pág. 254.

quizá era mayor si se descontaban del total las escuelas que no merecían tal nombre por la falta de condiciones adecuadas. Joaquín Costa, en un artículo fechado en 1900, escribe [19]: «Un periódico de Madrid publica la noticia de que en los cinco pueblos que forman la bahía de Algeciras, suelo español, vecino de Gibraltar, viven 78.000 súbditos españoles... Para el servicio de instrucción de esas cinco poblaciones mantiene España siete escuelas; *Inglaterra, treinta.* A las escuelas que mantiene España asisten unas cuantas docenas de niños; las que sostienen y regentan los ingleses cuentan los alumnos por millares.»

Para Costa, como para todos los que viven preocupados por la regeneración de España, el problema es «pedagógico tanto o más que económico y financiero, y requiere una transformación profunda de la educación nacional en todos sus grados» [20]. La fórmula propuesta por Costa es sencilla y popular: «La escuela y la despensa, la despensa y la escuela: no hay otras llaves capaces de abrir camino a la regeneración española.» [21]

El 28 de octubre de 1899 se celebra en el paraninfo de la Universidad valenciana un Mitin Pedagógico por iniciativa del Ateneo Científico. Costa se adhiere a él y escribe: «Aquí falta todo, la escuela, el maestro y los niños... y no se adelantaría nada con declarar obligatoria una vez más la primera enseñanza.» Todo se reduce a esto: «Millones, muchos millones, para hacer maestros de verdad, que España no los tiene; millones, muchos millones para hacer escuelas, de que asimismo carecemos; millones, muchos millones, para proveerles de primera materia, que son los niños, fomentando la producción, emancipando a los padres de la miseria, a fin de que puedan mantener a sus hijos hasta los catorce años siquiera, en vez de tener que exigirles que se ganen la vida desde antes ya de haber entrado en la pubertad.» [22] El primer presupuesto del Ministerio de Instrucción Pública, de 1900, era nueve veces menor que el presupuesto militar: 18.132.071 pesetas contra 172.334.870. España gastaba entonces 1,53 pesetas por año y por habitante, mientras Francia 5,6, e Inglaterra y Alemania, 10 [23]. El presupuesto del año siguiente, mientras en estos países aumentaba, en España quedaba inalterado [24].

Veinticinco años más tarde la situación no parece haber cambiado sustancialmente. Cossío insiste una vez más en la necesidad de reformar

[19] «¿Covadonga, Gibraltar?», *El Eco de Cartagena,* 8 de diciembre de 1900, Biblioteca Costa. Idem pág. 264.

[20] *Maestro, escuela y patria,* ob. cit., pág. 232.

[21] *Ibídem,* 215.

[22] *Ibídem,* 229.

[23] Y. Turín, ob. cit., pág. 91.

[24] Cfr. Y. Turin, ob. cit., pág. 333.

la enseñanza, desde la escuela a la universidad. En una conferencia pronunciada en el Ateneo de Madrid se expresa así: «Hay que ahondar en la vida, y si ahondamos se verá que no es tener escuelas primarias las 27.000 mal contadas que tenemos, en las condiciones que todos sabemos, cuando para la población española hacen falta 100.000... Se dice que tenemos programas y programas completos; en efecto, en nuestros programas aparecerán los trabajos manuales, el canto, la gimnasia, cuanto es posible apetecer; pero vosotros sabéis que esto no existe en nuestras escuelas, por lo menos en la mayoría de nuestras escuelas. Aquí se pedía, noches pasadas, para cada escuela un piano. Yo conozco una escuela que tienen un piano, pero ese instrumento resulta inútil, resulta un estorbo. ¿Por qué? Porque no hay quien sepa tocarlo.»

«Se dice que tenemos escuelas de párvulos, y no llegan a 500 en toda España; que tenemos escuelas de adultos y funcionan tres, cuatro o cinco meses a lo más. De material, sólo he de citar este hecho: el de Geografía que hay en la mayoría de las escuelas sirve para dar idea de lo que era el mundo antes del año 1870.»

«De los locales, no hay que hablar. Fijémonos en Madrid. Las escuelas en casas de vecindad; en muchas, una puerta vidriera separa la habitación de un tuberculoso.»

«¿No se ha dicho por la misma Asamblea de Inspectores que hay escuelas en que los ataudes se depositan, antes del entierro, en la misma mesa del maestro?» [25]

El problema de las escuelas lleva consigo emparejado el de los maestros y el de los centros de formación de éstos, las Escuelas Normales. Cossío había puesto de manifiesto la necesidad de comenzar reformando las Escuelas Normales en el Congreso Nacional Pedagógico de 1882. De ellas dependía la aplicación de cualquier programa de enseñanza; en ellas se forman los educadores del pueblo, los transmisores de la cultura y del espíritu cívico.

Por entonces prosperó la idea de que era mejor tener menos centros docentes con tal que los existentes funcionasen bien y a los educadores se les mejorase su situación. Convencido de esta idea, el conde de Romanones suprimió por decreto, en 1901, parte de las Escuelas Normales. La mayoría de ellas sólo tenían de 6 a 25 alumnos. Esta medida parece que no se llevó a cabo, puesto que, en 1905, seguía habiendo en España 37 Escuelas Normales.

El escaso número de estudiantes de magisterio habla elocuentemente de la nula atracción que estos estudios ejercían sobre la juventud espa-

[25] Manuel B. Cossío, tercera conferencia pronunciada en el Ateneo en 1925: *Magisterio español. Un siglo de periodismo* (1867-1967), pág. 87 s. Edit. M. Español, Madrid, 1967.

ñola. Durante muchos años el maestro español ha sido tema literario, sujeto de historietas y refranes denigrantes, objeto de retórica en el Congreso, un personaje al que hay que compadecer por su ignorancia y por su penuria económica. A ningún joven de valía y con ambiciones se le ocurría estudiar magisterio y si lo hacía, aun después de ganar una plaza, desertaba y opositaba a otros cargos estatales, donde cobraba regularmente su sueldo, cosa que no ocurría a los maestros. «Para ser maestro en España —escribía Costa— [26] en la situación presente, hay que tener el alma de apóstol, decidirse a seguir la carrera de mártir y que la vocación ahogue los estímulos más vivos en el corazón humano, o ser un alcornoque y pensar en una escuela como quien sueña con una cartería o un estanco de banco. Tenemos maestros de gran mérito y valer, de entusiasmos y alientos bastantes para demostrarnos la vida horrible que arrastran de humillación y martirio moral; pero los más, en número inmenso, son verdadero rebaño de máquinas pasivas, que por fuerza y por necesidad simultanean la escuela con menesteres bajos y antipedagógicos. Ni la suerte de los primeros, ni el cuadro deprimente de los segundos, es espejo en que desee mirarse el que pueda guiar el curso de su existencia por otros senderos.

... En España no hay maestros porque sólo lo son los que no pueden ser otra cosa.

Este es el hecho. Esta es la realidad. Y mientras esto exista, en España no podremos tener los maestros que se necesitan.»

El testimonio quizá parezca exagerado, pero hay una gran unanimidad en todos los escritores. Unamuno, en una conferencia pronunciada en Málaga, en 1906, habla con la misma crudeza [27]: «Durante mucho tiempo, lo sabéis bien, han ingresado en las Normales gran parte de los inválidos de cuerpo y espíritu: los cojos, mancos, lisiados e inútiles, en general, para las faenas del campo o para un oficio manual, y los fugados del seminario o que no pudieron concluir otra carrera o buscaban una que se concluyese pronto.»

«Y una vez dentro de las Normales, ¿cómo se combatía ese funesto precedente? Lo corroboraban más bien con una lamentable enseñanza que se simboliza y resume en eso que han dado en llamar pedagogía, tal cual aquí, en España, por lo menos, la enseñan.»

«Si se comparan las cifras de 1900-1901, los sueldos de los maestros parecen de una rara estabilidad desde 1860. Vengan del Gobierno o de la oposición, los datos concuerdan. Actualmente la mitad de los maestros de escuela no gana lo que un jornalero; 908 tienen un sueldo

[26] *Maestro, escuela y patria*, ob. cit., págs. 292-300.

[27] «Conferencia en la Sociedad de Ciencias, de Málaga, el 23 de agosto de 1906», *Obras Completas*, VII, pág. 715 ss.

inferior a 145 pesetas (unos 34 céntimos al día), 1.900 ganan 220 pesetas (68 céntimos al día) y 11.130 han de conformarse con 1,2 pesetas. Los sueldos más privilegiados llegaban a 625 y 825 pesetas al año. Pero aun tan reducidos, todos esos sueldos no se pagaban regularmente. El ministro o los diputados recibían de cuando en cuando cartas de este género: hace seis, ocho, nueve meses, que no me han pagado.» [28]

En 1901, el Estado se hizo cargo del pago de los maestros, siendo ministro de Instrucción Pública, Romanones. No por eso mejoró la situación. El maestro siguió en los pueblos en estado de inferioridad social respecto «al cura, al médico, al boticario, si lo hay, y hasta el veterinario a las veces» [29], con sueldo miserable y escasa preparación. Es debido a que «la inmensa mayoría de los españoles, aun de los que podríamos llamar cultos, dando grandísima extensión a este calificativo, maldito si creen en la eficacia del maestro de escuela ni en la importancia de los problemas pedagógicos; y si otra cosa dicen, o es de boquilla y por no desentonar, o se engañan a sí mismos: les carga la ciencia y están convencidos de que los brutos e ignorantes son más felices que los intelectuales y cultos: fáltales fe en la cultura, que es en España casi exótica...; todo eso del sacerdocio del magisterio es aquí una mentira tan grande como la del magisterio del sacerdocio sería» [30].

No era más halagüeño el estado de la Universidad. En algunas facultades era frecuente el absentismo escolar: los alumnos preferían tomar el sol a entrar en el aula [31]. El número de alumnos fue siempre bajo. Los testimonios referentes a la Universidad coinciden en señalar el divorcio entre ésta y la sociedad, la despreocupación por los problemas científicos, el dogmatismo conservador y transmisor de la ciencia hecha, el anacronismo de las instituciones, la penuria de medios económicos, el *ius utendi et abutendi* de la cátedra, el formalismo, verbalismo y, en general, la languidez e incluso muerte, de la Universidad. Es preferible suprimir la mayor parte de las universidades existentes —10 en total— a que continúen en tal estado. «En nuestra Asamblea de Zaragoza —afirma Costa— [32] se propuso por los delegados de Sevilla y de Cádiz, el cierre de seis universidades; y la proposición fue bien acogida. En el programa de la Cámara Agrícola del Alto Aragón, la reducción era todavía más radical» ... no es que sean «demasiadas universidades, sino

[28] Cifras correspondientes a 1901. Y. Turin, ob. cit., pág. 91.

[29] Unamuno, «Los maestros de escuela», *La Nación,* Buenos Aires, 4 de septiembre de 1907; VIII, 400.

[30] Unamuno, *La educación.* Prólogo a la obra de Bunge, del mismo título, publicado en *La España moderna,* año XIV, núm. 158, Madrid, febrero de 1902, páginas 42-58; III, 520.

[31] Cfr. Y. Turin, ob. cit., págs. 80-81.

[32] *Maestro, escuela, patria,* ob. cit., pág. 350.

porque no se cree en ellas, porque las conceptúa fracasadas, porque no ve palpablemente los beneficios que reportan. Si se las ataca, si la opinión las ve con indiferencia, a ellas corresponde la mayor parte de la culpa», por no haberse renovado.

«Para hacer abogados, médicos, farmacéuticos y doctores en ciencias, letras o filosofía (sigue diciendo el Sr. Posada) [33], efectivamente son demasiadas diez universidades en España.»

De la misma opinión es Ganivet: si se suprimiese la mitad de los centros docentes, tal como hoy existen, «no se perdería gran cosa» [34]. Aunque mejor que suprimirlos, sería resucitarlos: «Las universidades, como el Estado, como los Municipios, son organismos vacíos; no son malos en sí, ni hay que cambiarlos; no hay que romper la máquina: lo que hay que hacer es echarle ideas para que no ande en seco. Para romper algo, rompamos el universal artificio en que vivimos, esperándolo todo de fuera y dando a la actividad una forma exterior también; y luego transformaremos la charlatanería en pensamientos sanos y útiles, y el combate externo que destruye en combate interno que crea.» [35]

V. CONATOS REFORMISTAS EN LA UNIVERSIDAD

El esfuerzo por reformar la Universidad española no era una novedad en los últimos años del XIX. Sanz del Río había agrupado a un reducido número de alumnos que posteriormente intervendrán activamente en la vida nacional: Salmerón, Azcárate, Giner de los Ríos, Linares, Canalejas, Quevedo, Federico de Castro y otros. Otro catedrático de la Universidad Central, Ortí y Lara, se oponía abiertamente a los llamados «textos vivos», catedráticos que propagaban en las aulas nuevas ideas filosófico-krausistas. La campaña cotra los «corruptores de la juventud» subió de tono y originó un debate en las Cortes. Como resultado del mismo, estos catedráticos fueron expedientados y separados de sus cátedras, en 1868, para volver de nuevo a ellas en el mismo año en que Isabel II perdió el trono. Fue nombrado rector de Madrid, Fernando de Castro. Durante la década que duró el movimiento reformista universitario, «no puede decirse que estos reforma-

---

[33] Adolfo Posada, *Reconstitución y europeización de España,* Madrid, 1900.

[34] A. Ganivet, *Idearium español. El porvenir de España,* pág. 139, 7.ª edición, España-Calpe, Colección Austral, Madrid, 1966.

[35] A. Ganivet, *ibídem,* pág. 131.

dores creasen una Universidad nueva, pero sí que sacudieron su indolencia y le infundieron una nueva conciencia de la función que le correspondía» [36].

Los intentos renovadores fueron barridos por un decreto y circular del ministro de Fomento, marqués de Orovio, el 26 de febrero de 1875. El primer incidente «lo provocaron (en Santiago) Laureano Calderón y Augusto González de Linares, discípulos de Giner (...) Ambos se apresuraron a comunicar por escrito al rector su disconformidad con el Real Decreto y la circular» [37]. Siguieron a ésta nuevas protestas, renunció a su cátedra Castelar y Giner de los Ríos envió a su rector un escrito solidarizándose con la actitud rebelde los dos catedráticos de Santiago; en la madrugada del mismo día, un policía hacía salir a Giner de su domicilio con rumbo a Cádiz. Se incoaron expedientes a Giner, Salmerón y Azcárate, que fueron separados de la Universidad [38].

Poco después de pasada la tormenta, en 1876, los antiguos «textos vivos» fundaron la Institución Libre de Enseñanza, que avivaría de modo decisivo el movimiento reformista y renovador de la enseñanza.

Uno de los medios más eficaces para sacudir el letargo de la Universidad española, fue la Extensión Universitaria, movimiento nacido en Oxford, en 1850. «Puesto que nosotros no podemos llevar a la Universidad a las masas que necesitan ser instruidas, ¿por qué no tratar de llevar la Universidad a ellas?» Así resumía el objetivo Sewell, del Exeter College [39].

En el Congreso Pedagógico internacional celebrado en Madrid, en 1892, habló Rafael Altamira de la experiencia inglesa, logrando interesar a los congresistas en este sentido.

La pionera del movimiento, imitado después por otras universidades españolas, fue la de Oviedo. En 1886, Adolfo González Posada —escribe Gómez Molleda— «en unión de Buylla, Sales y Ferré, Cossío y don Francisco (Giner), viaja Posada a Inglaterra, Bélgica y Francia. A su vuelta se inicia en la Universidad la Escuela Práctica de Estudios Jurídicos, que se abre en 1895 con tres secciones: Sociología y Política, dirigida por Posada; Economía, a cargo de Buylla, e Historia y problemas contemporáneos, que dirigirá Aniceto Sela, y más adelante,

---

36 A. Jiménez, *Ocaso y restauración. Ensayo sobre la Universidad española moderna*. El Colegio de México, Edit. Stylo, México, 1948, pág. 137.

Cfr. V. Cacho Viu, *La institución libre de enseñanza,* I, «Orígenes y etapa universitaria (1860-1881). Edit. Rialp, 1962, págs. 190 ss.

37 V. Cacho Viu, *La institución libre...,* ob. cit., pág. 285.

38 Cfr. V. Cacho Viu, *La institución libre...*, ob. cit., pág. 290 ss.

39 Y. Turin, ob. cit., pág. 237 ss.

desde 1897, Altamira» [40]. Según Y. Turin el sistema de trabajo de este puñado de inquietos profesores se inspiraba a su vez «en el sistema de los seminarios alemanes, en la Escuela Práctica de Altos Estudios de Francia y en las realizaciones inglesas» [41].

Otras universidades continuaron los pasos de la ovetense y organizaron conferencias, clases nocturnas, excursiones científicas, proyecciones y cursos de divulgación, etc. Tales, las universidades de Sevilla, Granada, Valladolid, Santiago, Salamanca, Zaragoza, Barcelona [42].

¿Hasta qué punto fue eficaz este derroche de energías? ¿De qué otra manera pudo orientarse este movimiento universitario centrífugo para influir más incisivamente en la fisonomía del país? ¿Siguió todo igual que antes? Preguntas de difícil respuesta. Los mismos adalides del movimiento se descorazonan ante los escasos frutos. «Nuestra voz se pierde en el desierto, lo más que obtiene es simpatía», dice Sela [43].

Son muy numerosos los que escriben sobre la regeneración de España; la marea reformista llegará a su apogeo en el año del desastre, 1898. Unos y otros intentan hacer la disección del alma española, subrayando los defectos a corregir, o a extirpar. Todos creen poseer la fórmula mágica que resucite lo que creen cadáver de la patria. Unos señalan el camino de la economía, de la industria y el comercio; otros quisieran borrar las páginas más gloriosas de la Historia de España, cuyas gestas son culpables, según ellos, de la postración y agotamiento del momento; otros intentan repetirlas, buscando nuevas campañas guerreras en Africa o en América. La mayoría dirige nostálgicamente la mirada a Europa como tabla de salvación. Casi todos coinciden en culpar a la ignorancia del pueblo español y a la mala calidad de la enseñanza. Regeneración, reformismo, africanismo y europeísmo, son términos que esgrimen como banderines de enganche los espíritus inquietos. La multiplicidad de diagnósticos, soluciones y metas engendran la desorientación, el confusionismo y, en última instancia, el negro pesimismo, la discusión inacabada del camino a seguir, sin ponerse nunca en movimiento colectivo.

«Es inútil callar la verdad —escribe Unamuno en noviembre de 1898—. Todos estamos mintiendo al hablar de regeneración, puesto

---

[40] Gómez Molleda, *Los reformadores de la España contemporánea,* C. S. I. C., Madrid, 1966, págs. 316-317.

[41] Y. Turin, ob. cit., pág. 241.

[42] Cfr. Gómez Molleda, ob. cit., pp. 295-321; ídem Y. Turin, ob. cit., páginas 243-246. Acerca de la Extensión Universitaria, cfr. BILE, 1897, pág. 354; 1899, pág. 117; 1901, pág. 232; 1902, pág. 9; 208-209 y 232.

[43] BILE, 1901, pág. 322.

que nadie piensa en serio en regenerarse a sí mismo. No pasa de ser un tópico de retórica que no nos sale del corazón, sino de la cabeza. ¡Regenerarnos! ¿Y de qué, si aún de nada nos hemos arrepentido?» [44]

[44] «La vida es sueño. Reflexiones sobre la regeneración de España», en *La España Moderna,* año X, núm. 119; III, 407.

EL MESIANISMO DE UNAMUNO

I. PUNTO DE PARTIDA GENERACIONAL

Ante la situación del momento en España, un número de españoles toma conciencia de los problemas y se decide a intervenir. Es preciso actuar, dicen los adalides más representativos, y no cruzarse de brazos. «Aquel nuestro movimiento espiritual del 98 —escribe Unamuno— [1] aquella recia refriega de pluma... fue un sacudimiento anárquico y anarquista, fue un «¡sálvese quien pueda!». En el derrumbamiento moral de la patria nosotros, los jóvenes de entonces, nos lavábamos, nuevos Pilatos, las manos y acusábamos. Acusábamos a todos y a todo; pero atentos a salvar nuestra irresponsabilidad, nuestra personalidad.» Poco más adelante añade: «Soplaban sobre nosotros vientos de anarquismo, de individualismo desenfrenado; (nos) apacentábamos los unos de la fórmula spenceriana de "el individuo contra el Estado"; otros se nutrían de Nietzsche y, a la busca dentro de sí mismos del sobre-hombre, descubrían al hombre, se descubrían a sí mismos, su propia dignidad personal. Y todos nos sentíamos iconoclastas.» [2]

El reformismo regenerador del 98 es un capítulo —quizás epílogo— del reformismo decimonónico. Es un movimiento típicamente español, por su anarquismo individualista. Es un movimiento que ha dejado su impronta en las generaciones del siglo XX *más* por la calidad literaria de sus representantes que por la eficacia de las soluciones propuestas. Movimiento anarquista, porque todos se creyeron a sí mismos caudillos y se atacaron, a veces, encarnizadamente. No forman un grupo compacto, unido, ni reconocen programa común, ni admiten el liderazgo de nadie. Ninguno de ellos ejerce la primacía ni el respeto de jefe de grupo, puesto que todos se formaron del mismo modo: autodidáctica-

[1] «Nuestra egolatría de los del 98», *El Imparcial*, Madrid, 31 de enero de 1916. V, págs. 418-425.
[2] *Ibídem*, 421-422.

mente, y no tuvieron maestro indiscutible a quien seguir. El punto de unión está en los temas, en la visión de la coyuntura histórica propia del ambiente. El principio aglutinante es tan débil que se rompe a cada momento. Son francotiradores que viven y luchan aislados, enfocando los problemas desde su punto de vista y de acuerdo con su propia preparación y capacidad mental. En pocas cosas están de acuerdo.

Los hombres del 98 son iconoclastas. Arremeten con el mismo ímpetu contra la política, contra la idiosincrasia española, contra la literatura oficial, contra la historia... Es preciso reformar todo. Sí, ¿pero cómo? Los hombres del 98 son poetas, novelistas, pensadores, pero no políticos. Carecen del espíritu pragmático necesario a todo político, para solucionar los problemas de España y levantar en pie a la nación. Constituyen una élite sin raíces profundas en el cuerpo social a la que le falta el poder taumatúrgico de resucitar lo que ellos creen muerto. ¿Cómo podían conducir, si ellos no conocían el camino a seguir? ¿Cómo podían sacudir el marasmo del pueblo español, cómo podían despertarle, si el pueblo hablaba otro lenguaje, tenía otros problemas más perentorios que solventar y, por otra parte, hacía tiempo que este pueblo desconfiaba de sus dirigentes, por haber vivido olvidado de ellos? Querían actuar y no sabían cómo; intentaban reformar y no sabían por dónde empezar, buscaban una empresa común que aglutinase al pueblo y no la hallaban. Escriben, polemizan, critican. Cada uno da lo mejor que tiene de sí mismo, pero desde su torre de marfil, desde su campo de visión, sin posibilidad de unión. Escribe Unamuno a Clarín [3] sobre la necesidad de aunar esfuerzos entre los intelectuales: «¡Si usted supiera cuántas vueltas ha dado mi cabeza a aquel: *Hay que juntarlos,* de don Marcelino, que cita usted! Y yo siento más al vivo que nadie esto porque no puedo pensar sino en voz alta, conversando se me ocurren las más de las ideas...»

«*Hay que juntarlos.* Y mientras no se junten y multipliquen al sumarse cuantos en España trabajan por el progreso intelectual, cada uno se verá obligado a extender la esfera de su acción en perjuicio de la intensidad, y no cabrá diferenciación de trabajo. Porque ésta y el especialismo sólo dan fruto cuando hay integración. Juntándose y comunicándose, y comulgando en ideas, y vivificándose cada uno y desde su campo viendo el de los demás, es como cabe la diferenciación de trabajo...»

«Usted ha echado a volar el *hay que juntarlos,* y usted debía escribir de los probables efectos de esa junta.»

---

[3] Salamanca, 2 de octubre de 1895.

«Torre de Monterrey, soñada torre, que mis sueños madurar has visto».
(Unamuno, «La torre de Monterrey a la luz de la luna»).

El grupo del 98 fue siempre acéfalo y no se organizó ni siquiera democráticamente. El obstáculo mayor para la unión era la egolatría de sus componentes.

II. ENCUENTRO DE SU MISION EN EL MUNDO

Durante algún tiempo creyó Unamuno que él podía convertirse en una especie de mesías popular, en la voz del alma hispánica que entonces se necesitaba. En términos mesiánicos se expresa en la correspondencia de fines y principio de siglo. «Desde hace algún tiempo —escribe— [4] desde que pasé cierta honda crisis de conciencia, se va formando en mí una profundísima persuasión de que soy un instrumento en manos de Dios y un instrumento para contribuir a la renovación espiritual de España. Toda mi vida desde hace algún tiempo, mis triunfos, la popularidad que voy alcanzando, mi elevación a este rectorado, todo ello me parece enderezado a ponerme en situación tal de autoridad y prestigio que haga mi obra más fructuosa.» Después de referir la vivencia que tuvo, siendo adolescente, al abrir el Nuevo Testamento y encontrar el pasaje de «id y predicad el Evangelio por todas las naciones» y el efecto que le produjo, sigue escribiendo: «Ahora me explico el curso de mi vida y el valor de aquellos textos y veo la obra que se me prepara. Las circunstancias exteriores me empujan a ella; me empuja a ella el triste estado de esta pobre España donde por debajo del problema que se llama religioso y que no es sino político-eclesiástico, late el verdadero problema religioso, el ansia de sinceridad, de libertad, de fe. Y mientras aquí no venga algo que sea a nosotros lo que fue a los pueblos germánicos la Reforma, estamos perdidos.»

En otra carta fechada en 1905 al mismo amigo, escribe: «Estoy satisfecho de haber nacido y más convencido que nunca de la gran falta que hago en el mundo.» [5]

En estos años Unamuno se considera «instrumento en manos de Dios, para contribuir a la renovación espiritual de España». Lo que Unamuno quería ser entonces era nada menos que el Lutero español, o si se quiere, el hereje que la Inquisición española impidió aparecer en el siglo XVI.

[4] Carta de Unamuno a P. de Mugica, Salamanca, 3 de diciembre de 1903; C. I., 322-323.

[5] C. I., 339.

La gestación del mesianismo de Unamuno habrá de situarla hacia 1897, en que Jiménez Ilundain le escribe, aludiendo a ello: «Supongamos que tiene usted una "misión" que cumplir en este mundo y que para ello sean necesarias tales o cuales cualidades.» [6] Ilundain aconseja a Unamuno en ésta y en sucesivas cartas, audacia, talento y originalidad para hacerse oír, ganando el prestigio y autoridad que a principios de 1899 todavía no poseía Unamuno [7]. En este mismo año comienza a sonar su nombre en España, América e Italia. Las páginas de *El Imparcial, El Heraldo, La Ilustración Española, Las Noticias* de Barcelona y *La Nación* de Buenos Aires, comienzan a publicar sus artículos de manera regular.

El carácter mesiánico de Unamuno no se ciñe a transmitir su preocupación religiosa cuando escribe en su mesa de trabajo sino que se manifiesta también en su conducta pública.

Unamuno intenta escribir siempre como un hombre, no como un catedrático que se expresa en lenguaje de libro de texto: «He puesto en cada uno de mis escritos el alma de que vivía al escribirlo. Y no he escrito nunca —¡loado sea Dios por ello!— ningún libro de texto ni eso que se llama libros de consulta. No, no quiero ser fuera de mi cátedra un catedrático, sino un hombre.» [8] En otro lugar afirma: «Yo, señor mío, escribo con la sangre de mi corazón, no con tinta neutra, mis pensamientos, muchas veces contradictorios entre sí, mis dudas, mis anhelos, mis sedes y hambres de espíritu.» [9]

En la cátedra, en sus escritos pensados, en sus artículos volanderos y en su conferencias, Unamuno intenta sembrar inquietudes, agitar los espíritus, contagiar sus propias congojas y preocupaciones.

III. PROYECCION GEOGRAFICA DE SU MAGISTERIO

En el tomo VII de sus «Obras Completas», recopiladas por García Blanco se recogen algunas de sus conferencias pronunciadas por todo lo ancho de la geografía española, en Bilbao, Salamanca, Valencia, Madrid, Orense, La Coruña, Almería, Málaga, Barcelona, Valladolid y

---

[6] Carta II de J. Ilundain a Unamuno, Gallarta, 1897, en *RUBA*, III, 1948, página 62.

[7] Carta V de J. Ilundain a Unamuno, París, enero de 1899, en *RUBA*, III, 1948, pág. 319.

[8] «¿Qué libro mío prefiero?», *El Día Gráfico*, Barcelona, 17 de noviembre de 1914; X, 295.

[9] «El dolor de pensar», *La Esfera*, Madrid, 7 de agosto de 1915; X, 314.

Murcia y ante público bien diferente: estudiantes, maestros, artesanos, abogados, comerciantes, intelectuales, en general, diputados a Cortes, etcétera.

«Me han tomado de predicador y allá me traen y me llevan de la ceca a la meca, a soltar sermones laicos por esos campos de España. Procuro ejercer la decimoquinta obra de misericordia, esto es: despertar al dormido. Y no estoy descontento de mi obra. Se me recibe bien y me encuentro rodeado de respeto. A mediados de junio fui a Orense y de allí a La Coruña; a fines de agosto a Almería y Granada, después a la inauguración de la Escuela de Industrias de Béjar, total 10 discursos, dos de ellos (Orense y Almería) escritos. Y cada día me clareo más. Este país despierta y se nota algún movimiento.»[10]

«Acudo a dondequiera que se me llame» —dice en varias conferencias— «pero cuando preveo batalla, acudo indefectiblemente.» [11]

De todos los auditorios que tuvo Unamuno en su larga vida, ninguno recuerda con tanto cariño como el de los sencillos campesinos, pastores y gañanes en su mayoría. «Nunca olvidaré unos días de vacaciones que pasamos juntos (Cándido R. Pinilla y él) en Castillejo sobre el Alhándiga. El tiempo se puso crudo, nevaba, y no pudiendo salir al campo, teníamos que abrigarnos en la vieja cocina, al amor de la lumbre del hogar donde ardían, bajo la ancha campana ahumada, troncos de encina. Y allí sentados en el escaño los dos, me ponía yo a leerle viejas consejas, cuentos y poesías que han consolado a tantos de haber nacido. Los gañanes y los pastores iban recogiéndose y viniendo a casa, y silenciosos, sin chistar, casi en puntillas, se ponían en rolde a la hoguera y a escuchar con recogido deleite mi lectura. Nunca he obtenido un éxito tan grande, ni que tanto me halagara (...) Leí a Cándido, y a los pastores y gañanes, entre otras cosas, las narraciones que constituyen las *Vidas Sombrías,* de Pío Baroja, y no podrá suponer este escritor, mi paisano, lo hondo de la impresión que en aquellos pastores produjo el relato de "La Sima". Cuando tuvimos que volvernos a la ciudad se me acercó uno de aquellos campesinos a rogarme que les dejara el libro. Un año lo tuvieron en su poder, devolviéndomelo entero y bien cuidado —lo que no habría hecho un señorito ciudadano— y supe que lo habían aprendido casi de memoria.» [12]

Los contactos de Unamuno con el pueblo sencillo fueron frecuentes, por no decir constantes. Cuando podía, huía de la ciudad para zambu-

---

[10] Carta de Unamuno a P. Mugica, Salamanca, 19 de octubre de 1903. C. I., 319.

[11] *Conferencia en Valencia,* 22 de febrero de 1909, VII, 786; *Conferencia en Almería,* 30 de agosto de 1903, VII, 592.

[12] Prólogo al libro *El poema de la tierra,* de Cándido R. Pinilla, Salamanca, 1914; VII, 290-291.

llirse en el campo; hablaba con todos, aprendía palabras nuevas, investigaba etimologías, observaba costumbres y tomaba nota de todo lo que impresionaba su retina atenta. La vida campesina le suministraba abundante material literaturizable.

Con unos cuantos amigos salmantinos intervino en las campañas agrarias, frecuentes a principio de siglo [13]. Fiel a sus obligaciones de catedrático —varias veces se jacta de ser uno de los que menos han faltado a su clase, ayudado por su buena salud— aprovechaba los días no lectivos para lanzar sus «sermones laicos». Con motivo de la destitución de rector, las conferencias decrecieron en número, si bien aumentaron en acritud. Vuelto del destierro, casi cesó en esta actividad, debido, quizá, a la edad y a la incomodidad de los viajes.

¿Cuál es la misión del conferenciante, según Unamuno, en la España de su tiempo? En primer lugar, independencia de juicio. El orador no puede vender su pluma, si cree en el sacerdocio de su oficio, ni a los poderes públicos ni al auditorio que le contrata para oír su palabra. En segundo lugar, el orador debe decir a su público la verdad desnuda, sin paliativos, atacando incluso sus defectos e intentando corregirlos. En tercer lugar, guiarle, y si el camino no aparece claro, inquietarle, sugerirle, intentar que cada uno de los oyentes lo descubra. El deber del conferenciante «es decirles, no lo que ellos quieren que les digas, sino lo que tú crees debes decirles, lo que tu conciencia te dicta. Y si diciéndoles lo que tu conciencia te dicta se te van y te quedas sin apenas oyentes y viviendo como vives, de tu oficio de predicador se te merma el estipendio, debes, sin embargo, decirles lo que debes. No es tu público el que te ha de guiar, eres tú el que ha de guiar a tu pueblo. Y acomodarte a lo que de ti quieres es venderte.» [14]

Unamuno intentó convertir España en un aula y a los españoles que le escuchaban y leían en sus alumnos. Muchas cosas les tenía que decir y muchos los «sermones» que predicó —algunos de ellos, sonados—. No se redujo cómodamente a su trabajo de maestro de Griego y de Lengua Castellana. El recinto universitario le resultaba estrecho; necesitaba recorrer los caminos y ciudades pregonando a voz en grito su verdad, la verdad que, a juicio suyo, necesitaba España: Hablaba y

---

[13] «No olvidaré nunca aquellas campañas agrarias que en compañía de algunos que están aquí hicimos por aquellos campos, algunas veces al pie de encinas.» *Palabras de agradecimiento por el homenaje que la ciudad de Salamanca le tributó al ser jubilado.* VII, 1903.

En una carta a Ortega (Salamanca, 21 de noviembre de 1912) alude Unamuno a estas campañas agrarias. «Cuando hablé en la Fuente de San Esteban (...) con una exaltación, con un tono y una emoción que ahora me acomete así que me dirijo al pueblo, la gente lloraba», *Revista de Occidente,* 1964, octubre, pág. 21.

[14] «El que se vendió...», *El Imparcial,* Madrid, 7 de marzo de 1916; IX, 853.

hablaba sin cesar por necesidad, para liberarse de sus problemas, de sus angustias torturantes, de los pensamientos que le quemaban las entrañas. Se confiesa a sus corresponsales epistolares, al público que escucha su voz chillona y al que lee sus escritos apasionados, con una finalidad catártica, purificadora. Y al mismo tiempo que se libera de sí mismo, desnudando sus repliegues más recónditos, sus confesiones sirven también de válvula de escape a la agresividad, cuya aguja señala, frecuentemente, zona peligrosa.

IV. EL LATIFUNDISMO CULTURAL Y LA MISION DE LOS INTELECTUALES

Además de la necesidad de hablar de Unamuno, existe otro aspecto no menos importante: la necesidad que tiene España de que alguien le hable con autoridad y sin fines bastardos para que ella sea capaz de encontrar el pulso perdido. España necesita una voz que le haga recuperar la fe en sí misma y que sea capaz de sacudir el marasmo y desorientación en que se encuentra; necesita conocer en su entraña, redescubrir sus valores eternos y sacudirse cualquier colonialismo intelectual externo por acompañado de prestigio que venga. España necesita ser ella misma y Unamuno dedica toda su capacidad a que así sea.

La necesidad más urgente de España es la cultura. Es preciso suprimir la desigualdad cultural, el latifundismo cultural: «Presenta nuestra sociedad, tocante a instrucción y saber, grandes desigualdades, pues junto a unos pocos y acaudalados ricos, hay turbas y más turbas de menesterosos mendigos; hállase la cultura muy mal repartida, y en ella, aún más que en la tierra, el maleficio de los latifundios y dehesas.»

«Muchedumbres de gentes que ni aun leer saben, otros que es como si no lo supieran, y luego unos pocos que, aislados en sí, devorando ideas que no pueden devolver, consumiendo en demasía y sin producir apenas, atesoran conocimientos que les pondrían en otros países a la par de los primeros, y se entregan, de por fuerza, a la avaricia mental.» [15]

Más adelante, agrega: «Los desniveles intelectuales que hoy esterilizan nuestra cultura, esas mentes hondas y tercas que corren sin provecho para el prójimo en el hondón de bajas hoces espirituales, hurtándose a la sed de luz y de saber de las incultas masas todo esto podrá llegar a ser firme asiento de la riqueza espiritual y de la hermandad

[15] Unamuno, *Discurso en Orense,* junio de 1903; VII, 527.

DON MIGUEL EL AGORERO

patrias. Sólo hace falta para ello un soplo de amor que encauce esas energías hoy perdidas y la comprensión de que no es obra de misericordia, sino deber de estrecha justicia, lo de enseñar al que no sabe.» [16]

Unamuno está convencido de la urgente e inaplazable necesidad de justicia de instruir al pueblo. Es preciso que los intelectuales sean maestros de escuela [17], que comuniquen generosamente su saber a los ignorantes, porque «la ciencia de monopolio y lujo lo es de maldición; deseca los corazones y apaga en ellos la lumbre de la esperanza, de la caridad y de la fe». «Yo sé que mi alma no será del todo libre mientras en el mundo haya algo esclavo, pues es la libertad bien comunal y que la sabiduría toda puede volverse podredumbre y peste mientras la ignorancia agarrote las almas en cuya comunión forzosamente he de vivir y de grado vivo.» [18]

---

[16] *Ibídem*, 528.
[17] *Ibídem*, 532.
[18] *Ibídem*, 531.

V. NO AL ESPECIALISMO INFECUNDO

Dado el momento histórico de entonces, Unamuno creía que el especialismo en España era incluso anticristiano [19]. No eran técnicos ni especialistas como se decía en los discursos y escritos de la época lo que más necesitaba España. España necesitaba, a juicio de Unamuno, un mejor reparto de los bienes de la cultura; necesitaba que cada uno diese de sí lo mejor que tenía y no corriese, como los ríos españoles en tajos estériles sin fecundar las tierras vecinas muertas de sed y resecas por el sol.

Unamuno escribe numerosos artículos contra la especialización. Las cartas a su amigo Mugica, filólogo en la Universidad de Berlín, abundan en testimonios semejantes. «Le digo y repito —escribe en una de ellas— y repetiré mil veces, y un millón si a mano viene, que en España ni se puede ni se DEBE especializar un hombre como ustedes quieren», es decir, a la alemana. Aquí lo que nos hace falta es «mover el país, levantar la cultura general, sacudir los espíritus, animarlos, dejando para ello de lado disquisiciones de filología románica y otras cosas tan secundarias como ésa. El hombre que aquí se sienta con fuerzas, como no sea un Commelerán u otra rata sabia por el estilo, debe echarse a la arena candente de la lucha, al campo vivo, a lo que importa, y no meterse en casita a recolectar curiosidades de maníaco y ordenarlas y clasificarlas. Eso queda para otros países. Hoy por hoy la labor fecunda en España es la literaria, pues por ella entran en forma asimilable los resultados del espíritu moderno, es la que conviene a pueblos como el nuestro, lo que le ha de abrir el apetito de la ciencia seria y trabajosa» [20].

A una pirámide compara Unamuno la cultura de un pueblo. Los mejores talentos de España languidecen por falta de ambiente, por estar en la cima social sin una amplia base de sustentación popular. Existen demasiados saltos en las capas que forman esta sociedad; la distancia entre los que ocupan la cima de la pirámide y los que forman la base de sustentación es discontinua, arrítmica. «Si la pirámide crece en altura afilándose y sin ensanchar su sustento, pierde en seguridad. Tan malo es que en un pueblo aumenten las primeras fortunas y se concentren sin ampliarse el bienestar de las últimas capas, como que se cultiven por algunos especialistas conocimientos especiales sin una extensión correlativa de los elementales... ¡Desgraciada cultura la de

[19] *Ibídem.*

[20] Carta a P. de Mugica, Salamanca, 4 de marzo de 1894; *Cartas inéditas,* páginas 222-223.

un país en que unos pocos magnates del saber se dedican a resolver intrincados problemas de ecuaciones trascendentales mientras el pueblo no sabe multiplicar! Es como si un célibe, en quien toda vitalidad se haya reconcentrado en el cerebro, se dedica a estudiar los más recónditos misterios de la generación en un pueblo de eunucos.» [21]

¿Qué solución aporta Unamuno ante el problema cultural de la nación? Una solución paradójica y absurda: cerrar todas las Universidades e Institutos y enviar por los pueblos a todos los profesores de maestros de escuela. «Más de uno, dice, tendría que aprender de nuevo las cuatro reglas.»

Si se prescinde de la carga humorística de esta drástica solución, en la que Unamuno no pensaba demasiado en serio, se comprenderá que la verdadera solución radica en la extensión y profundidad de la enseñanza; que la pirámide cultural española ha de comenzarse a edificar, no por la cúspide sino por la base. Los especialistas vendrán después, en etapa posterior, en la que sus trabajos gozarán de eficacia, utilidad y comprensión social. Este es el sentido de los ataques de Unamuno a los especialistas. Mientras esto no se convierta en realidad, mientras la sociedad sea ignorante en su inmensa mayoría, el especialismo es incluso delictuoso [22], a su juicio.

---

[21] «La pirámide nacional», *Vida nueva,* Madrid, 11 de noviembre de 1898; IV, 1033-1034.

[22] Cfr. carta de Unamuno a P. de Mugica, *Cartas inéditas,* 236.

LA EUROPEIZACION DE ESPAÑA

I. APORTACIONES DE JOAQUIN COSTA Y ANGEL GANIVET

Los escritores, políticos y hasta el más lego en todo, están de acuerdo en la urgente necesidad de europeizar España. Los males de España tienen su solución en Europa; es preciso imitar a Europa, importarla, abriendo España a todos los aires para renovar el ambiente viciado e irrespirable que reina en la península desde los Pirineos hasta las columnas de Hércules. Europa es el camino, la panacea universal, la palabra de vida y el ejemplo que España necesita. Hay que importar la técnica, las máquinas, la pedagogía, las ideas, la manera de ser... todo, en una palabra. España está africanizada, grita Costa. «Desde el día siguiente de expulsada ésta (Africa) de la Península, ha vuelto a invadirnos calladamente, sin que nosotros nos percatáramos de tal invasión, haciéndonos de su progenie por la psicología, deslizándonos el turbante por debajo del sombrero de copa, ingiriéndonos su fatalismo, colonizándonos el cerebro, transformando por el patrón de las suyas nuestras instituciones, reduciéndonos a ser otra vez nación medioeval, trasladando el estrecho de Gibraltar al Pirineo.» La solución al problema así planteado en tono retórico, será, según Costa, tomar «por punto de partida la única Covadonga eficaz en esta clase de reparaciones históricas, que es la escuela; la escuela española, si queremos y llegamos a tiempo» [1]. Reforma de la escuela, volcando en ella el presupuesto nacional, destrucción de la vieja Universidad española, «fábrica de licenciados y proletarios de levita», edificando sobre sus ruinas una nueva que cultive en serio la ciencia y despierte las energías individuales; «generalizando la enseñanza agrícola, industrial y mercantil» en la vida, con la acción y trabajo; «mandando todos

---

[1] Costa, «¿Covadonga, Gibraltar?», *El Eco de Cartagena,* 8 de diciembre de 1900; en *Biblioteca Costa,* V.; X, págs. 264-267.

los años al extranjero legiones de jóvenes sobresalientes y honrados a estudiar y saturarse de ambiente europeo, para que a su regreso lo difundan por España, en cátedras, escuelas, libros y periódicos, en fábricas, campos, talleres, laboratorios y oficinas»[2]; de esta manera es como se europeiza España.

Costa considera que la reforma ha de empezar por arriba. Las manos que han de aplicarse al trabajo son las del Estado. A él incumbe la obligación de cavar los cimientos y construir por completo el edificio de la nueva España.

Ganivet, por el contrario, no ve la solución de los problemas sino de puertas adentro de España. «Hay que cerrar con cerrojos, llaves y candados todas las puertas por donde el espíritu español se escapó de España para derramarse por los cuatro puntos del horizonte, y por donde hoy espera que ha de venir la salvación; y en cada una de esas puertas no pondremos un rótulo dantesco que diga: *Lasciate ogni speranza,* sino este otro más consolador, más humano, imitado de San Agustín: *Noli foras ire; in interiore Hispaniae habitat veritas.*» España fue la primera nación europea —sigue Ganivet— que se engrandeció mediante su expansión territorial y política. Terminada esta etapa, fue también la primera nación que ahora ha de trabajar por amoldarse a las nuevas circunstancias. Por ello, por la distinta situación de España y las demás naciones europeas, «no debe imitar a ninguna, sino que tiene que ser ella la iniciadora de procedimientos nuevos, acomodados a hechos nuevos también en la Historia. Ni las ideas francesas, ni las inglesas, ni las alemanas, ni las que puedan más tarde estar en boga, nos sirven, porque nosotros, inferiores en cuanto a la influencia política, somos superiores, más adelantados en cuanto al punto en que se halla nuestra natural evolución»[3]. Lo que sería absurdo es hacer tabla rasa de la tradición e historia españolas y comenzar de nuevo, como si de un país «acabado de sacar del horno» se tratase.

Ganivet repite machaconamente la idea de que la salvación de España es obra exclusiva de los españoles; ni vendrá por el norte ni por el sur, ni por oriente ni por occidente. Son los españoles los que han de ponerse manos a la obra, orientándose, si es preciso, estudiando lo que otros pueblos han hecho, pero concibiendo cualquier empresa de reforma a la española, españolizando la obra y llevándola a cabo a la española. La dificultad reside en la abulia, en la pereza e indeci-

[2] J. Costa, «Europeizar educando», *Reconstitución y europeización de España,* págs. 264-266, citado por E. Fernández Clemente en «Educación y Revolución en Joaquín Costa», *Cuadernos para el Diálogo,* Madrid, 1969.

[3] Ganivet, *Idearium español. El porvenir de España,* Espasa-Calpe, Colección Austral, Madrid, 7.ª edición, 1966, págs. 120-127.

sión de sus hombres; si se vence la inercia inicial, España levantará cabeza, pero sólo entonces [4].

La misma fórmula presenta Baroja: Fuerte voluntad de acción, agresiva, si es necesario. «Hay que atraer el rayo, si el rayo purifica; hay que atraer la guerra, el peligro, la acción, y llevarlos a la Cultura y a la vida moderna.» Además de acción, España necesita ciencia europea, jefes indiscutibles, disciplina colectiva y cultivar y desarrollar los rasgos típicamente españoles que diferencian a España del resto de las naciones [5].

II. EN TORNO AL CASTICISMO

Unamuno fue uno de los primeros en lanzar la voz de alarma sobre la decadencia de España y a este fin publicó los cinco ensayos que componen su obra *En torno al casticismo,* aparecidos sucesivamente en la revista *La España Moderna,* en sus primeros números de 1895. En el prólogo a la primera edición conjunta de estos ensayos, en 1902, defiende Unamuno la originalidad de las ideas expuestas en ellos contra quienes quisieron ver una imitación o repetición de las ideas de Costa y, sobre todo, de Ganivet. «Posteriores al trabajo que aquí reproduzco —*En torno al casticismo*— son el *Idearium español* de Angel Ganivet, *El Problema Nacional* de Macías Picavea, las más de las investigaciones de Joaquín Costa, *La moral de la derrota* de Luis Morote, *El alma castellana* de Martínez Ruiz, *Hampa* de Rafael Salillas, *Hacia otra España* de Ramiro de Maeztu, *Psicología del pueblo español* de Rafael Altamira, y con estas labores, y algunas otras de extranjeros, entre las que recuerdo, por haberme producido alguna impresión, *The spanish people* de Martín Hume y *Romances of Roguery* de Frank Wadleigh Chandler.» [6]

Extremoso en todo, Unamuno piensa en ocasiones que España se disuelve, se derrite y se pierde en la historia; ésta es «la némesis» trágica de su historia. Se debe a que España vive en su seno «una discordia íntima, espiritual —cultural si queréis—; España vive en lucha consigo misma, en guerra civil íntima; porque, como el hombre del Apóstol, hay en sus miembros, en su cuerpo, en su territorio, una ley que está en contradicción con la ley del espíritu, de su historia,

---

[4] *Ibidem,* 115.

[5] Cfr. P. Laín Entralgo, *La generación del 98,* págs. 247-248, Espasa-Calpe, Colección Austral, 4.ª edic., Madrid, 1959.

[6] Prólogo a la 1.ª edic. de *En torno al casticismo,* III, 158.

porque en ella rigen dos principios. El hado de España es maniqueo. El alma del adusto páramo no puede concertarse con el alma de la riente costa levantina que se apoya en regaladas montañas. Y no es posible casar ambos espíritus» [7].

Otras veces, su voluntad hace un esfuerzo sobrehumano para superar su pesimismo y creer en la España eterna: «¡España no morirá! No muere así como así toda una nación, ni se encuentra tan mal como por ahí y por aquí se dice. Hay "bárbaros" que mediante una invasión pueden salvarla, y esos "bárbaros" están dentro, vendrán de dentro, surgirán de las profundidades. No se sabe de lo que es capaz el pueblo bajo castellano, rudo, tosco y nada espiritual. Lo único que necesita es la invasión del dinero, que de la periferia puede venir.» [8]

Unamuno, como los hombres de su generación, cree en una España futura —descontento con la presente— gloriosa, fuerte, españolizada más aún si cabe. Perder la fe, dejarse llevar por el desánimo, es negarse a sí mismos, es negar toda posibilidad de acción. De no creer en el futuro de España se hubieran cruzado de brazos, o se hubieran marchado. «Hemos cumplido con nuestro deber —confiesa Azorín—, hemos trabajado, la sinceridad y el amor a la belleza y a la justicia han guiado nuestra pluma. Podrá pasar por encima de nosotros otra generación; no podrá arrebatarnos nuestra personalidad, lo trabajado, lo ansiado, lo sufrido.» [9]

En otoño de 1909 publicó Unamuno en *ABC* una carta en la que aludía a «los papanatas que están bajo la fascinación de esos europeos». Ortega, dándose por aludido, contestó con un artículo publicado en *El Imparcial,* fecha 27 de septiembre del citado año [10] confesándose uno de esos papanatas. Nada más falso que creer en el antieuropeísmo de Unamuno. Unamuno es europeísta, pero con reparos. En el primer ensayo de los cinco que componen *En torno al Casticismo* (1895) escribe: «Elévanse a diario en España amargas quejas porque la cultura extraña nos invade y arrastra o ahoga lo castizo, y va rapando poco a poco, según dicen los quejosos, nuestra personalidad nacional. El río, jamás extinto, de la invasión *europea* en nuestra patria aumenta de día en día su caudal y su curso, con dolor de los molineros a quienes ha sobrepasado las presas y tal vez mojado

---

[7] Prólogo al libro *Romances de ciego,* de Salvador de Madariaga, Madrid, 1922; VII, 394-395.

[8] Carta de Unamuno a J. Ilundain, Salamanca, 19 de octubre de 1900, *RUBA;* III, 1948.

[9] Citado por L. Entralgo en *La generación del 98,* ob. cit., pág. 245.

[10] A. J. Onivea, «Recuerdos de la Residencia», en *Revista de Occidente,* septiembre de 1968, pág. 297. Hecho citado también por E. Ortega y Gasset en *Monodiálogos de Miguel de Unamuno.*

la harina. Desde hace algún tiempo se ha precipitado la europeización de España; las traducciones pululan que es un gusto; se lee entre cierta gente lo extranjero más que lo nacional, y los críticos de más autoridad y público nos vienen presentando literatos o pensadores extranjeros.» [11]

III. EL PRETENDIDO ANTIEUROPEISMO DE UNAMUNO

Para Unamuno, tan equivocados están los que desearían mantener a España aislada de toda contaminación exterior, como los que deseaban ser conquistados por Europa, colonizados culturalmente, después de haber barrido todo lo auténticamente español. Unos y otros «se salen de la verdadera realidad de las cosas» [12]. Las corrientes europeas no menoscaban, no marchitan la personalidad española, sino todo lo contrario: el contacto con el ambiente exterior vigoriza, rejuvenece y refresca al pueblo; «la vida honda y difusa de la intrahistoria de un pueblo se marchita cuando las clases históricas le encierran en sí». En vez de temer la invasión exterior, se hace necesario «abrir de par en par las ventanas al campo europeo para que se oree la patria. Tenemos que europeizarnos y chapuzarnos en pueblo. El pueblo, el hondo pueblo, el que vive bajo la historia, es la masa común a todas las castas, es su materia protoplasmática» [13].

Europeizar, sí, pero a la vez, «chapuzarse» en pueblo, investigar al pueblo, conocerle para poder amarle. He aquí el pensamiento de Unamuno. Al pueblo español le despertarán los «vientos o ventarrones del ambiente europeo». Sólo podrán europeizarle «los españoles europeizados»; pero antes, hay que descubrirle. «Se ignora el paisaje, y el paisanaje y la vida toda de nuestro pueblo. Se ignora hasta la existencia de una literatura plebeya, y nadie para su atención en las coplas de ciegos, en los pliegos de cordel y en los novelones de a cuartillo de real entrega, que sirven de pasto aún a los que no saben leer y los oyen.» [14]

La europeización no supone despersonalización. Unamuno, Ortega y Maeztu estaban europeizados y no por eso dejaron de ser españoles; eran más españoles, si cabe. Así piensa Unamuno. «Cuando se habla

[11] III, 172-173.
[12] *Ibídem,* 174.
[13] *Ibídem,* 300.
[14] *Ibídem,* 298.

de la europeización de España, pienso siempre que es ella el mejor camino para españolizarnos, para descubrir lo nuestro propio permanente, quebrantando máscaras y postizos que una imperfecta europeización de pasados siglos nos ha impuesto. Y llego a creer que no debemos tampoco molestarnos de que se diga que el Africa empieza en los Pirineos, pues el espíritu africano, el que culminó en el ardiente Agustín de Hipona, es algo grande y fecundo.» [15] La idea de que España estaba africanizada la lanzó Costa al mercado intelectual en 1900, como anteriormente he señalado. A Unamuno no le disgusta la idea de africanización, pero a la antigua, al estilo de San Agustín y de Tertuliano. «¿Por qué no hemos de decir —afirma—: Hay que africanizarse a la antigua?» [16]

Unamuno ha pasado a la historia, o mejor, a la leyenda de la que en vida fue víctima y autor, como tozudo defensor del africanismo español. Se le ha querido presentar como defensor de la tesis del africanismo en su aspecto cabileño, apasionado, inculto y semisalvaje frente a la antítesis del espíritu europeo científico, sereno, culto y civilizado, sin darse cuenta de que Unamuno no era partidario ni de uno ni de otro, sino de una síntesis armónica de ambos, como es notorio, a través de los textos citados. En este error cae E. D'Ors, el cual, en 1927, publica un artículo titulado «Saliendo de la confusión» [17]. De él extracto lo siguiente: «Esa tesis del "africanismo" de España, de su no europeización, ha podido parecer inofensiva en las horas de la anarquía moral de que penosamente estamos saliendo. Ha podido creerse inclusive elegante el aceptar su romántica tabla de valores y lanzar alegremente a la eterna, a la universal Cultura, una dimisión que era una deserción. Nuestro Unamuno se erigió en especialista contumaz de ello: de él recibieron la fórmula, como una consigna, muchas curiosidades y muchas superficialidades en estos centros literarios de Dios.» En este artículo demuestra D'Ors un conocimiento epidérmico de Unamuno, el cual, lo mejor que tenía, se lo debía al espíritu y ciencia europeas, aunque no comulgase con los cánones vigentes entonces.

La disconformidad con la ciencia europea y los ideales europeos de principios de siglo le hacen replegarse en otro estilo de vida, en otra manera de pensar arbitraria, apasionada, encarnada en los antiguos grandes africanos. «Debo confesar que cuanto más en ello medito,

---

[15] Conferencia en el Círculo Mercantil de Málaga el 22 de agosto de 1906; VII, 713.

[16] «Sobre la europeización. Arbitrariedades», *La España Moderna* núm. 216, Madrid, diciembre de 1906; III, 1106.

[17] E. D'Ors, «Saliendo de la confusión», *Nuevo Glosario,* II, pág. 45, Aguilar, Madrid, 1947.

más descubro la íntima repugnancia que mi espíritu siente hacia todo lo que pasa por principios directores del espíritu europeo moderno, hacia la ortodoxia científica de hoy, hacia sus métodos, hacia sus tendencias.» [18] Frente a la ciencia europea propone la sabiduría, la *sagesse* francesa, la *wisdom* inglesa, la *Weisheit* o *Klugheit* alemana, es decir, la sabiduría de los místicos aprendida con el corazón, con la contemplación, no con el discurso.

IV. LA PARADOJA DE ESPAÑOLIZAR A EUROPA

En un ambiente europeizador y europeísta lanza Unamuno una frase que sorprende a todos: «¿Por qué no españolizamos Europa?» En *La Nación* de Buenos Aires [19] se queja de lo amiga que es la familia hispánica en adoptar una postura humillante de discípulo frente a Europa, sin cuidar para nada la propia fama de fronteras a fuera: «Constantemente estamos diciendo a Europa: ¡Enséñanos! ¡Alecciónanos! ¡Instrúyenos! y ni una vez siquiera nos encaramos con ella para decirle, como podemos muy bien hacerlo: Ahora en esto te voy a enseñar algo que te hará más culta y más sabia ¡disponte a aprender! (...) Aún tienen no poco que aprender en nuestros países, en España, por lo menos, que es lo que mejor conozco, franceses, ingleses, italianos y alemanes, aunque nosotros tengamos que aprender más de ellos.» Lo difícil, a nuestro juicio, sería ponerse de acuerdo en lo que España podía entonces enseñar a Europa.

Con el tiempo, no rectificó Unamuno su fórmula de «españolizar a Europa». En 1929 escribe que si bien pareció un lema arrogante, debió haber dicho que había que españolizar al Universo, es decir, universalizar a España, e incluso «españolizar a Dios para divinizar a España» [20].

El fin de estas paradojas y arbitrariedades es más polémico que reflejo real del pensamiento auténtico de Unamuno. El rector de Salamanca no hace sino dejarse llevar de su «misión mesiánica», yéndose ex profeso al extremo opuesto para que el problema de la europeización se formule en su justo medio. Europeizar, pero sin desespañolizar; es-

[18] *Ibídem*, 1107.

[19] «El Pedestal», 10 de junio de 1910; IV, 677.

[20] «Al director de la revista argentina *Síntesis*», Hendaya, 13 de noviembre de 1929; XV, 921.

tudiar al pueblo español y ver qué elementos europeos pueden arraigarse en su manera de ser, de pensar y de sentir. Con lo que no está de acuerdo es con la imitación servil, con la fe ciega a todo lo foráneo sin pensar si es bueno o malo. Cadalso, en sus *Cartas Marruecas,* publicadas también en época europeizadora, señalaba que ni todo lo español es malo ni todo lo europeo bueno.

V. PRESTIGIO DE LA CULTURA ALEMANA A PRINCIPIO DE SIGLO

Los términos *europeo* y *moderno* son tan vagos e imprecisos como el término *europeización.* Así lo considera Unamuno y no se equivoca en ello [21]. Para los europeizantes Europa se reduce a lo central, Francia y Alemania, prescindiendo del resto de las naciones [22]. Precisamente son los modelos —el francés y el alemán sobre todo— los menos atractivos para Unamuno en la europeización española. El modelo inglés era el que mayor atracción ejercía sobre los hombres de la Institución Libre de Enseñanza, simpatía también compartida por Unamuno. El francés, a pesar de la tradición, de la vecindad y de la facilidad idiomática, estaba en decadencia y desprestigiado mundialmente. Quizás el espejo en que se miraba mayor número de europeizadores españoles era el alemán. Después de la invasión napoleónica, Alemania surge como una nueva nación disciplinada, laboriosa y científica. En 1810 se organiza la Universidad de Berlín que será el modelo de muchas universidades. Durante un siglo las aulas de las universidades alemanas atraen estudiantes de todos los países. La Universidad de Estados Unidos John Hopkins, organizada por Daniel Coit Gilman, se inaugura en 1876 calcada de las universidades germanas. En ellas se investiga, se descubre, se avanza en los conocimientos sin reducirse únicamente a la transmisión de los mismos. De ellas salen especialistas, a diferencia con las universidades de Oxford y Cambridge, en las que se cuida la educación general y la formación del carácter. En las alemanas se formaban especialistas y en las inglesas hombres completos. Hoy día, después de un siglo, la idea inglesa vuelve a imponerse, aunque tampoco se descuide la investigación especializada.

---

21 «Sobre la europeización. Arbitrariedades», ens. cit.; III, 1105.

22 *Del sentimiento trágico...* (1913), XVI, 424.

El atractivo y el prestigio de la ciencia y cultura alemana cayó en vertical con la primera guerra mundial. El militarismo y el imperialismo expansivo fueron los responsables. Siete años antes que esta guerra estallase, observa Ortega, estudiante en Marburgo, el declive de la cultura alemana: «La decadencia cultural de Alemania es indudable. Hace unos días hablaba con un joven polaco-ruso que aquí estudia filosofía y caímos en esta advertencia que ambos habíamos hecho. En filosofía han llegado a una plétora de precisión —esto también es indudable— y se han atascado; repiten unos lo mismo que han dicho otros, arman sus juegos de palabras y listo. En literatura... no sospechan qué es literatura y sobre todo qué es poesía. En ciencias físico-matemáticas acaso sea donde pueda hallarse más movimiento revolucionario.» Acaba Ortega su carta acertando de lleno en la médula del problema alemán de entonces y de veinticinco años después: «La disciplina alemana ha roto la matriz a la raza. Es curioso ver la falta de personalidad de estas gentes y especialmente de los ilustres sabios.» [23]

Sin embargo, muchos españoles que a principio de siglo visitan Alemania quedan admirados de las virtudes del pueblo alemán: laboriosidad, disciplina, docilidad, sentimiento del cumplimiento del deber, orgullo de raza, sociabilidad... virtudes que para el pueblo español quisieran. En 1903, Luzúrtegui publica en Bilbao un libro titulado *Cartas alemanas,* presentando el modelo alemán a seguir por España en su intento de europeizarse. En plena guerra mundial, E. Luis André publica otra obra, *La cultura alemana* [24] en el mismo tono de admiración por todo lo germánico. En él dice lo siguiente: «Los intelectuales españoles, adulteradores de cultura europea, muévense al tenor de Italia y de Francia, falsamente europeizadas, cuyas ansias de saber se contentan muchas veces con las migajas que caen de la mesa del sabio alemán (...). Para beber agua salutífera hay que ir al manantial fresco, que nace en roca viva, pues el boticario la adultera y la encarece.» [25]

El amigo de Unamuno, Pedro de Mugica, piensa de la misma manera; su deseo más íntimo respecto a España, sería germanizarla, así como si un pueblo fuese capaz de perder su personalidad y ponerse a imitar otra ajena, con sólo proponérselo.

No ha mucho me he referido a la repulsa de Unamuno hacia los especialistas, cuyos modelos más claros eran los sabios alemanes de

[23] Carta de Ortega a Unamuno, Marburgo, 27 de enero de 1907, *Revista de Occidente,* octubre de 1964, 11.
[24] Ed. D. Jorro, Madrid, 1916.
[25] Página 24.

la época. «Comenten ellos —escribe Unamuno— [26], los muy doctos, a Calderón o a Lope, nosotros procuraremos dar otros Lopes y otros Calderones. Y me parece que Benavente bien vale un Hauptmann, un Sudermann o cual sobre-hombre tudesco.»

«¿Que aquí no sabe nadie de nada? Si es saber lo que por ahí, en la docta Europa, llaman así, más vale. ¡No somos un pueblo de *savants,* de *gelehrten,* gracias a Dios! No fue un sabio Lope de Vega; ni lo fue Cervantes. El sabio fue, si acaso, Clemencín. Y creo, aunque otra cosa piensen los insoportables europeos, que si no hay aquí mucha madera de Clemencines la hay aún de Cervantes. Vale más pintar como Zuloaga a la velazqueña que hacer críticas de Velázquez como Justi.»

El pensamiento de Unamuno respecto a la cultura y al pueblo alemán puede encontrarse en sus *Cartas Inédicas* publicadas por Fernández Larraín y en el prólogo de Unamuno a la edición española de la *Historia ilustrada de la guerra,* de G. Hanotaux, traducida por Luis Contreras y publicada en 1915. El motivo de la primera gran guerra es, a juicio de Unamuno, cultural, sobre todo. Sin desdeñar las causas demográficas, la pobreza del territorio alemán, ni las razones económicas, Unamuno cree que los pueblos pelean por defender —por imponer, en el caso alemán— su propia cultura. Los pueblos prefieren perecer en una guerra a pasar a formar parte de otro. Durante más de cuarenta años Alemania venía preparándose para la guerra. «Ni podía hacer otra cosa, repito, a menos de renunciar a su ensueño, a su necesidad histórica más bien, de imponer su personalidad para no verla reducida (...). Su *Kultur* sólo por la fuerza de las armas, sólo por la conquista material podrá dominar.» Continúa Unamuno hablando de las «bravatas y amenazas de ese matón de Europa» durante los años precedentes a la guerra. Alemania «cantaba a coro, en coro orfeónico, bien disciplinado, miriofónico, el famoso estribillo. «¡Deutschland, Deutschland über alles in der Welt!» (¡Alemania, Alemania sobre todo, sobre todo en el mundo!), suprema fórmula de barbarie. ¿Sobre todo? ¿Por qué sobre todo? No se contentan con vivir libres junto a los demás, reclamando su puesto al sol, ha de ser sobre los demás. Y, ¡es claro!, los demás no han tolerado el tener que ponerse debajo de ellos. Y hoy Alemania se encuentra, no sobre todos, sino contra todos. Y esto no es heroísmo ni puede entusiasmar sino a los jóvenes turcos españoles, beocios hasta las cachas» [27].

---

[26] Carta a Mugica, Salamanca, 4 de julio de 1911, *Cartas inéditas,* 353-354.

[27] Prólogo citado, VII, 344.

Respecto a los germanófilos españoles no se expresa Unamuno con menor rudeza. Al comentar los conocidos versos de Hernando de Acuña:

> *Una grey y un pastor solo en el suelo,*
> *un monarca, un imperio y una espada.*

Añade: «Es la obsesión de la unidad, sea lo que quiera lo que una; del orden, aunque ordene la muerte espiritual; de la disciplina, aunque discipline la más triste impersonalidad; del dogmatismo, sea el que fuere el dogma; de la ortodoxia, cualquiera que sea. Es, en fin, la mecanización y metodización de la vida: lo formal ahogando a lo fundamental. Es, en resolución, la muerte espiritual de la libre personalidad humana.» [28]

El ideal germánico no sirve para España, será el más adecuado para los alemanes, pero no para los españoles. «Me parece muy bien que ellos se organicen a modo de hormigas, de abejas o de termites, y me doy cuenta de todos los beneficios que deben a su disciplina y su sentido de las jerarquías; pero lo que ya no puedo soportar es que les dé por imponerse al resto del mundo y organizarlo, como pide Ostwald.» [29]

Cada pueblo tiene su cultura y su personalidad propias. Tendrán aspectos positivos y negativos, pero es lo más adecuado a su carácter. No existe un tipo único cultural capaz de ser imitado, mucho menos impuesto por la fuerza. Lo que necesita España es volver sobre sí misma, cobrar confianza, enfocar los problemas desde el propio punto de vista, sentir y vivir con sentido, de acuerdo con sus valores permanentes y con la vista fija en un ideal en cuya realización puedan colaborar todos los ciudadanos. Lo que no puede hacer es autodespreciarse, sufrir de hipocondria colectiva, aborrecer lo que es más propio, intentando imitar modelos extraños que no van con su esencia íntima; a esto se resume la actitud de Unamuno respecto a la europeización española.

[28] *Ibídem,* 350-351.
[29] «Nada de pretensiones», *La Nación,* Buenos Aires, 29 de abril de 1916.

COPIA DE UNA NOTA ESCRITA POR DON FRANCISCO GINER DE LOS RIOS, DOS DIAS ANTES DE CAER ENFERMO, A SU HERMANO DON HERMENEGILDO

Queridísimo hermano mío:

Ya que hay tiempo, te agradecería ayudases algo a Unamuno. De lo que digan contra él, no todo ciertamente es razonable, ni mucho menos; pero hay dos cosas indiscutibles: que es una fuerza espiritual de las mayores que esta pobre España tiene y que no podemos sin remordimiento dejarlo abandonado a los cínicos del Congreso.

No tienes obligación alguna de intervenir; pero tu autoridad puede hacer mucho en la conversación privada, etc. Y estamos todos obligados a no dejarlo arrastrar por el suelo, tanto por lo que él es —de Unamunos no hay cosechas—, como por los principios. Ycomo puede haber muchos planos en este asunto (la relación con Romanones, la libertad de su propaganda agraria, socialista o como quiera, etc., etc.), dejando a un lado los aspectos en que no tiene razón, basta que tú pongas cierta fuerza al lado, para que puedas hacer a él y a los principios mucho bien [30].

Tuyo, P (rubricado)

Ayer decía a un ex Ministro:

«Ese Don Hermenegildo ha descompuesto a Bergamín: su minoría no vale mucho; pero como él tiene tanta respetabilidad»...

30 Interesante nota de Giner de los Ríos, en la que don Francisco demuestra lo mucho que apreciaba a Unamuno. El motivo de la misma es la destitución de éste como Rector.

GINER DE LOS RIOS, MAESTRO Y AMIGO DE UNAMUNO

I. AMBIENTE KRAUSISTA EN LA UNIVERSIDAD MADRILEÑA

Unamuno vivió el ambiente krausista durante sus años de estudiante en Madrid. En rigor, no puede decirse que fuera uno de los componentes del cenáculo de Giner, aunque mantuvo estrechas relaciones con los adalides del movimiento, tanto con su alma, Giner, como con los más importantes colaboradores. El no haber sido uno de ellos se debe, posiblemente, a su amor a la independencia de juicio y a la aversión que siempre sintió por todo grupo o partido. Cree sinceramente que el movimiento krausista se españolizó de tal manera que puede decirse que es más español que alemán; personalmente, ni se formó en el krausismo ni leyó las obras de Krause, sino a través de resúmenes traducidos [1]. Los krausistas españoles peroraban frecuentemente en la tribuna del Ateneo madrileño, y allí los escuchó don Miguel cuando era un «pobre oscuro estudiante» [2], y como discípulo oficial de Ortí y Lara también conoció los dardos encendidos que se disparaban en la cátedra de Metafísica.

Simpatizó con este movimiento germánico gracias a su fondo místico y religioso y por ser escuela que pretendía salvar la individualidad en el panteísmo [3]. Si prendió —afirma— en España y Bélgica con más fuerza que en ningún otro país, incluida Alemania, se debió a que estos dos países eran los más profundamente católicos [4]. Califica

[1] Unamuno, «La afanosa grandiosidad española», en *Ahora,* Madrid, 13 de julio de 1934; VIII, 719.

[2] *Ibídem.*

[3] Unamuno, *En torno al casticismo,* III, 259.

[4] Unamuno, «Mitología y demagogia. Arabesco», en *El Lunes de El Imparcial,* Madrid, 10 de noviembre de 1913; XI, 287. Idem, Unamuno, «Prólogo a la versión castellana de *La estética,* de B. Croce», Madrid, F. Beltran, 1912; VII, 260.

al krausismo de «fecundo e íntimo movimiento espiritual» [5], a la vez que le llama «ingenuo» y «generoso» [6].

Gómez Molleda, en su clarividente estudio *Los reformadores de la España contemporánea,* cita un fragmento de Unamuno en que se describe a sí mismo como estudiante en Madrid, en el que vivió enfrascado «en libros de caballerías filosóficas, de los caballeros andantes del krausismo y de sus escuderos» [7]. Sin embargo, Unamuno, en 1934, en su artículo citado «La afanosa grandiosidad española», afirma rotundamente que ni se formó en el krausismo ni leyó a Krause más que en resúmenes traducidos. «Al que leía —afirma—, y para aprender en él alemán, era a Hegel. Y a Kant, ¡claro! Esto a mis dieciocho años, y solo, y sin guía. Pero llegué a respirar el aire espiritual krausista, difuso todavía en el ambiente culto.» [8] Sigue afirmando Gómez Molleda: «Unamuno, como tantos otros universitarios, no sólo leyó las obras krausistas, sino que se sentó en las aulas de San Bernardo para oír a Giner y dialogó con el maestro de selectos con singular interés y provecho.» Líneas más abajo añade: «Debemos reconocer que el contacto con el espíritu institucionalista dejó huellas en Unamuno estudiante, antes de que su pensamiento adquiriese vigor y plenitud personal.» [9]

Por mi parte, no creo que Unamuno acudiese a escuchar a Giner a las aulas de San Bernardo. Ni en las cartas cruzadas entre ambos, ni en los artículos laudatorios que Unamuno escribe en memoria del maestro desaparecido, ni en las dispersas alusiones a Giner y a su obra afirma que lo hiciese. Por otra parte, la amistad entre ambos surgió después de que Unamuno terminase sus estudios madrileños, exactamente cuando Unamuno opositaba a la cátedra de Metafísica [10], entre 1886 y 1887. Con todo, estos primeros contactos debieron ser superficiales, sin originar todavía una verdadera amistad. En 1895, Pedro Corominas llevó a Giner los *Ensayos* unamunianos, en los que se alababa a «los caballeros andantes del krausismo». De haber existido amistad entre ambos, Unamuno hubiera prescindido del intermediario y habría enviado directamente su publicación a Giner, como comienza a realizar a partir de 1899, fecha en que se inicia también

[5] Unamuno, «La afanosa grandiosidad española», *ibídem;* VIII, 718.
[6] Unamuno, «Mitología y demagogia. Arabesco», *ibídem*; XI, 287.
[7] Gómez Molleda, ob. cit., pág. 386.
[8] *Ahora,* Madrid, 13 de julio de 1934; VIII, 719.
[9] Gómez Molleda, ob. cit., págs. 386-387.
[10] En una carta de Unamuno a Giner, fechada el 27 de diciembre de 1899, dice: «Trabajo en unos diálogos filosóficos, idea que concebí cuando me conoció haciendo oposiciones de Metafísica», publicada en *Revista de Occidente,* abril de 1969, pág. 9.

la correspondencia epistolar entre ambos. Al menos en el Archivo de Unamuno no se conservan cartas anteriores, ni de Giner se ha publicado ninguna fechada antes de 1899.

En la variada obra unamuniana puede encontrarse un fragmento que, a primera vista, parece aludir a las clases socráticas de Giner. El plural empleado por Unamuno en su redacción podría contribuir a ello: «Nunca olvidaremos —dice— nuestras conversaciones con él, con nuestro Sócrates español, con aquel supremo partero de las mentes ajenas. Inquiría, preguntaba, objetaba, obligábanos a pensar. Y después de una de aquellas intensas charlas con él volvíamos a casa tal vez sin haber recibido de él ninguna nueva idea; pero, lo que vale más, mucho más, con nuestras propias ideas, antes turbias, aclaradas ahora, habiendo descubierto en nosotros mismos puntos de vista que ignorábamos antes, conociéndonos mejor y conociendo mejor nuestros propios pensamientos.» [11]

II. UNAMUNO Y GINER FRENTE A FRENTE

En una de las cartas de Unamuno al animador de la institución madrileña se alude al impacto que le producían las charlas con Giner, en la misma tónica que en el artículo citado: «Vine sin despedirme de usted, como lo hubiera deseado, vine en fuga. Madrid me repele. Sólo me compensan en él ratos como el que pasamos en la Moncloa, frente a la Sierra, en campo, empapados de serenidad. Así el pensamiento se hace afectivo y cordial. Volveré en primavera y buscaré a usted *(sic)*. Necesito gentes cuya alma respire.» [12]

Durante estos años menudea la correspondencia, sobre todo en 1899, y se intercambian las publicaciones. Una vez creada la Residencia de Estudiantes por Real Decreto de 6 de mayo de 1910, Unamuno acude a ella siempre que sus obligaciones burocráticas le obligan a desplazarse a Madrid. A. Jiménez, en su obra *Ocaso y restauración. Ensayo sobre la Universidad española moderna* [13], califica a Unamuno de «perfecto residente». Durante el destierro en París recuerda Unamuno con nostalgia «la Residencia de Estudiantes, donde

---

[11] Unamuno, «Recuerdo de don Francisco Giner», en *El Día,* Madrid, 13 de febrero de 1917; V, 427. Este mismo artículo fue publicado en el *Boletín de la Institución Libre de Enseñanza,* tomo XLI, 1917, págs. 58-60.

[12] Salamanca, 22 de noviembre de 1899, en *Revista de Occidente,* abril, 1969.

[13] Página 229, México, 1948.

tantas horas de intensa vida he vivido», y desde donde «contemplaba a lo lejos las crestas del Guadarrama» [14].

Las relaciones entre ambos fueron siempre cordiales [15]. A juicio de los que se beneficiaron con su trato, Giner fue un agitador de espíritus, un eterno discípulo de sus discípulos, un maestro que luchó siempre para no ser un «profesional» rutinario de la educación, un «hombre de pasión, de intensa pasión, de encendida pasión» que predicaba serenidad y paz [16]. «El 18 de este mes hará dos años que se nos fue para siempre de ésta nuestra España, de ésta su España, de este mundo. ¡Pero no se nos fue del todo, no! Aún nos queda, ¡aún nos queda aquí a los que le conocimos, es decir, a los que le quisimos!; aún le llevamos dentro —y él nos lleva— a aquel gran maestro.» [17]

En el «Recuerdo de don Francisco Giner» que comentamos, Unamuno no escatima alabanzas al que en verdad fue su maestro, el hombre que más influyó en su manera de enfocar los problemas educativos. Sin duda sentía hacia don Paco —como familiarmente le llamaban los íntimos— una profunda veneración y respeto. En muy contadas ocasiones discutió Unamuno con Giner. «Sólo dos veces llegamos a discutir —escribe Unamuno a Ortega [18]—, a propósito del caso Ferrer y acerca «del lenguaje por cierta expresión, *shocking,* que empleé una vez.»

III. DEFENSOR DE GINER

Con ocasión y sin ella, Unamuno rompió lanzas en favor de Giner y de su obra, tanto en escritos dirigidos al público como en la intimidad de la correspondencia epistolar. En 1899 se quejaba Corominas en carta a Unamuno [19] de que Giner, además de tener una estructura mental contraria a la suya, no le dejaba hablar. Pensaba escribirle acerca del «mal enorme que la Institución Libre de Enseñanza está haciendo entre los pocos jóvenes que miran la vida como

---

[14] «El Pere Lachaise», *Caras y caretas,* Buenos Aires, 20 de diciembre de 1924; X, 714.

[15] «Recuerdo de don Francisco Giner», *El Día,* Madrid, 13 de febrero de 1917; V, 427.

[16] *Ibídem,* 426.

[17] *Ibídem.*

[18] Carta de Unamuno a Ortega, marzo de 1915, *Revista de Occidente,* octubre de 1964.

[19] Madrid, 25 de noviembre de 1899, *Bulletin Hispanique,* «Annales de la Faculté des Lettres de Bordeaux», tome LXII, núm. 1, 1960, pág. 423.

cosa seria... Quiero acusarle —agrega Corominas— de ser el padre intelectual de estos sacristanes fúnebres, de estas almas corroídas por el libro». Desea «acusarle de haber helado el entusiasmo en el corazón de los que lo sentían. No se puede alejar impunemente de la realidad al joven para sumergirle en un laberinto de erudiciones académicas».

La contestación de Unamuno no se hace esperar. «Si es que no ha escrito a Giner, piénselo bien antes de hacerlo, porque en lo que de él me dice veo un dejillo de amor propio herido. "Este señor no me deja hablar." "Este hombre amará su obra, pero ¿por qué me ataca?" ¿Está usted seguro de que le ataca? ¿No mostrarán esos *ataques* el interés que por usted se toma? Yo soy, como usted, uno de los hombres más prevenidos en contra de Giner, su constitución mental me es poco simpática, pero ¿he penetrado bien en su obra? ¿Sé acaso lo que serían esos "sacristanes fúnebres, almas corroídas por el libro" que usted dice, si la Institución no les hubiese formado? ¿Serían mejores? ¿No serían acaso como nuestro amigo Nicolás Salmerón, cuyo estado deploramos? Quiere usted acusarlo de haber helado el entusiasmo en el corazón de los que lo sentían. ¿Lo sentían, está usted seguro? ¿Y lo está de que hoy no lo sientan, *a su manera*?» [20]

IV. PARALELISMO ENTRE AMBOS EDUCADORES

No es preciso insistir en la objetividad de estas observaciones, formuladas sin apasionamiento alguno. La actitud de Corominas no corresponde en absoluto a la realidad y se debe, como Unamuno le hace ver, al amor propio herido.

Las convergencias y paralelismo entre Unamuno y Giner son temperamentales e intelectuales. Los dos eran autodidactas —como casi todos los de su tiempo—, amantes de la naturaleza, grandes conversadores que piensan en voz alta, austeros y virtuosos, apasionados..., coinciden en lo esencial cuando piensan en el culto a la individualidad, en la misión del educador y de la Universidad, en el valor de la Gramática y en mil cosas más; sus clases las enfocan socráticamente y se proponen los mismos objetivos: forjar hombres nuevos que pienen por cuenta propia.

[20] Carta de Unamuno a Corominas, Salamanca, 15 de diciembre de 1899, en *Bulletin Hispanique*, ob. cit., pág. 425.

Los dos eran asistemáticos. Ninguno de ellos fue capaz de elaborar un cuerpo coherente de doctrina. Escribe García Morente: «Las ideas filosóficas de don Francisco Giner de los Ríos no han sido nunca reunidas por él en un conjunto sistemático, o simplemente en una exposición general. Hállanse dispersas en numerosos escritos, libros, artículos, notas.» [21] La causa obedece a que el pensamiento de Giner estaba siempre en movimiento continuo, sin detenerse nunca en lo ya pensado, en lo adquirido, apuntando siempre más allá. «Toda fórmula concreta del pensamiento —sigue Morente— y del objeto será forzosamente una detención arbitraria, un momento perecedero que debe ser superado.» Cualquier solución alcanzada origina dudas, nuevos interrogantes que le impiden recoger en un *totum* su pensamiento filosófico.

El asistematismo de Unamuno es bien conocido. El método apasionado, arbitrario, de afirmación de los contrarios y la lógica cordial no son auxiliares muy adecuados para elaborar un conjunto de verdades armónico y coherente.

Giner y Unamuno eran apasionados amantes de la naturaleza. Unamuno, siendo un muchacho todavía, huía de Bilbao con algunos amigos en los días de fiesta a respirar el aire puro de las montañas vecinas. Su débil salud en la época de la pubertad requería ejercicio físico, aire y sol, prescripción médica que cumplió durante toda su vida. Fue un gran andarín y buen montañista. Cualquier duda al respecto la disipa la lectura de su obra *Por tierras de Portugal y de España*. Giner, al margen de las frecuentes excursiones organizadas por la Institución, de varios días de duración, en las que se recorrían ciudades, aldeas y lugares con interés histórico o artístico, hasta 1890, pasaba los veranos en Santander, recorriendo a pie la provincia, con estancia fija en San Vicente de la Barquera. Desde 1891 descansaba en Galicia, en la quinta de San Fiz (Bergondo) y en las cercanías de Betanzos. Los veranos que no acudía a Galicia los pasaba bien en la montaña santanderina, bien en la sierra del Guadarrama [22]. Cuando estaba en el campo se tumbaba al sol, dejándose absorber por el paisaje de tal manera que ni discutía ni leía apenas. A los setenta años, si hemos de creer a Zulueta, caminaba 30 ó 40 kilómetros «y se bañaba en invierno en el agua helada de los ríos» [23]. Alguno de sus admiradores le llamó el dios Pan por su amor a la naturaleza.

Ambos eran grandes conversadores que pensaban en voz alta. En cuanto a Giner, he transcrito el texto en que Corominas se quejaba

---

[21] *BILE*, 3 de enero de 1919, núm. 706, pág. 30.
[22] Luis de Zulueta, «Don Francisco», *BILE*, 1915, 38.
[23] Idem, pág. 47.

de que no le permitía hablar. Luis de Zulueta, en el artículo citado escribe que Giner «administraba pródigamente el sacramento de la palabra» [24]. Durante la conversación —tendente al monólogo como Unamuno— pensaba sus ideas. «No escribía lo ya pensado, sino que pensaba escribiendo como pensaba hablando.» [25] Era un estupendo orador y se pasó la vida queriendo ahogar en sí esa noble facultad de la oratoria [26]. En clase, don Francisco pensaba «en alta voz con la misma libertad, con la espontaneidad entera que tuviera pensando para sí, solo, en la oscuridad y en el silencio» [27].

Uno y otro intentan forjar hombres nuevos. Fichte, en sus *Discursos a la nación alemana,* se plantea el problema, viejo y nuevo a la vez, de la necesidad de hombres nuevos para un mundo nuevo. ¿Quién formará a los hombres nuevos necesarios para empresas nuevas? Un decreto, una ley, es ineficaz si quienes la han de aplicar se han formado en un sistema decrépito, anticuado, que se intenta superar. ¿Puede una generación adulta educar de modo distinto a como ella se educó? Las nuevas ideas ¿pueden mover a los hombres viejos? ¿No ocurre que las generaciones jóvenes se educan y se forman, a pesar de aquellos que les dirigen? La solución de Fichte es irrealizable fuera de un país fuertemente socialista: el Estado buscará el equipo de hombres permeable a las nuevas ideas, lo formará durante un tiempo determinado y será el encargado de propagarlas a los demás centros estatales creados y organizados *ad hoc.* En un tiempo no superior a veinte años la nación habrá cambiado de fisonomía.

Giner, hombre que se pasó toda su vida predicando paz y transmitiendo a los demás su lucha interior, no piensa en la revolución violenta ni en los planes nacionales de enseñanza como en los medios más eficaces de reforma; prefiere la revolución interior individual, y para ello se convierte en agitador de espíritus, en «confesor» de sus discípulos y amigos. Su revolución se hace diariamente y sin ruido. Sin mítines ni discursos en la calle.

Cree más útil cambiar al hombre que cambiar de gobierno. «La Institución —escribe su fundador [28]— no pretende limitarse a instruir, sino cooperar a que se formen hombres útiles al servicio de la humanidad y de la patria.»

---

[24] Idem, pág. 46.

[25] Unamuno, «In memoriam», *El Día,* Madrid, 13 de febrero de 1917, *BILE,* 1917, págs. 58-60.

[26] Idem.

[27] Quirós, «La clase de D. Francisco», *BILE,* 1915, pág. 188.

[28] Giner: «El espíritu de la educación en la Institución Libre de Enseñanza», Madrid, *La Lectura,* 1922; *Obras Completas,* v. VII, p. 41.

Díez Canedo refiere, como frase de Giner, que «el primer deber —y el primer placer— de cada hombre para consigo mismo es el de ser hombre... Todo cultivo —y aun culto— de la individualidad es inseparable del cultivo de la humanidad, de lo universal y absoluto en nosotros, o, si se quiere, de los fines divinos en el orden del mundo» [29]. Hombres nuevos intentaba forjar Giner en las aulas de la Institución y fuera de ellas, como Rousseau, como Kant, como Pestalozzi y como tantos otros pedagogos.

En otro lugar he hablado de la preocupación de Unamuno por el hombre concreto, por el hombre de carne y hueso, viviente y sufriente en oposición al hombre abstracto de la filosofía en uso. También he aludido al individualismo de Unamuno, por considerar que el culto al individuo es culto a la humanidad. Ideas ginerianas con las que Unamuno comulga sin reparos y sobre las que insiste machaconamente. A fuer de ser reiterativo, valga el siguiente texto: «El primer deber del hombre no es *diferenciarse,* es ser un hombre pleno, íntegro, capaz de *consumir* los más de los diversos elementos que un ámbito diferenciado le ofrece.» [30]

Los profesores de la Institución, siguiendo el estilo del maestro, eran «verdaderos *directores* espirituales» de sus alumnos, con los que compartían un constante trato personal de intimidad, en medio de relaciones típicamente familiares [31]. En este aspecto, algún escritor malicioso ha creído ver un sorprendente paralelismo entre los métodos institucionistas y los empleados por los jesuitas:

«Entre el *ratio studiorum* ignaciano y el *ratio studiorum* de Giner, espíritu mesiánico de estas instituciones —Residencia de Estudiantes e Instituto Escuela—, donde pervive su esfuerzo, no hay diferencia sustancial. Son credos semejantes con dogma distinto. Es una misma la fe, la teología pedagógica; varían los sacerdotes, el culto, el templo y los creyentes.» [32] Unamuno, en su «Recuerdo de don Francisco Giner», después de comentar algunos párrafos de *La Universidad Española* de éste, dice: «¡A cuántos confortó! ¡A cuántos les abrió un sendero! ¡Un sendero estrecho y escabroso y pedregoso, pero sendero al fin.» [33]

---

[29] E. Díez Canedo, «Un maestro», *BILE,* 1915, 79.

[30] «La dignidad humana», *Ciencia Social,* Barcelona, enero de 1896; III, 450.

[31] Cfr. Gómez Molleda, *Los reformadores de la España contemporánea,* C.S.I.C., Madrid, 1966, págs. 262 ss.

[32] E. Luis André, *El espíritu nuevo en la educación.* Un informe y un voto sobre el instituto-escuela, Madrid, 1926, pág. 29. Citado por Gómez Molleda, obra citada, pág. 265.

[33] Carta a Matilde B. de Ross, Salamanca, 8 de diciembre de 1913; *Cartas inéditas,* pág. 397.

Cuando un alumno de la Institución cometía una falta, era enviado a don Francisco. «Temblando, llamaba flojo a la puerta. "Adentro." Y el culpable, avanzando tímidamente, encontraba al buen señor de espaldas, ocupándose de la lumbre, ocupándose del carbón, preguntándole, sin volverse, si hacía frío aquella mañana, si había ido al "Puente" o a la sierra el domingo, si le interesaba la clase del profesor tal...»

«Volvíase, en fin, cuando daba por terminado el arreglo de la lumbre. Entonces esperaba el diálogo, íntimo, como de padres e hijos, y pronto se llegaba a una confesión completa. Luego, don Francisco tomaba él solo la palabra, y hablaba, hablaba, hablaba, siempre de pie (...) con acentos de misionero cristiano allá por tierra de incrédulos.» [34]

En su retiro de Salamanca intentó también Unamuno reunir en torno suyo un grupo de estudiantes, siguiendo, en cierto modo, los procedimientos de la Institución. Sin embargo, nunca fue un grupo compacto, unido, que comulgase con las ideas de su mentor en la medida que lo hacían los discípulos de Giner. En 1906 escribe Unamuno: «Aquí reúno en mi derredor un grupito, pero suelo pensar, y si yo me voy o me muero, ¿qué será de él? Porque sospecho que forman borla y no mazorca; yo soy quien los uno.»

«Y luego, ¡qué idea de lo que se les debe, tienen muchos! No basta que uno les dé de sus entrañas, que les excite, les amoneste, les inquiete; quieren que uno les ponga de la mano en un empleo —¡y no puedo hacerlo!— que proclame a todos los vientos que es una obra maravillosa tal o cual ensayillo que publicaron. Y si no hace así le tachan a uno de egoísta, de desdeñoso, de soberbio.» [35] En 1913 vuelve Unamuno a hablar, también en una carta, de los «seis u ocho jóvenes» que le ayudan en su intento por devolver a la Universidad salmantina el prestigio de que gozó en siglos pasados [36].

González Trilla, antiguo discípulo y acérrimo defensor de Unamuno, afirma que éste, «más que de profesor, oficiaba de director espiritual de los estudiantes. Les abríamos —dice— de par en par nuestras conciencias y aprendíamos de él a vivir la vida con hondura» [37].

---

[34] Caiel, BILE, 1915, pág. 83.

[35] Carta a Giner. Salamanca, 20 de septiembre de 1905. *Revista de Occidente,* abril, 1969, pág. 15.

[36] Carta a Matilde B. de Ross. Salamanca, 8 de diciembre de 1913. C. I., página 397.

[37] Hernán Benítez, «Nuevo palique unamuniano», *RUBA,* VII, 1950, página 529.

Federico de Onís —otro discípulo de Unamuno— coincide al afirmar que «la clase de Unamuno era un episodio diario de una relación constante, de una vida de amistad que, fuera de la Universidad, en los paseos, en el campo, en su propia casa, llevábamos libre de toda separación formalista» [38].

En 1904 publicó Unamuno las cartas de Ortega en un ensayo titulado *Almas de jóvenes*. En la segunda, lanza el joven Ortega una acusación que duele a Unamuno y contra la que protesta inmediatamente: «Sólo me queda decirle una cosa, si me perdona usted esta intromisión crítica. Ha aprendido usted de los jesuitas un secreto táctico que ellos aprendieron de las mujeres: el secreto de preocuparse individualmente de los que se le acercan, sabiduría de confesor y de cortesana *(parce mihi)*. Es usted terrible.» [39] Unamuno se defiende de esta acusación, no porque su trato con los jóvenes fuese distinto al jesuítico, sino porque le molestaba terriblemente el sambenito de «jesuita». A ninguna otra orden religiosa atacó tanto como a los jesuitas, que tampoco, en justa correspondencia, soportaron mudos sus denuestos. «Antes de seguir —en el comentario a la segunda carta de Ortega— tengo que protestar de un concepto que en su carta estampaba mi joven amigo, y es lo de que haya yo aprendido de los jesuitas secreto alguno táctico. Ni me han educado jesuitas ni he tenido continuado trato íntimo con ninguno de ellos. A pesar de lo cual estoy harto de oír se me moteje de jesuita. A lo que suelo contestar: "Es muy posible que vean otros algo de jesuítico en mí; pero ello se debería a hermandad de origen entre la Compañía y yo, y no a influencia ninguna de ella sobre mí." Y digo hermandad, porque el padre de la Compañía Iñigo de Loyola era, como yo, un hijo de la raza vasca, y lo que pueda haber de común entre mi espíritu y el jesuítico será lo que uno y otro tengamos del espíritu vasco.» [40]

Al escribir este ensayo ¿había olvidado Unamuno sus años de congregante y su trato íntimo con los jesuitas de Bilbao? Si es que entonces no aprendió la «táctica jesuítica», el trato frecuente con los hombres de la Institución fue suficiente para que la conociera. Lo que está fuera de discusión es que Unamuno y Giner trataban a los jóvenes de la misma manera, del modo más parecido al jesuítico.

La misión del educador, tal como lo ve Giner, es «excitar la reacción personal de cada individuo y aun de cada grupo social para su propia formación y cultivo: todo ello mediante el educando mismo y lo

---

[38] F. de Onís, «La Universidad española», *BILE*, 1912, pág. 300.

[39] Unamuno, «Almas de jóvenes», *Nuestro Tiempo,* Madrid, mayo de 1904; III, 729.

[40] *Ibídem,* 730-731.

que él de suyo pone para esta obra, ya lo ponga espontánea y como instintivamente, ya en forma de una colaboración también intencional» [41]. El toque está en dosificar equilibradamente la heteroeducación y la autoeducación, «la combinación del *self-government* con la dirección exterior» [42]. Concebía la educación como el arte de convertir a los niños no en sabios ni especialistas, sino en hombres sinceros, honrados, veraces, laboriosos, cultos, limpios de cuerpo y de alma, de gustos incluso nobles, elegantes, aborreciendo la mentira, la envidia y la pereza. «En sus clases de la Universidad o de la Institución no hizo más que una cosa: sacudir el sopor del alumno, excitarle al trabajo personal, a la investigación libre; y, sobre todo, aconsejar el juego, el arte y el campo.» [43]

El método en que Giner era un consumado especialista era el socrático. En las clases «hablaba mucho, pero siempre como interlocutor; jamás como *catedrático*». Sus principales empeños eran: primero, despertar el anhelo y curiosidad intelectuales; segundo, formar de cada uno de nosotros la capacidad personal de reflexión, y, por último, infundirnos el sentido de lo científico, que, a su parecer, era inseparable de una incesante autocrítica, jamás plenamente satisfecha [44]. Pensaba que la ciencia no podía transmitirse en fórmulas hechas y acabadas. Más importante que enseñar conocimientos era enseñar a adquirirlos. «Gustaba repetir a menudo el dicho de Kant: "Yo no enseño filosofía, sino a filosofar".» [45] En la Institución «se aprendía a aprender», se enseñaba a amar a la ciencia, a adquirir mentalidad científica.

Las clases de Giner constaban de dos partes: diálogo socrático y monólogo inacabable del maestro. «En los primeros minutos el diálogo se desenvolvía entre la timidez del alumno y la expectativa del maestro, siguiendo y corrigiendo las desviaciones. Todo tenía un carácter de indecisión, de vaguedad indefinida. Poco a poco la situación se modificaba. Habíase llegado al buen camino y se marchaba por él paso a paso. El alumno cobraba ánimos, y en el maestro el pensamiento poderoso palpitaba ya, vibrante en la palabra. De improviso, sin advertirlo nosotros, llegábamos a un punto crítico. Entonces ter-

---

[41] Giner, «Sobre la idea de educación», *Pedagogía Universitaria,* «Problemas y noticias», Madrid, 1924, Espasa-Calpe; *Obras Completas,* vol. X, pág. 12.

[42] *Ibídem,* 11.

[43] Caiel, «Don Francisco», *BILE,* 1915, 85.

[44] García Morente y Fernando de los Ríos, «In memoriam. El Pedagogo», *BILE,* 1918, 61.

[45] *Ibídem.*

minaba la conversación y comenzaba el monólogo, quizás por el resto de la tarde [46].

La clase de Giner se desarrollaba de forma caprichosa, zigzagueante, dispersa, dejándose llevar de la improvisación del momento y de las sugerencias y asociaciones de su dinámica inteligencia. No existía programa que encarrilase la conversación ni exámenes finales que obligaran a aprender un *minimum* de conocimientos [47]. Tampoco se sentaba en el sillón magistral ni subía a la plataforma. Las clases eran reuniones de amigos en las que discípulos y maestro elaboraban y definían sus ideas [48]. El maestro, más que dar fórmulas hechas, más que resolver problemas, los planteaba, en su intento de agitar las mentes ajenas y hacer que cada uno concibiese y diese a luz sus propias ideas [49].

V. UNAMUNO, CONTINUADOR, A SU MODO, DE LA LABOR DOCENTE GINERIANA

Si se sustituye en estos testimonios el nombre de Giner por el de Unamuno, habría que introducir muy pocas modificaciones. No obstante, al tener que hablar posteriormente con mayor detención de las clases de Unamuno, puedo adelantar que también eran asistemáticas, sin orden prefijado, improvisadas, en las que se hablaba de todo, pero con tal amenidad que resultaban siempre cortas y una delicia para el espíritu. Tampoco explicaba nunca sentado, sino paseando por la plataforma, asomado a la ventana, escribiendo en el encerado o sentado junto a sus alumnos al lado del brasero. Su portentosa erudición la repartía a manos llenas, de forma que, según testimonio de un alumno, en su clase «se aprendía de todo: técnica gramatical, Filosofía Comparada, Medicina, Ciencias Naturales, Historia, Literatura... Su *causerie,* siempre admirable, era un surtidor de conocimientos, una sembradora de ideas. Y su complacencia y afecto hacia sus alumnos se exteriorizaba en todos los sitios, en clase y fuera de ella, en la calle cuando parábamos con él, y en su casa cuando le visitábamos. Generoso moldeador de las almas juveniles, jamás fue

---

[46] Quirós, «La clase de D. Francisco», *BILE,* 1915, 188.
[47] J. Juncal: «El maestro y su obra», *BILE,* 1915, 72.
[48] *BILE,* 1915, 38.
[49] L. de Zulueta, «Don Francisco. Lo que se lleva», *BILE,* 1915, 45.

avaro de su inmensa cultura. De aquí esa sugestión que ha ejercido siempre en los que tuvimos la dicha de ser sus alumnos.» [50]

En su ensayo *La educación* [51] escribe: «Tengo mi cátedra, procuro en ella no sólo enseñar la materia que me está encomendada, sino disciplinar y avivar la mente de mis alumnos, obrar sobre cada uno de ellos, hacer obra pedagógica.»

Giner predicaba el «odio a la mentira, uno de nuestros cánceres sociales» [52], y Unamuno creía que la suprema virtud de un hombre era la sinceridad, y el vicio más feo, la mentira [53].

Giner, con la vista fija en Sócrates como maestro ideal, considera que «para tratar con niños, hay que hacerse niño; para enseñar a adultos ignorantes, hay que hacerse ignorantes» [54]. Es decir, que el acto de la enseñanza es una simbiosis maestro-alumno de la que ambos salen enriquecidos, puesto que «no hay educación en que no refluya sobre el educador el educando» [55]. El maestro que lo sea requiere ser a la vez maestro y discípulo, y Giner era, a juicio de Unamuno, el eterno discípulo.

Unamuno se expresa en términos parecidos: «Para enseñar a niños hay que volverse uno de ellos.» [56] «Enseñando se aprende... ¡ah!, ¡naturalmente!, y aprendiendo se enseña. Yo he enseñado aquí a generaciones de muchachos de esta nuestra España. Pero ellos me han enseñado a enseñarles, me han enseñado a aprender.» [57]

Ambos son enemigos de la emulación; creen que el hombre debe ser un émulo para sí mismo, alguien que lucha por superarse día a día, paso a paso, hasta llegar a «la mayor plenitud posible de vida» o intentando, según Unamuno, llegar a la meta inaccesible que Cristo propone en el evangelio: «Sed perfectos como mi Padre celestial es perfecto.» [58]

---

[50] Balcázar, *Memorias de un estudiante de Salamanca,* Madrid, 1935.

[51] Prólogo a la obra de Bunge, del mismo título; III, 519.

[52] Giner, «El espíritu de la educación en la Institución Libre de Enseñanza», *La Lectura,* Madrid, 1922; VII, pág. 42.

[53] «Verdad y vida», *La Nación,* Buenos Aires, 22 de marzo de 1908; IV, 387.

[54] Giner, «Un peligro de toda enseñanza», 1884, en *Ensayos sobre educación, La Lectura,* Madrid, s. a., pág. 160.

[55] *Ibídem.*

[56] Unamuno, *Discurso en Orense,* junio de 1903; VII, 535.

[57] *Discurso en la Universidad de Salamanca,* 14 de abril de 1932; VII, 1050.

[58] Escribe Unamuno: «Cierto es que se nos dijo que seamos perfectos como es perfecto nuestro Padre que está en los Cielos; pero ésta es una de tantas paradojas como contienen los Evangelios (...). El nos puso un ideal de perfección inasequible, único modo de que nos movamos con ahínco y eficacia a lo que puede alcanzarse» («A un literato joven», *Los Lunes de El Imparcial,* Madrid, 18 de marzo de 1907; IV, 493).

De todos los modelos educativos vigentes en Europa, Giner sentía especial simpatía por el inglés, más que por el alemán, más cotizado incluso que el inglés en el mercado cultural, por sus espectaculares victorias militares y su prestigio filosófico y científico. Giner estaba íntimamente ligado con familias mitad españolas mitad inglesas. En 1882 «el inglés Capper, discípulo y maestro en la Institución, introduce en ella los vigorosos juegos corporales de su país» [59]. En 1884, Giner y Cossío, en una visita a Londres, ratifican su acuerdo con los principales pedagogos ingleses que subrayan la importancia de la formación moral del carácter y de los juegos como base de la educación. Unamuno también prefiere «el ideal pedagógico inglés del *gentleman,* del caballero culto y fino, antes que el ideal pedagógico alemán del *Forchmann,* del doctor especialista, que tan fácilmente degenera, y sobre todo entre nosotros, en pedante insoportable y envanecido» [60].

Cuatro tipos de Universidad distingue Giner: la inglesa, cuyos arquetipos son Oxford y Cambridge; la alemana, la norteamericana y la mediterránea. Esta última es una universidad *instructiva,* en la que se transmite «una determinada cantidad de doctrina hecha, cerrada y conclusa, que el discípulo no tiene más que entender y asimilarse» [61]. A este tipo pertenece la Universidad española, según Giner. En ella «la libertad e independencia del profesor *(universitario)* es casi omnímoda» [62], a pesar de los decretos y disposiciones que no llegan nunca a imponerse o pierden poco a poco su vigencia. No es un centro de investigación de la verdad, ni se educa ni se forma en él a la juventud, sino que se la prepara para los exámenes. En la Universidad española se transmite la «ciencia hecha», lo investigado y adquirido por otros [63], a base de estudiar y asimilar «el "texto" favorito, sea el que fuere, para dar gusto al Tribunal de examen, renunciando a toda convicción personal y adulando servilmente hasta los errores más groseros; inmoralidad que, además, tanto se repite en las oposiciones a cátedras» [64].

Tanto el niño en la escuela como el joven en la Universidad «no van a clase a discutir, a preguntar, a meterse en camisa de once varas,

---

[59] «Evolución pedagógica de la Institución Libre de Enseñanza», *BILE,* 1915.

[60] «Sobre la enseñanza del clasicismo», *Vida Intelectual,* Madrid, junio de 1907; X, 156.

[61] Giner, «La crisis presente en el concepto de la Universidad», *Pedagogía Universitaria; Obras Completas,* X, Espasa-Calpe, pág. 37, Madrid, 1924.

[62] Giner, «Enseñanza superior», *Pedagogía Universitaria;* X, pág. 63. Espasa-Calpe, Madrid, 1924.

[63] *Ibídem,* págs. 65-66.

[64] *Ibídem,* 67.

a poner en apuros al maestro...; o, dicho de otro modo, no van a despertar gérmenes de su personalidad física, intelectual, moral, afectiva, a *educarse,* en suma, en cuerpo y alma, sino a *instruirse,* "a aprender lo que oyen", y si en la escuela el elemento educativo tiene corta importancia, el carácter *instructivo* se acentúa en el Instituto y la Academia preparatoria, en la Universidad, en las "carreras especiales", militares o civiles, ¡hasta en el seminario!, "aprendiendo" siempre, adulto o niño, en todas esas partes, una casi infinidad de cosas en una eternidad de tiempo, y saliéndose al cabo con la suya, esto es, con su borla, su diploma, sus galones u otras marcas de fábrica al uso. Entonces —¡venturoso instante!— concluyen las clases, los maestros, los libros» [65].

También Unamuno habla de las Facultades universitarias «meros depósitos docentes de ciencia ya hecha» [66], en vez de ser talleres de ideas; en vez de ser «fecundos laboratorios» sus cátedras, son «mostradores en que se expende una hora de lección al día» [67]. «Su Majestad el Catedrático» [68] «es el funcionario más libre e irresponsable que haya. Explica lo que quiere y como quiere, o no explica» [69]; algunos de ellos van a la «cátedra a recitar, durante una hora, lo que puede fácilmente hallarse en libros de fácil acceso» [70].

«Lo más corriente hoy es —escribe Unamuno— reducir las Facultades a fábricas de abogados, médicos, farmacéuticos o catedráticos» [71], o, si se quiere, a «oficinas del Estado para da administración de la enseñanza pública superior» [72].

Numerosas veces se queja Giner en sus escritos de la superabundancia de exámenes en la vida académica española. Toda la actividad universitaria gira alrededor del examen final. En el Congreso Pedagógico de Madrid de 1891, así como en las Asambleas Universita-

---

65 Giner, «Enseñanza y educación», *Obras Completas,* VII, pág. 82, *La Lectura,* Madrid, 1922.

66 «La enseñanza universitaria», ponencia presentada a la II Asamblea Universitaria, Barcelona, 2-7 de enero de 1905; VII, 616.

67 Unamuno, *De la enseñanza superior en España,* 1899; III, 113.

68 Unamuno, «Conferencia en la Real Academia de Jurisprudencia de Madrid», 3 de enero de 1917; VII, 925. Idem, «La Universidad hace veinte años», *Ahora,* 17 de agosto de 1933; X, 986.

69 Unamuno, *De la Enseñanza Superior en España,* 1899; III, 85.

70 Unamuno, «La enseñanza universitaria», ponencia presentada a la II Asamblea Universitaria; VII, 617.

71 *Ibídem,* 615.

72 *Ibídem,* 613. «Miserables fábricas de licenciados y colegios electorales no merecen semejante nombre» (de Universidad). En «Lo que ha de ser un rector en España», conferencia en el Ateneo de Madrid el 25 de noviembre de 1914; VII, 872.

rias de Valencia (1902) y Barcelona (1905) se habló largo y tendido en pro de los exámenes. Giner se mostró siempre enemigo de ellos, y en tal sentido escribió *O educación o exámenes* y *Más contra los exámenes* [73]. Fueron suprimidos para los alumnos de la Institución en 1881 [74].

Unamuno, en su artículo *La universidad hace veinte años,* escrito en 1933, alude al mal de los exámenes, aunque no profundiza en el tema como lo hace Giner: «El nudo de aquella vida universitaria eran los exámenes; en torno a los exámenes giraba la mala vida universitaria. Se denigraba a ciertas Universidades como coladeras, pero las ciudades universitarias se conmovían si algunos catedráticos ponían en peligro los intereses de las casas de huéspedes.» [75]. El problema de los exámenes no existía prácticamente para él, debido al corto número de alumnos. El trato continuo con cada uno de ellos le suministraba la información necesaria y los hacía innecesarios.

No obstante, a pesar de la comunión de Unamuno con las ideas apuntadas de Giner y algunas otras —como, por ejemplo, el valor asignado al estudio de la Gramática—, no era Unamuno de los que aceptan pasivamente el pensamiento de nadie sin más, sin mostrarse disconforme en una serie de puntos. Hombre que no estaba de acuerdo consigo mismo difícilmente podrá estarlo con los demás, aunque fuese con Giner, a quien en ocasiones considera su maestro. Giner era partidario de la autonomía universitaria como la forma más adecuada para el desarrollo de sus actividades educadoras. Unamuno, por el contrario, prefería el control estatal en todos sus niveles, aunque creía que el Estado podía permitir la enseñanza privada religiosa si sus profesores disponían de los mismos grados académicos exigidos por el Estado en sus instituciones docentes.

Es sabido que Giner defendía la enseñanza laica en las escuelas; Unamuno era partidario de la enseñanza de la religión en las escuelas «por espíritu liberal» —afirma—, puesto que la enseñanza laica, en la práctica, no suele ser neutral, sino sectaria, en materia religiosa, y porque la religión católica «ha influido y sigue influyendo en el modo de ser, de vivir, de pensar y de sentir del pueblo español, tanto o más —creo que mucho más— que su lengua, su legislación, su historia, etc., etc. Y si hemos de conocernos y de conocer al pueblo en que vivimos, ¿hemos de desdeñar el estudio de tal elemento?» [76].

---

[73] El primero en *Obras Completas,* X, pág. 82, y el segundo en XII, página 123, Espasa-Calpe, 1924 y 1933, respectivamente.

[74] Cfr. Gómez Molleda, ob. cit., págs. 254-256.

[75] *Ahora,* Madrid, 17 de agosto de 1933; X, 988.

[76] Unamuno, «La educación». Prólogo a la obra de Bunge del mismo título, 1902; III, 511-512.

En cuanto a la *Extensión Universitaria,* no es que Unamuno pretendiese sustituirla por campañas de prensa del profesorado, como parece dar a entender Gómez Molleda en su obra *Los reformadores de la España contemporánea*[77], basándose en un par de testimonios de Unamuno[78]. En el mismo trabajo citado por Gómez de Molleda dice Unamuno: «Utilísimos son, sin duda, los cursos y conferencias de Extensión Universitaria (...); son utilísimos, pero hay otra actividad que estimo como *casi necesario complemento* de la función profesional del catedrático. Me refiero al publicismo.»[79] Extensión Universitaria y campaña de prensa del profesorado universitario. Las actividades necesarias que se complementan, pero no se estorban. Allí donde no llega la *extensión* llega la prensa, aunque sus efectos no sean tangibles e inmediatos. Unamuno no podía mostrarse enemigo de la Extensión, puesto que también colaboró en ella, a su estilo, si se quiere, y considera que la misión de la Universidad es llevar «al pueblo, sediendo de verdad y de justicia, la voz del saber desinteresado y noble»[80]; ella es quien debe formar la opinión pública y quien ha de educar a la sociedad. Con motivo del homenaje que Salamanca tributó a Unamuno en su jubilación, dice: «No olvidaré nunca aquellas campañas agrarias que en compañía de algunos que están aquí hicimos por esos campos, algunas veces al pie de encinas, tan sosegadas, tranquilas y quietas.»[81]

Si se sopesan las convergencias y divergencias intelectuales de Unamuno y Giner —ciñéndonos únicamente al campo de la educación— creo que son más numerosas las primeras que las segundas. Es más, parece, sin lugar a dudas, que Giner, a través de sus escritos y de su aliento a las publicaciones y modo de actuar de la Institución Libre de Enseñanza, inspiró a Unamuno las líneas maestras de su pensamiento en el terreno de la educación. Su genio individualista e independiente, su agresividad y sus salidas de tono —contrarias a las «buenas maneras» de Giner— podrían parecer distintas, e incluso opuestas, a las ideas comulgadas en el círculo gineriano, pero las diferencias son más epidérmicas que sustanciales.

¿Se puede considerar, entonces, a Unamuno como un continuador de la obra de Giner? Sí, sobre todo en su misión socrática de profesor,

---

[77] Páginas 414-415.

[78] «Lo cierto es que la prensa es hoy el verdadero campo de extensión universitaria; la prensa es hoy la verdadera universidad popular», Unamuno, VII, página 619.

[79] Unamuno, *La enseñanza universitaria,* ponencia presentada a la II Asamblea Universitaria, Barcelona; VII, 619.

[80] *Lo que ha de ser un rector en España,* VII, 875.

[81] VII, 1093.

en su manera de estar y de ser en la clase, en su manera de ver la labor magistral, no ceñida a su asignatura, sino dirigida a formar hombres nuevos, en todas sus facetas, arrancando del Griego o del estudio de la Lengua Castellana, para dar una visión del mundo en torno, avivando el espíritu, haciendo pensar a cada uno de sus discípulos.

Cartas inéditas de Giner de los Ríos a Unamuno.

Mad. 22 Nov. 99.

Amigo mío: Mil gracias por el ejemplar que ha tenido V. la bondad de enviarme, de su artículo sobre Enseñanza superior. Lo leí de un tirón y su espíritu me parece inmejorable. Hay muchas cosas tan profundas y exactas en ellos: lo del dogmatismo, lo de europeizarnos y españolizarnos — y el modo tan hondo en que lo entiende — lo de la enseñanza como laboratorio, en fin, sería no acabar. Cualquier pormenor en que yo vacile y tenga alguna reserva, no sólo no importa, sino que es aquello de la "variedad en la unidad" — etc. etc. Enviaré á V. unos artículos sobre cosas de Educación, ya viejos, no para que nos congratulemos mutuamente del común espíritu, sino para consolidarlo entre todos los que quisiéramos ver un poco más [illegible] horizonte. — Suyo afmo. F. Giner

Por fin, algún día hablaremos de todo y mantendremos y reafirmaremos nuestra inmortal comunión espiritual.

OBELISCO, 8
MADRID

1 25-III-8

Señor D. M. de Unamuno.

Amigo mío:

Suyo Giner

Gracias cordiales por su libro, donde tantas cosas penetrantes ha puesto V. — También he leído su respuesta á Cambó, con un interés y con una simpatía tanto más honda, cuanto que ya sabe V. que soy algo — más que algo! — catalanista. — Pero dice V. cosas tan acertadas, y con tanto brío, que no hay motivo para oponerse á ellas, sin necesidad de abandonar las líneas generales, por esto.

En cuanto al Estado, no es tan claro, á mi entender, el problema. — En y para más cosas, sí; en otras no. — Ejemplos — entre muchos — la excelente incorporación del pago de los maestros; pero también el decreto de San Pedro mandando inspeccionar las doctrinas de los maestros y — tiene gracia! — la de

OBELISCO, 8
MADRID

2

los profesores en los establecimientos privados. — No será este el camino de la emancipación.

Tal vez, por esto, hay que distinguir en este problema, como en el de la autonomía universitaria — un peligro hoy para Oviedo, y muy al revés para Zaragoza ó Salamanca. — El problema es de un gran relativismo oportunista, precisamente para hallar en cada caso el mejor modo de salvar las cosas é intereses que V. y yo en absoluto deseamos libertar de toda opresión:

El camino de la Junta de pensiones no parecía malo — y sacaba del Estado y su frecuente nepotismo esos intereses; San Pedro archi-estatista y burocrático las recobra para su imbécil autoridad — Claro, que no vamos á pedir protección contra el Estado al Alcalde

Mil gracias, D.º am.º y comp.º, por todo su envío, impresos y ms., que ya han comenzado á "circular" —circulación interna— y le devolveré cuando vayamos unos y otros acabando de leerlos—

Reciba V., con los suyos, la clásica felicitación sincera de estos días, de su

affmo. a. F. Giner

26 D.e 99—

Amigo mío: Acaba de traerme Coromines el ejemplar de sus Ensayos, que ya tenía y había leído con tal interés y gusto que estuve para enviarle las gracias por haberlos escrito. Ahí van, aunque tardías, con las que le debo por su bondad—

Salgo para Galicia (Betanzos), deseándole el más feliz verano, con todos los suyos su buen amigo y compl.

F. Giner

M.d 16 Jul. 900.

UNAMUNO Y LOS ESTILOS PEDAGOGICOS VIGENTES EN ESPAÑA

I. CONOCIMIENTO EPIDERMICO DE LOS CLASICOS DE LA PEDAGOGIA

Después de consultar el fichero de la biblioteca de Unamuno —hoy perteneciente a la Casa-Museo— he podido comprobar que son muy pocas las obras existentes en ella de clásicos de la Pedagogía. Algunas de Rousseau; el *Teatro crítico universal,* de Feijoo; una edición de 1913 de *Manuscritos inéditos, raros o dispersos,* de Jovellanos, publicados por Julio Somoza García Sala; la *Psicología de la actividad industrial,* de Münsterberg, dedicada por su autor; algún trabajo sobre Vives; la *Critique des Systemes de Morale Contemporains,* de Fouillé, editado en París (1883); la obra, que tanto influyó en su tiempo, *En qué consiste la superioridad de los anglosajones,* de Demolins, editada en Madrid en 1899 y con dedicatoria del traductor; cuatro obras de Spencer; varias de Giner y de Cossío, todas ellas con dedicación autógrafa de sus autores, y muy poco más.

Si se recuerdan las estrecheces económicas de una familia numerosa como la de Unamuno y sus inclinaciones personales hacia los temas filosóficos y religiosos, no puede extrañar la escasez de obras pedagógicas. Por otra parte, el ambiente estaba más que saturado de pedagogía, como ya he señalado en otro lugar. La preocupación por los temas educativos trascendía de las publicaciones al Congreso, de las reuniones y congresos profesionales a las conversaciones del hombre de la calle, profano en la materia. Es tanta la fe que se predica en todos los púlpitos y tribunas, que Unamuno, dejándose llevar de su mesianismo y oponiéndose a la corriente reinante, abomina de la Pedagogía, al menos de la Pedagogía en vigor, de la Pedagogía en que se cree ciegamente y se comulga a diario, como remedio infalible de todos los males.

Solía repetir que en España se leía mucho más de lo que estimaban las estadísticas, debido a que, aunque pocos comprasen libros, éstos circulaban de mano en mano prestados por los amigos. Toda persona culta leía las publicaciones sobre temas educativos aparecidas dentro y fuera de España, si no interesados realmente en el problema, al menos para poder emitir su juicio en las encendidas polémicas que a diario surgían. A través del ambiente, y sobre todo del *Boletín de la Institución Libre de Enseñanza,* la publicación más al día de las realizaciones pedagógicas fuera de España, Unamuno conoció quiénes eran Fröbel, Herder, Fichte, Rickter, Wundt, Montaigne y muy pocos pedagogos más, citados de pasada en sus cartas y en sus obras.

Bastante tardías son las alusiones a J. Dewey, al que conoció más como filósofo que como educador. En 1916 comenta la obra de este gran pedagogo *German Philosophy and Politics* [1]. En su biblioteca salmantina se encuentra, con notas marginales, la obra *The Philosophy of J. Dewey.* «Selected and edited by Joseph Ratner. New York, 1928.» Lo más probable es que desconociese la dimensión pedagógica de Dewey, el hombre que más ha influido en la orientación de la educación moderna.

Conoció la obra literaria de Tolstoi, pero no sus experiencias educativas de la escuela de Yasnaia Poliana ni sus obras pedagógicas apenas conocidas incluso hoy [2].

En 1890, Juan Pablo Richter era el escritor alemán preferido por Unamuno. Después de él, y por este orden, Lenau y Goethe. No sentía demasiada atracción por Schiller [3]. La obra que Unamuno leyó «del pobre Juan Pablo, el cabalístico, el dislocado» [4], como él le llama, fue *Quintus Fixlein,* obra que desearía traducir al castellano y de la que dice «que, a pesar de sus extravagancias y barroquismo y lo estrafalario de su estilo» [5], le agrada sobremanera. No parece que leyese la mejor obra de Richter, *Levana,* «obra maestra de poesía educativa», a juicio de A. Agazzi [6].

---

[1] Unamuno, «El deber y los deberes», *Nuevo Mundo,* Madrid, 9 de junio de 1916; XI, 374-380.

[2] «Conozco bastante a Tolstoi. Tengo *La Guerre et la Paix,* que me gusta mucho y que me ha ilustrado bastante (...). No he leído *Ana Karenina.* De lo que conozco de Tolstoi, lo que más me gusta es *La sonata de Kreutzer* (...). La he leído dos veces (...). La pintura de la educación de nuestros jóvenes, admirable». Carta de Unamuno a Mugica, Salamanca, 17 de mayo de 1892; *Cartas inéditas,* 173. En el volumen VIII de *Obras Completas* hay un artículo titulado «El egoísmo de Tolstoi», *El Día Gráfico,* Barcelona, 20 de junio de 1915.

[3] Carta de Unamuno a Mugica, Bilbao, 16 de mayo de 1890; *Cartas inéditas,* 105.

[4] Carta de Unamuno a Mugica, Bilbao, 4 de junio de 1890, *Cartas inéditas,* 108.

[5] Idem Salamanca, ¿enero de 1894?; *Cartas inéditas,* 217.

[6] A. Agazzi, *Historia de la Filosofía y la Pedagogía,* v. III, pág. 72, Editorial Marfil, Alcoy, 1966.

En su mesa de trabajo.

Algunos reflejos de Richter pueden encontrarse en la obra de Unamuno, sobre todo en el modo de enfocar poéticamente la infancia. «Juan Pablo tiene el sentido de la infancia como una aurora pura, como una mañana poética del mundo.» [7] «Todo nuevo mundo infantil repite la historia del mundo.» [8] Por su parte, Unamuno, en un poema fechado en 1908, expresa ideas semejantes:

Mira ese niño;
¡cuántos siglos sobre él... generaciones!
Su cabecita rubia
sostiene el peso
de vidas por millones.
¡Qué antiguo es ese niño!
....
Toda la humanidad de que brotara
en esa cabecita se condensa;
estás ante el misterio.
Mira ese niño:
¡él es el evangelio! [9]

De los clásicos de la Pedagogía fue Rousseau el más conocido y más estimado por Unamuno. ¿Los motivos? Las contradicciones, las paradojas, los absurdos, el carácter apasionado, el espíritu romántico, el amor a la libertad religiosa y política, la valentía al oponerse a todo convencionalismo y dogma establecido, el sentido religioso intimista y personalista, el individualismo extremo, el amor a la naturaleza, a la verdad y otros mil puntos de contacto hacen que ambos coincidan y que siempre que haya ocasión Unamuno muestre su simpatía hacia el ginebrino.

En 1907 recuerda Unamuno sus años de «la edad del pavo» y sus huidas de la ciudad a la montaña con algunos amigos, especialmente en los días de fiesta mayor. «Había un apóstol del rousseaunianismo que predicaba el odio a las ciudades y se subía, calzado de abarcas, por Iturrigorri arriba. Otro pobre amigo mío, muerto después en América, se subía a Archanda a recitar allí la descripción que de los Alpes hizo el mismo Rousseau.» [10]

---

[7] A. Agazzi, ob. cit., III, pág. 72.
[8] *Ibídem,* pág. 73.
[9] Unamuno, «Mira ese niño», XIV, 774.
[10] Unamuno, «Rousseau en Iturrigorri», *La Baskonia,* Buenos Aires, 10 de octubre de 1907; X, 168.

Como se ve, los contactos de Unamuno con Rousseau fueron muy tempranos. Aunque no leyese entonces el *Emilo* ni *El contrato social,* al menos el nombre comenzó a serle familiar muy pronto. Entonces, o después, se enamoró del autor de las *Confesiones.* Con el tiempo no fue ídolo caído para él. En otro artículo [11] defiende a Rousseau contra las ideas expuestas por Julio Lemaître en conferencias que dieron lugar a no pocas polémicas. En él escribe Unamuno: «He querido siempre a Rousseau; le he querido tanto como me ha sido odioso Voltaire. He querido siempre al padre del romanticismo, y le he querido por sus virtudes evidentes y hasta por sus más evidentes flaquezas; he querido siempre a esa pobre alma atormentada, que a pesar de profesar, por defensa propia, el optimismo, es el padre del pesimismo.»

Apenas dos meses más tarde envía un nuevo artículo al mismo periódico —*La Nación,* de Buenos Aires—, titulado «Rousseau, Voltaire y Nietzsche». En él alude más que habla de Rousseau. En ninguno de estos artículos habla Unamuno del pensamiento pedagógico ni de la huella que Rousseau dejó en la historia de la Pedagogía moderna.

II. CRITICA DE LA EMULACION EN EL METODO JESUITICO

Un estilo educativo, si no nuevo, con fuerte influencia en la sociedad española, era el jesuítico, mantenido vivo en los colegios de la Compañía.

Unamuno sintió siempre una profunda aversión a todo lo que proviniese de los jesuitas. Nunca aparece en sus obras una alabanza, un reconocimiento, un mérito innegable a los hombres de la Compañía de Jesús. Con ocasión y sin ella abomina de la literatura jesuítica [12], de la preparación científica de sus componentes [13], de la devoción al Corazón de Jesús y del reinado social de Jesucristo [14], del Catecismo del P. Astete, al que alude numerosas veces en tono despectivo, y, no podía exceptuar, a la educación jesuítica. Es muy frecuente —casi siempre— su apasionamiento al hablar de los jesuitas. Entonces pierde los estribos y se vuelve ofensivo, insultante incluso.

---

[11] «El Rousseau de Lemaître», *La Nación,* Buenos Aires, 16 de junio de 1907; IV, 839.

[12] «Cuervo y la Gramática», *La Nación,* Buenos Aires, 23 de octubre de 1919; VI, 876.

[13] «Prólogo al libre de W. E. Retana *Vida y escritos del Dr. José Rizal*», Madrid, 1907; XVI, 784.

[14] *La agonía del Cristianismo,* XVI, 511.

En el campo de la educación hay un punto en el que Unamuno insiste siempre y con el que discrepa con todas sus energías: la emulación, tal como los jesuitas solían aplicarla en sus colegios: «De hecho no creo que haya en Pedagogía procedimiento más desastroso y contraproducente a su propósito que el de la burla, como no sea el de excitar la emulación y los celos de los educandos a que también son muy propensos los jesuitas con todo aquello de dividir la clase en cartagineses y romanos y nombrar emperadores de uno y otro bando. Y así es como se les hace por la burla recelosos y suspicaces, y por esa mal entendida emulación, envidiosos.» [15]

La emulación ha sido el gozne sobre el que ha girado la educación y la instrucción en los colegios de jesuitas. En 1599 se publicó la *Ratio Studiorum* de la Compañía de Jesús, promulgada por el P. Acquaviva. La regla 34 dice lo siguiente: «La Concertatio o lucha con la clase inmediata debe tenerse varias veces durante el año, cuando lo crea conveniente el prefecto de estudios inferiores, durante una hora, y de aquellas materias únicamente que a las dos clases les sean comunes, dirigida la concertación por los profesores de ambas clases.» [16] Seguidamente establece normas sobre los dos bandos de romanos y cartagineses, de las dignidades de emperador, cónsules y magistrados «contrarios a los del bando opuesto, así como cada alumno tendría también su competidor en el otro campo. Los magistrados de entrambos bandos deben ocupar en la clase sitio preferente en los asientos» [17].

No es la emulación el procedimiento más pedagógico a juicio de Unamuno. En el discurso de la apertura del Curso de 1900 a 1901, en la Universidad de Salamanca, dice a los estudiantes: «No habéis de proponeros sobrepujar a los demás, sino sobrepujaros a vosotros mismos, ser hoy más que erais ayer. No os suceda que sudéis y agotéis vuestras juveniles energías en certamen de competencia, como quien corre en pista o redondel, mientras podríais marchar a paso por el camino de la vida.» [18]

Sin embargo, a pesar de la ojeriza hacia los jesuitas, consideró injusta la disolución de la Compañía de Jesús y la prohibición de enseñar que durante los años de la Segunda República Española se decretó a

---

[15] Unamuno, «Educación jesuítica», *Repertorio Americano,* S. José de Costa Rica, 30 de junio de 1921.

[16] Cit. por E. Herrera Oria, *Historia de la educación española desde el Renacimiento,* pág. 380, Madrid, 1941.

[17] *Ibídem,* pág. 381.

[18] VII, 499. Las mismas ideas en el *Discurso en los Juegos Florales de Almería,* 27 de agosto de 1903; VII, 569.

las órdenes religiosas «si sus miembros no poseen los títulos que el Estado exige y se someten a la inspección y vigilancia de éste» [19].

Emilio Salcedo, en su *Vida de don Miguel* [20], refiere la sesión del 6 de enero de 1932, en que se discutía en las Cortes «el problema de los bienes de la Compañía de Jesús. El diputado salmantino Lamanié de Clairac decide intervenir y no se le permite. Unamuno firma con Ossorio y Gallardo, Miguel Maura y Abadal un escrito protestando del veto impuesto al defensor de los jesuitas». Esta protesta dice mucho a favor de Unamuno, el cual, consecuente con su viejo espíritu liberal, no podía aprobar una medida tan sectaria.

Las causas de esta fobia, al margen del ambiente hostil propio de la época hacia la Compañía, pueden ser múltiples: el famoso tercer grado de San Ignacio, que exige una obediencia mental pasiva; la simpatía unamuniana por el jansenismo, pulverizado *oficialmente* por los jesuitas —digo *oficialmente* porque su espíritu persistió en el ambiente francés y se vengó con creces de sus enemigos—; su fidelidad a Roma, etcétera, y, sobre todo, su amor propio, herido cuando era secretario de la Congregación de Bilbao y en una de las elecciones a presidente no salió elegido.

III. LAS ESCUELAS MODERNAS DE FERRER «FOCOS DE FANATISMO, SUPERSTICION E IGNORANCIA»

Como todo buen periodista que vive del trabajo de su pluma, Unamuno vive permeable al ambiente que le suministra la motivación necesaria para hacer su comentario, para exponer su punto de vista, a propósito de la noticia que corre de boca en boca y de oído en oído.

En los últimos meses de 1909 la atención mundial, sobre todo europea y americana, gira alrededor de un nombre: Francisco Ferrer Guardia, juzgado, condenado y fusilado en los fosos del castillo de Montjuich, acusado de ser el principal instigador de la Semana Trágica de Barcelona, imputación que pocos historiadores modernos se atreven a ratificar.

Ya en 1906 Ferrer fue procesado con motivo del atentado sufrido por los reyes, recién casados, en la calle Mayor de Madrid. El responsable, Mateo Morral, era bibliotecario de la Escuela Moderna. Ferrer,

[19] Unamuno, «La universidad hace veinte años», *Ahora*, 17 de agosto de 1933; X, 988.

[20] Ob. cit., pág. 355.

tras trece meses de cárcel, fue absuelto del delito de complicidad. Su nombre saltó entonces de los círculos masónicos y anarquistas en que se movía a la opinión pública española. Pero su figura comenzó a agigantarse —y a deformarse— a partir de su trágico final. En toda Europa se organizaron manifestaciones multitudinarias protestando por la ejecución del fundador de la Escuela Moderna: Francia, Bélgica, Alemania, Austria, Suiza, Holanda, Rusia, Líbano y en América. En Estados Unidos, Argentina, Uruguay, Chile, Perú, Brasil y Méjico. El Gobierno español recibió una verdadera lluvia de cartas de protesta. En España arreciaron las discusiones y las presiones para derribar al Gobierno. Finalmente, Alfonso XIII cedió y sacrificó a Maura, que dimitió el 21 de octubre de 1909. No amainó el temporal con facilidad, y entre marzo y abril de 1911 se volvió a discutir en el Congreso el proceso de Ferrer [21].

Dentro y fuera de España se desbordó el apasionamiento, tanto entre los defensores como entre los detractores de Ferrer. Salamanca no fue una excepción y se escindió también en dos bandos. Unamuno fue quien con más fuerza se opuso a «aceptar que el país se encontrase ante un genio arrastrado hasta el martirio por quienes detentaban el poder. Unamuno había dejado claro, incluso, que él no se pronunciaba ni por la inocencia ni por la culpabilidad» [22] de Ferrer. Simarro y todos los que no comulgaban con Unamuno defendían al educador anarquista. Según Salcedo, la actitud unamuniana en el caso Ferrer sirvió de pretexto fundamental para atacar al escritor vasco en libelos posteriores, como en el escrito de su antiguo discípulo Modesto Pérez y Pío Baroja, con el seudónimo de Julián Sorel [23].

Tres testimonios de Unamuno sobre Ferrer he localizado: una carta a su antiguo discípulo González Trilla, un artículo titulado «El sentimiento de la fortaleza», aparecido en *La Nación,* de Buenos Aires [24], y un segundo, aparecido en *El Día,* de Madrid [25], titulado «Confesión de culpa». Los dos primeros fueron escritos en noviembre y diciembre de 1909, al calor de los recientes acontecimientos. En la carta dice Unamuno [26]: «Ha sido España, la legítima España, la española, quien

---

[21] Cfr. *El proceso Ferrer en el Congreso.* Recopilación de los discursos pronunciados por varios diputados durante el debate. Del *Diario de Sesiones,* Imp. Lauria, 35, Barcelona, 1911. La primera sesión tuvo lugar el 27 de marzo de 1911, y la última, el 8 de abril del mismo año.

[22] E. Salcedo, *Vida de don Miguel,* ob. cit., 145.

[23] E. Salcedo, ob. cit., pág. 145.

[24] 10 de diciembre de 1909, I, págs. 588-597.

[25] 7 de diciembre de 1917, X, págs. 393-396.

[26] Hernán Benítez, «Nuevo palique unamuniano», *Revista de la Universidad de Buenos Aires,* VII, 1950, págs. 548-549.

ha fusilado a Ferrer. Y ha hecho muy bien en fusilarle. Ferrer era un imbécil y un malvado, y no un inquietador. Sus escuelas, un horror. Pedagógicamente, detestables. Su enseñanza, de una vacuidad y una mala fe notorias. Sus libros de lectura horrorizan por lo estúpido. Y se las cerró, no por ateas, sino por anarquistas.»

«Si en una escuela se enseñan doctrinas heterodoxas, que la Iglesia las condene; si se predica contra la libertad, que la libertad se las haya con ella; si es atea, que la cierre Dios; pero si conspira contra la existencia del Estado, el Estado debe cerrarla.»

«En las escuelas de Ferrer se enseñaba la licitud del saqueo. Está usted equivocado, amigo Trilla, respecto a Ferrer. No era un inquietador. Sus escuelas, escuelas de modorra, de modorra anarquista y atea. Enseñar física en demostración de que no hay Dios es tan estúpido como enseñar en demostración que lo hay.»

En el artículo «El sentimiento de la fortaleza» insiste Unamuno, si bien no con tanta acrimonia como en el fragmento de esta carta, en que las escuelas de Ferrer, «detestables, focos de fanatismo, superstición e ignorancia», no fueron cerradas por su anticatolicismo, sino por atentar contra la existencia del Estado.

Ocho años después Unamuno entona un público *mea culpa* respecto al caso Ferrer, justificando, en parte, sus juicios de cuando los hechos estaban aún calientes. Dos fueron las causas que le impidieron entonces informarse «serena y desapasionadamente del proceso Ferrer»: el dogmatismo ateo y materialista de las escuelas modernas —la negación de toda idea religiosa le sacaba de sus casillas, haciéndole «perder los estribos»— y «la campaña de calumnias, de insultos, de embustes que contra nuestra patria se hizo en el extranjero con motivo del fusilamiento de Ferrer» [27], cosa que a Unamuno, «como a tantos otros españoles», hirió en su fibra patriótica. Esta actitud negativa le llevó incluso —confiesa sinceramente— a leer «como cualquier mal abogado» los libros en los que se criticaba a Ferrer, rehuyendo los que le defendían, como el escrito por su amigo Simarro, *El proceso Ferrer y la opinión europea* [28]. Ahora bien, este artículo, escrito con mejores elementos de juicio que el primero, no supone una rectificación de lo que en 1909 dijo respecto a la ideología pedagógica de Ferrer; la confesión de culpa consistente en no haberse querido enterar «de si aquel tribunal no puso supuestas razones del supuesto patriotismo por encima de la justicia». Al final dice: «Sí, hace años pequé y pequé gravemente contra la santidad de la justicia. El inquisidor que llevamos todos

[27] Unamuno, «Confesión de culpa», *El Día,* Madrid, 7 de diciembre de 1917; X, págs. 393-396.

[28] Madrid, 1910, Imprenta de E. Arias.

los españoles dentro me hizo ponerme al lado de un tribunal inquisitorial, de un tribunal que juzgó por motivos secretos —y siempre injustos— y buscó luego sofismas con que cohonestarlo.»

«No; ni la supuesta salud de la patria autoriza el fallar por razones que han de mantenerse secretas. Lo secreto es siempre la infamia y la inhumanidad.» Unas líneas atrás es más explícito aún: «Y yo pongo la justicia y el respeto al hombre por encima del interés de la patria.»

Esta generosa rectificación se halla de lleno en el espíritu liberal de Unamuno, apasionado de la verdad y de la justicia y enamorado del respeto al hombre, aunque sea en este caso, por sus ideas, el polo opuesto a lo sentido y pensado por él. Después de ocho años sigue aferrado a su credo pedagógico y aborreciendo, por tanto, el de la Escuela Moderna. El juicio sigue siendo duro, despiadado: «Me era profundamente antipática la obra de la Escuela Moderna de Francisco Ferrer Guardia y sigue siéndomelo. Me repugnaba, con la mayor repugnancia que en mí cabe, la obra de incultura y de barbarización de aquel frío energúmeno, de aquel fanático ignorante. Nunca he podido tolerar que a nombre de una razón abstracta, ahistórica, matemática si se quiere, pero puesta fuera de la historia y de su tradición, se pretenda arrancar tiránicamente del alma de los hombres y ciudadanos de mañana las más nobles y fecundas inquietudes, y con ellas el germen de las creencias que le consuelan al hombre de haber tenido que nacer y de tener que vivir. Los que conozcan mi obra *Del sentimiento trágico de la vida* saben bien cómo pienso y siento a este respecto, y que si no soy un convencido racionalmente de la existencia de Dios, de una conciencia del Universo y menos de la inmortalidad del alma humana, no puedo soportar que se quiera hacer dogma docente del ateísmo y del materialismo.» [29]

En realidad, ¿era Ferrer un «malvado», un «imbécil», un «frío energúmeno», un «fanático ignorante»? Sus escuelas ¿lo eran «de modorra, de modorra anarquista y atea», «focos de fanatismo, superstición e ignorancia», «pedagógicamente detestables», como las califica Unamuno? ¿Eran sus libros de lectura horribles, «por lo estúpido»? Los juicios de Unamuno sobre este episodio que dividió tan apasionadamente, una vez más, a las dos Españas, ¿responden a la verdad o al apasionamiento del momento? ¿Quiénes llevaban razón, los panegiristas o los detractores? ¿Puede decirse que ninguno de ambos bandos detentaba la verdad?, ¿o que unos y otros litigantes la poseían, aunque parcialmente?

Responder a este conjunto de interrogantes es lo que me ha empujado a investigar la Escuela Moderna de Ferrer, prescindiendo también,

---

[29] Unamuno, «Confesión de culpa», X, págs. 393-394.

como hace Unamuno, de la culpabilidad o inocencia de su fundador en los tristes sucesos de la Semana Trágica. Me acerco al tema limpio del apasionamiento y de los prejuicios propios de aquellos años con el único deseo de ver para juzgar. Por motivos que no son del caso, las bibliotecas oficiales y privadas no abundan en documentos; parece que han perdido la memoria de lo que fueron las escuelas de Ferrer.

Francisco Ferrer nació en Alella (Maresme) en 1854, en el seno de una familia numerosa y profundamente católica. A los catorce años fue expulsado por su padre de la casa paterna por una denuncia hecha por él y por su hermano José al secretario del Arzobispado contra el sacerdote de Alella, administrador y consejero de la familia Ferrer [30]. Francisco fue a Barcelona, donde comenzó a trabajar con un panadero «republicano, anticlerical y libre pensador entusiasta» [31], que le empezó a transmitir sus ideas y a llevarle a los círculos políticos por él frecuentados. En ellos conoció al anarquista Anselmo Lorenzo, futuro colaborador en los libros de la Escuela Moderna, y a Pi y Margall.

En 1886 Ferrer reside en París, donde desempeña varios oficios, como el de importador de vinos y gerente de un restaurante [32]. Algunos biógrafos suyos afirman que volvió a Barcelona para estudiar Magisterio, cosa que no he podido comprobar repasando uno por uno los expedientes de los últimos años del siglo XIX y primeros del XX. Los años que entonces tenía Ferrer, las actividades a que se dedicaba y los prejuicios contra la enseñanza estatal le impidieron pasar por las aulas de la Escuela Normal de Barcelona, a pesar de lo que digan sus biógrafos.

Se afilió en París a la masonería, ingresando en el Gran Oriente de Francia. «Mi situación como profesor de idioma español en la Asociación Filotécnica y en el G.·. O.·. de Francia —dice Ferrer— me puso en contacto con personas de todas clases.» [33] Entonces conoció a Malato, Kropotkin, Malatesta, Reclus, Laisan, etc. Sobre todo, conoció a la señora Meunié y a su hija, que sería quien pusiese a su disposición el dinero suficiente, un millón de francos, para su obra: la Escuela Moderna.

---

[30] Esta es la explicación que Sol Ferrer, hija de Francisco Ferrer, da en su libro *La vie et l'oeuvre de Francisco Ferrer. Un martyr au XXè. siècle,* Lib. Fischbacher, París, 1962, pág. 49.

[31] *Ibídem,* pág. 49.

[32] *Ibídem.*

[33] Ferrer, *La Escuela Moderna. Póstuma explicación y alcance de la enseñanza racionalista,* Edit. Maucci, Barcelona, S. A. (¿1912?), pág. 24. Ferrer era masón desde 1883, afiliado a la Logia «La Verdad», de Barcelona. Cfr. J. Tusquets, *Orígenes de la revolución española,* Ed. Vilamala, Barcelona, 1932, pág. 30.

El origen de la amistad lo cuenta así Sol Ferrer: «Hacia 1894 surgió en la vida de Ferrer un suceso que iba a tener una importancia capital. Una dama de edad. Mme. Meunié, y su hija, ambas apasionadas de los viajes y deseosas de visitar España, buscaban un profesor de español. Fueron a casa de Ferrer a recibir lecciones y pronto sus relaciones se hicieron amistosas.» Muerta Mme. Meunié, Ferrer siguió dando clases de español a su hija Ernestina [34], la cual le invitó a viajar por diversos países. Ferrer aprovechó la circunstancia propicia para atacar las convicciones religiosas de la señorita Meunié y, sobre todo, para convencerla de la necesidad de «una educación racional y una enseñanza científica» que salvaría «a la infancia del error» y proporcionaría «a los hombres la bondad necesaria» para reorganizar «la sociedad en conformidad con la justicia» [35]. Mlle. Meunié muere en 1901 y deja a Ferrer una herencia de un millón de francos. Ferrer compra entonces «Mas Germinal», en Masnou, y funda en Barcelona la Escuela Moderna.

Durante los quince años de estancia en Francia, de 1886 a 1901, Ferrer comenzó a preocuparse de la educación a través de sus lecturas, conversaciones con pedagogos e incluso con los responsables de la instrucción francesa. Los círculos masónicos en los que se movía favorecieron estos contactos. Cerca de París había una institución que causó especial impacto en Ferrer: el Orfelinato Prévost de Cempuis, dirigido por el anarquista Paul Robin. J-G. Prévost fue un rico comerciante que dejó su fortuna, cuya mayor parte estaba en Cempuis, en una finca de recreo rodeada de 15 hectáreas de terreno, para la fundación de una institución esencialmente laica, destinada a la educación de los huérfanos de ambos sexos del departamento del Sena [36]. Paul Robin, antiguo alumno de la Escuela Normal Superior, se hizo cargo de la institución en diciembre de 1880 hasta agosto de 1894, en que fue destituido como director.

Ferrer visitó la institución de Cempuis y se entusiasmó con la obra de Robin. Desde entonces abrigó el proyecto de fundar en España un centro semejante, e incluso pensó continuar por su cuenta la truncada obra de Robin, cuando las autoridades francesas depusieron a su fundador y cambiaron sustancialmente el rumbo del orfelinato. «Mi plan —escribe Ferrer [37]— es que la escuela sea de primera enseñan-

---

[34] Sol Ferrer, ob. cit., pág. 65.

[35] Francisco Ferrer, ob. cit., pág. 30.

[36] Gabriel Giroud, *Cempuis*. Education Intégrale. Coeducation des sexes. Paris, Schleicher Frères, Editeurs, 1900. Introducción, XIII-XIV.

[37] Carta de Ferrer a José Prat, París, 18 de noviembre de 1900. En Canals, *Los sucesos de España en 1909*, vol. II, págs. 51-52.

za (...), mixta, es decir, de niños y niñas juntos, como en Cempuis, y tal como entiendo que habrá de ser la escuela del porvenir.»

Sin embargo, una cosa era ver y admirar una institución educativa, modélica desde su punto de vista, y otra poner en marcha un nuevo centro. Ferrer reconoce claramente su incompetencia y su falta de preparación pedagógica. Llegado el caso —confiesa— de haber de salir de las vaguedades de una aspiración no bien definida aún, hube de pensar en precisarla, hacerla viable, y al efecto, reconociendo mi incompetencia respecto a la técnica pedagógica, pero no confiando demasiado en las tendencias progresivas de los pedagogos titulares, considerándolos ligados en gran parte por atavismos profesionales o de otra especie, me dediqué a buscar la persona competente que por sus conocimientos, su práctica y su elevación de miras, coincidiera con mis aspiraciones y formulara el programa de la Escuela Moderna que yo había concebido.» [38]

La «persona competente» a la que alude Ferrer fue la francesa Clémence Jacquinet, maestra anarquista, discípula de Ferrer en el Gran Oriente de París e institutriz en Egipto de los hijos del pachá Hassan Tewfik. En las cartas de esta maestra a Ferrer [39] se manifiesta como una mujer culta, liberal, de claro juicio y con profundos conocimientos de la Historia de la Educación; al mismo tiempo, aquejada de manía persecutoria por cualquier clase de religión. Esta mujer fue la directora de la Escuela Moderna en los primeros años [40]. Según Canals, se separó de Ferrer en 1903 y combatió su obra en un folleto titulado *El socialismo en la escuela* [41].

«Hallada la persona indicada —prosigue Ferrer— mientras ésta trazaba las primeras líneas del plan para su realización, se practicaron en Barcelona las diligencias necesarias para la creación del establecimiento: designación del local, su preparación, compra del material, su colocación, personal, anuncios, prospectos, propaganda, etc., y en menos de un año (...) todo quedó dispuesto.» [42]

Ferrer recoge en su libro *La Escuela Moderna* el primer programa propagandístico de la Escuela. En él se habla de la misión de este centro docente, consistente en convertir a los niños y niñas que se le

---

[38] F. Ferrer, ob. cit., pág. 35.

[39] Reproducidas por S. Canals en su obra citada.

[40] Como tal aparece en las primeras publicaciones de la Escuela Moderna, por ejemplo, en el *Compendio de Historia Universal,* escrito por ella misma. En la primera parte de esta obra (2.ª edición, Imprenta Elzeviriana, Barcelona, 1914) hay un prólogo firmado por Ferrer, como fundador de la Escuela Moderna, y por C. Jacquinet, directora.

[41] S. Canals, ob. cit., pág. 73.

[42] Ferrer, ob. cit., págs. 38-39.

confíen en «personas instruidas, verídicas, justas y libres de todo prejuicio», mediante la sustitución del «estudio dogmático por el razonado de las ciencias naturales». Se habla de la educación individual integral al servicio de la sociedad; se enseñarán «los verdaderos deberes sociales, de conformidad con la justa máxima: *No hay deberes sin derechos; no hay derechos sin deberes*» [43]. Regirá en ella la coeducación y estará abierta las mañanas de los domingos para los alumnos y familiares que deseen acudir, «consagrando la clase al estudio de los sufrimientos humanos durante el curso general de la historia y al recuerdo de los hombres eminentes en las ciencias, en las artes o en las luchas por el progreso».

El material didáctico consistía en láminas de ciencias naturales, colecciones de mineralogía, botánica y zoología; había un gabinete de física y laboratorio especial, una máquina de proyecciones, etc. [44]

La inauguración tuvo lugar el 8 de septiembre de 1901, con un total de 30 alumnos, 12 niñas y 18 niños [45].

Además de la coeducación —practicada desde hacía muchos años por la Institución Libre de Enseñanza—, Ferrer quería en su Escuela otro tipo de coeducación más original: la coeducación de las clases sociales. «A esta idea me atuve, logrando tener alumnos de todas las clases sociales para refundirlos en la clase única, adoptando un sistema de retribución acomodado a las circunstancias de los padres o encargados de los alumnos, no teniendo un tipo único de matrícula, sino practicando una especie de nivelación que iba desde la gratuidad, a las mensualidades mínimas, las medianas a las máximas.» [46]

Tanto Ferrer como sus panegiristas se esfuerzan en poner en relieve la originalidad de la Escuela Moderna, distinta a todas las existentes hasta entonces, y el punto de partida de una enseñanza nueva: la racionalista. Temo que la originalidad se reduzca únicamente al nombre, no al contenido.

Entre la abundante literatura y pseudoliteratura que provocó la ejecución de Ferrer he localizado un folleto de 16 páginas firmado por «un discípulo de Ferrer» [47]. Después de colocar a Ferrer a la altura de

---

[43] *Ibídem,* pág. 42.

[44] *Ibídem,* pág. 42.

[45] *Ibídem,* 49.

[46] *Ibídem,* 62. Sin embargo, Federico Urales, amigo y colaborador de Ferrer, en su artículo «El director de la Escuela Moderna», aparecido en el *Diario Universal* el 6 de junio de 1906, durante el primer proceso de Ferrer, dice: «Conviene advertir que a la Escuela Moderna de Barcelona no pueden asistir los hijos de los obreros, porque tiene establecida una mensualidad mínima de tres duros», en «Mi vida», Ed. de la *Revista Blanca,* Barcelona, S. A., III, 18.

[47] El título de este folleto es *Francisco Ferrer el mártir.* Biblioteca Internacional, Ed. B. A. I., Barcelona, s. a.

Savonarola, Sócrates, Séneca, Giordano Bruno y Ramón Llull; después de llamarle redentor, santo, guía y nuevo apóstol, el autor anónimo le canoniza laicamente sin muchos escrúpulos y dedica una perorata a los obreros, muy propia del padre predicador contratado para ensalzar las virtudes del patrón de un pueblo: «El día que os conturbéis y la duda se apodere de vosotros, llamadle que él acudirá, y en vosotros hallaréis de nuevo la fe y el entusiasmo para continuar la lucha. Que su martirio encienda vuestros corazones en un ardiente amor que abrase a la humanidad entera y sobre los cimientos puestos por Ferrer, levantemos el templo de la ACRACIA que acoge a todo ser libre.» ¡Lástima también de las lecciones de Ferrer mal aprendidas y peor asimiladas! Demuestra que Ferrer, como pedagogo, no era muy eficaz.

Se puede perdonar el apasionamiento de este anónimo discípulo; se puede comprender el tono y el espíritu religioso de veneración que rezuman estas líneas transcritas. Lo que difícilmente se puede comprender es que en 1962, Sol, hija de Ferrer, presente en la Sorbona de París su tesis doctoral redactada en estos mismos términos laudatorios, con un sinfín de inexactitudes históricas. Baste decir que para ella su padre, Ferrer, al que apenas conoció, está intelectualmente muy por encima de Giner de los Ríos y de los hombres del 98.

Las escuelas laicas no eran nuevas en Cataluña ni en el resto de España. La Institución Libre de Enseñanza alentó la fundación de otros centros semejantes por toda la geografía hispánica, aunque ninguno llegase a brillar tanto como la Institución madrileña. La revolución del 68 permitió la libertad de enseñanza y se crearon centros privados al margen de los religiosos y de los estatales. Los ateneos, casinos, sociedades de recreo, círculos de librepensadores, logias masónicas, etc., organizaron la enseñanza laica con sus propios medios. Véase la convocatoria para el *Congreso de Amigos de la Enseñanza Laica,* celebrado en Barcelona los días 23 y 24 de septiembre de 1888 [48] Aparecen adheridos colegios de Barcelona y de su provincia, como la Escuela Laica de Mataró, Escuela Laica de niñas de Villanueva y Geltrú, Escuela Laica de Granollers, y hasta de Denia. Puede suponerse que existiesen muchas más.

Sin embargo, la Escuela Moderna no era una escuela laica más, era una escuela «racionalista». Escribe su creador: «Se aplica a la enseñanza en determinadas circunstancias la calificación de *libre* o

[48] Recuérdese que en este mismo año 1888 se celebró también en Barcelona un Congreso Pedagógico, organizado por la Asociación de Maestros Públicos con ocasión de la Exposición Universal que se celebraba en Barcelona. En él se insistió en la necesidad de la enseñanza de la religión en la escuela. (Cfr. I. Turin, *La educación y la escuela en España...,* ob. cit., págs. 261-262.)

laica de una manera abusiva y apasionada, con el fin de extraviar la opinión pública: así llaman los religiosos *escuelas libres* las que pueden fundar contrariando la tendencia verdaderamente libre de la moderna enseñanza, y se denominan *escuelas laicas* muchas que no son más que políticas o esencialmente patrióticas y antihumanitarias.

A TODOS LOS INDIVIDUOS Y CORPORACIONES

PARTIDARIOS DE LA ENSEÑANZA LAICA

SALUD:

Ciudadanos: Es axioma incontrovertible que el hombre se perfecciona por la sociedad, y que, una vez formadas las primeras entidades corporativas, tanto más avanza en su perfeccionamiento cuanto más asocia las mismas asociaciones, practicando con tal agrupación el fecundo y civilizador principio federativo. Mas no es tampoco menos verdad demostrada que el principio federativo deja de dar sus óptimos frutos civilizadores, cuando no los da contrarios, si en cada colectividad no queda perfectamente garantizada la libertad y la iniciativa individual y en la confederación la iniciativa y la libertad de todas y cada una de las colectividades.

La institución de escuelas laicas ha padecido de estos dos males hasta el presente: o ha gastado estérilmente sus fuerzas en iniciativas tan entusiastas como aisladas, o se ha supeditado a organizaciones absorbentes de la iniciativa y de la libertad, lo mismo del individuo que de las colectividades. No entra en nuestro ánimo señalar la más pequeña sombra de censura para nadie; por lo mismo que somos ardientes partidarios de nuestra libertad, sabemos cuánto respeto nos ha de merecer la ajena. Es más aún: sabemos que esas aisladas iniciativas y esas absorbentes organizaciones, a pesar de sus defectos, han echado sus semillas en fecundo suelo, y como en el eterno laboratorio de la madre naturaleza nada se pierde, sólo falta que una mano experta cultive esos aún vírgenes campos para recoger sus naturales frutos.

Mas no seremos nosotros quienes volvamos a caer en los mismos defectos que la experiencia nos ha enseñado y que la práctica nos ha hecho sentir. Tratamos de fundar una Confederación de Enseñanza Laica *basada en el más amplio criterio de autonomía de todos y cada uno de los componentes de este organismo, seguros del éxito civilizador, educando por y para la Libertad. A este fin convocamos un* Congreso de Amigos de la Enseñanza Laica, *que se celebrerá los días 23 y 24 de septiembre próximo en esta ciudad, para discutir y aprobar las bases en que ha de descansar la futura Confederación autonómica.*

Llamamos a esta tarea a todos los partidarios de la Enseñanza Laica, lo mismo entidades que individuos, sean cuales fueren sus ideas en política, religión o economía social. Profundamente convencidos los que suscriben de que la Confederación autónoma de Enseñanza Laica *ha de ser un campo neutral a todas las ideas liberales, consagrándose única y exclusivamente a la enseñanza científica que debe darse a la niñez para que después el hombre adopte los ideales que crea más conformes a la justicia según le dicte su recta conciencia, libre de preocupaciones de clase, secta o escuela, llamamos a todos los amantes de la libertad de conciencia a esta tarea, seguros de que todos cabemos en ella, para levantar los cimientos del edificio de la redención humana. Así, pues, lo mismo los individuos que las entidades sostenedoras de escuelas laicas, que los ateneos, casinos, sociedades obreras de recreo, de instrucción, de resistencia o cooperativas, que los grupos de librepensadores, logias masónicas y periódicos de cualquier comunión política, religiosa o económica, como acepten la conveniencia de la enseñanza laica para la niñez, es decir, huir lo mismo de la defensa que del ataque de ninguna religión positiva, todos caben perfectamente en la Confederación que vamos a organizar.*

No es nuestro propósito hacer aquí una defensa de la Enseñanza Laica, porque sólo nos proponemos dirigirnos a personas o corporaciones convencidas ya de la superioridad de tal sistema de enseñanza sobre todos los supeditados a los dogmas de tal o cual religión. Tampoco hemos de perder el tiempo en declamaciones o conjeturas sobre lo que ha de ser la futura Confederación y los resultados que de ella pueden esperarse, pues que esto ha de resultar de los elementos que la formen y de la suma de su actividad y conocimientos. Mas sí entendemos deber dar una explicación del pensamiento de esta Comisión organizadora, sin que se entienda que por ello pensamos influir en las deliberaciones del Congreso que convocamos, puesto que allí, por mayoría de votos, acordarán con absoluta independencia todas las corporaciones e individuos que se hayan adherido al pensamiento. Y el pensamiento de esta Comisión, condensando lo hasta aquí expuesto, se reduce al deseo de asentar la Confederación en las siguientes

BASES

1.ª Todas las escuelas laicas adheridas o que se adhieran en lo sucesivo, y aun las que se crean por la misma Confederación y el régimen que más convenga a sus intereses.

2.ª En las cuestiones de interés general y material de las escuelas, acordarán tan sólo los propietarios de las mismas por medio de sus delegados, aunque teniendo voz todos los representantes.

3.ª Sólo en las cuestiones de propaganda y de interés general para la enseñanza laica tendrán voto todos los componentes, o sus representantes, de la Confederación.

4.ª Nadie en la Confederación tendrá derecho a inmiscuirse en las ideas, régimen, organización, fin ni objeto de ninguna de las demás corporaciones que las formen, ya sean periódicos, casinos, ateneos, sociedades obreras, etc., etc.

5.ª La Confederación estará representada por una Comisión Central con atribuciones de propaganda y como centro de estadística, relaciones y auxiliar de los actos que no se puedan realizar aisladamente por una sola entidad corporativa.

6.ª Una pequeña cuota mensual, fija, alterada o voluntaria, bastará a cubrir los gastos de correspondencia y propaganda de esta Comisión, que deberá rendir oportunamente sus cuentas, en la forma que el Congreso determine.

7.ª El único objeto de la Confederación es el fomento de la enseñanza laica, para lo cual ayudará a quien quiera que sea que pueda fomentarla, y procurará la publicación de buenos libros, que respondan a tal objeto, procurando siempre la mayor economía posible. Para este objeto, se solicita desde ahora la cooperación de quien quiera que sea, que con idoneidad pueda dedicarse a estas tareas, para que prepare trabajos que puedan luego ser examinados para su adopción en los futuros libros de enseñanza laica.

* * *

Tal es, descrito a grandes rasgos, el pensamiento que ha presidido a la convocatoria del Congreso de Amigos de la Enseñanza Laica, *dejando, empero, intacta para el mismo la tarea de darle forma, reservándose tan sólo el cooperar con nuestra iniciativa, al igual que los demás representantes.*

Si estáis conformes con esta idea podéis mandar vuestra adhesión llenando los blancos de la que va a continuación y piniéndoos en relaciones con esta Comisión organizadora.

Asimismo os suplicamos que, de aceptar el pensamiento, mandéis alguna pequeña cantidad, por insignificante que sea, para ayudar a los primeros gastos, como han hecho ya los que suscriben. De todas estas cantidades y gastos se dará cuenta en el próximo Congreso.

Deseando conocer vuestro parecer y vuestra resolución en este asunto, nos despedimos deseándoos Salud y Progreso.

Barcelona, agosto de 1888

Por el periódico LA TRAMONTANA, *J. Llunas y P.*—Por la Unión de librepensadores LA LUZ, *J. Roca.*—Por el Círculo librepensador GARIBALDI, de Sans, *J. Gaig.*—Por la Resp.·. Log.·. EMANCIPACIÓN, *Pezzani.*—Por el grupo de librepensadores LUZ DEL SIGLO, de Sanmartín de Provensals, *J. Teres.*—Por el colegio laico VÍCTOR HUGO, *Andrés Sánchez.*—Por el colegio laico de niñas VÍCTOR HUGO, *María Mora.*—Por el COLEGIO LAICO INTEGRAL, de Gracia, *José de C. Xalabardé.*—Por la SOCIEDAD DE OBREROS TIPÓGRAFOS, *I. Cuadrado.*—Por el colegio laico COLÓN, *Juan Terré.*—Por el CENTRO COSMOPOLITA DE LIBREPENSADORES, *I. Martínez.*—Por el colegio laico GUTENBERG, *A. Tolrá.*—Por el colegio laico EL PORVENIR, *Lutgardo Lorenzo.*—Por el colegio laico de niñas COLÓN, *Celedonia Prats.*—Por el grupo EL NUEVO HORIZONTE, de Vilassar de Mar, *R. Cartañá.*—Por el ATENEO VILASANÉS DE LA CLASE OBRERA, *P. Moragas.*—Por el periódico VÍCTOR HUGO, *Agustín Araguas.*—Por la ESCUELA LAICA de Mataró, *Juan Cañellas.*—Por la ESCUELA LAICA de niñas de Villanueva y Geltrú, *Soledad Gustavo.*—Por la ESCUELA LAICA de Denia, *Ernesto Gómez.*—Por la ESCUELA LAICA de Granillers, *Pedro Moncanut.*

La correspondencia debe dirigirse al Secretario de esta Comisión organizadora,

José de C. Xalabardé, calle Fernandina, 20, principal

BARCELONA

(Se suplica la inserción en los periódicos liberales)

> *se adhiere al pensamiento de celebrar el* Congreso de Amigos de la Enseñanza laica *y promete mandar delegado a dicho Congreso para coadyuvar a la confección del Reglamento, Bases o Estatutos por los que deba regirse la futura* Confederación autónoma de Enseñanza laica.
>
> (Fecha, firma y sello de la corporación)

La enseñanza racional se eleva dignamente sobre tan mezquinos propósitos.» [49]

Esta enseñanza, pomposamente llamada «racional» por Ferrer, no es distinta a la enseñanza positivista propugnada por Spencer, sobre todo. No se parece «a la enseñanza religiosa, porque *la ciencia ha demostrado que la creación es una leyenda y que los dioses son mitos*, y, por consiguiente, se abusa de la ignorancia de los padres y de la credulidad de los niños, perpetuando la creencia en un ser sobrenatural, creador del mundo, y al que puede acudirse con ruegos y plegarias para alcanzar toda clase de favores (...). Tampoco puede parecerse a ninguna de las enseñanzas impartidas por el estado, aunque no sea confesional, puesto que cualquier sistema estatal de enseñanza partirá de hombres que «por tradición o por industria ejercen la profesión de gobernantes» [50].

La enseñanza racional demostrará «a los niños que mientras un hombre depende de otro hombre se cometerán abusos y habrá tiranía y esclavitud».

Este es el aspecto original de la enseñanza ferrerista: la entronización de la libertad absoluta y la supresión, por ende, de toda dependencia humana implícita en cualquier tipo de autoridad. Si hubiera que definir el credo pedagógico de Ferrer en dos palabras, éstas serían: positivismo anarquista. Estos dos vocablos, en su contenido, aparecen frecuentemente en los textos de Ferrer. En el programa del segundo curso escolar publicó su fundador: «*La ciencia es la exclusiva maestra de la vida;* inspirada en este lema, la Escuela Moderna se propone dar a los niños sometidos a su cuidado *vitalidad cerebral propia*.» [51] Líneas más abajo escribe: «La ciencia, penetrando en el cerebro de la mujer, alumbrará, dirigiéndole certeramente, el rico venero de sentimiento que es nota saliente y característica de la vida.» [52] En la página 165 habla de «la pedagogía positiva, la que se propone enseñar verdades

---

[49] Ferrer, ob. cit., pág. 119.
[50] Ferrer, ob. cit., pág. 119-20.
[51] Ferrer, ob. cit., pág. 146. Subrayados del autor.
[52] Ferrer, ob. cit., pág. 147.

para que resulte justicia práctica». Como buen positivista, y en contradicción con el pensamiento anarquista, cuyo único dogma es que no hay ninguno, dogmatiza y pontifica Ferrer en los siguientes términos: «La verdadera enseñanza, la que prescinde de la fe, la que ilumina con los resplandores de la evidencia, porque se halla contrastada y comprobada a cada instante por la experiencia, que posee la infalibilidad falsamente atribuida al mito creador, la que no puede engañarse ni engañarnos, es la iniciada en la Escuela Moderna.» [53]

Sol Ferrer, en su libro anteriormente citado [54] habla de unos manuscritos inéditos en los que su padre bosqueja unos principios de moral. Las ideas matrices son las siguientes: «Los fundamentos de la inmoralidad de la sociedad presente reposan en cinco instituciones que se complementan y se corroboran: *La propiedad privada, la religión, la fuerza militar, el poder judicial* y *la noción de patria.* Sociedad fundada en estas cinco instituciones es una sociedad inmoral, no injusta, sino inmoral. Tal es el veredicto de Ferrer sobre la sociedad de su tiempo, veredicto extensible a todas las sociedades existentes. La lucha de Ferrer, como la de todos los anarquistas, será mirando hacia una sociedad paradisíaca, en la que todos sus miembros sean *totalmente* libres, tal como se expone en uno de los principales libros de la Escuela Moderna, *Las aventuras de Nono.* Las religiones son inmorales —argumenta Ferrer— «porque con sus doctrinas perpetúan las injusticias sociales», porque predican resignación ante la injusticia y se alían con los opresores» [55]. El ejército es justificable si tiene por misión defender las libertades humanas. Fuera de estos límites es inmoral, «ya que las guerras son empresas para defender intereses particulares, y únicamente los privilegiados son los admitidos a conocer y decidir su necesidad» [56].

Es inmoral, asimismo, el poder judicial por haber sido «creado por los poderosos para proteger sus bienes».

Tal es la «moral científica» predicada por Ferrer y tal es el objetivo de la enseñanza racional: luchar contra estas instituciones «inmorales». Prescindo de más detalles acerca de esta moral, debido a que Sol Ferrer no publica sino parcialmente en su obra el manuscrito de Ferrer, siendo por esto mismo difícil distinguir entre lo escrito por el padre y los comentarios de su hija.

No obstante, no resisto la tentación de reproducir en su mayor parte una circular de Ferrer a los profesores de su escuela, por la luz que

---

[53] Ferrer, ob. cit., pág. 210.
[54] *La vie et l'oeuvre de Francisco Ferrer. Un martyr au XXè. siècle.*
[55] Sol Ferrer, ob cit., pág. 91.
[56] Sol Ferrer, *ibídem,* 92.

proyecta respecto al modo de atacar la sociedad de su tiempo. «A fin de mostrar evidentemente el inmovilismo reinante, ruego a los profesores que hagan una amplia colección de todos los hechos mencionados por la Prensa y que se encuentren en los libros de Historia y otros para leerlos a los niños cuando se presente la ocasión.

»Cada Maestro debe utilizar las noticias que, casi sin comentarios, se dan en los periódicos concernientes bien a un hombre muerto de hambre o a otro aplastado por la caída de un andamio, bien una explosión de grisú en la que centenares y millares de mineros perecen casi a diario por la avidez patronal, bien soldados empujados al suicidio para escapar a castigos inmerecidos, o incluso actos de tortura cometidos en las guerras coloniales o de cualquier otro orden. Pues son sin número los hechos que pueden servir de ejemplo para que los niños se convenzan suficientemente de la realidad de las injusticias sociales.

»Mis colegas no descuidarán, además, "ayudar a los niños a comprender lo que puede ser una Sociedad moral".» [57]

Aparte de esta colección de noticias en que los profesores recogen los aspectos más desagradables de la sociedad prescindiendo de los actos heroicos que también se dan en cualquier tipo de sociedad por «inmoral» que sea, la Escuela Moderna disponía también de otro libro con fragmentos y noticias de esta índole. De él hablaré más adelante.

¿Cuántos alumnos pasaron por la Escuela Moderna? La respuesta no se puede precisar, dada la dificultad de poder consultar todos los boletines de la Escuela. En el libro de Ferrer *La Escuela Moderna* aparecen los datos estadísticos de alumnos y alumnas desglosados por meses de curso, referentes a los tres primeros años de vida de la institución. El primer año terminaron el curso escolar 70; el segundo, 82, y el tercero, 114. A pesar del ritmo creciente, es de suponer que no llegarían a los dos centenares en 1906, año de su clausura definitiva [58].

La valoración objetiva de la Escuela Moderna, aparte de los programas dados a la publicidad, puede hacerse sin miedo a equivocarse a base de los libros de texto escritos y seleccionados expresamente para estos alumnos, y las redacciones de los propios alumnos publicadas en los boletines como paradigmáticas, propias de alumnos que mejor han asimilado las enseñanzas de sus maestros.

La prensa profesional barcelonesa de la época *El Progreso Escolar, La Escuela Ideal, La Defensa del Magisterio, El Clamor del Magisterio*...

---

[57] Sol Ferrer, ob. cit., págs. 89-90. Debido a la ilegibilidad en que el original aparece en esta obra, la he traducido del francés.

[58] Cfr. Ferrer, ob. cit., págs. 149-168.

aparece falta de contenido intelectual y vive exclusivamente preocupada de sus problemas de ascenso, permutas, sueldos y decretos y circulares ministeriales. Ignoran en sus publicaciones el problema de la enseñanza laica; si alguna vez aluden a la Escuela Moderna, lo hacen de pasada, sin ánimo polémico y hasta con complejo de inferioridad. La apariencia científica de las publicaciones de Ferrer silencia las discrepancias y amordaza las protestas.

La detención y juicio absolutorio de Ferrer no afectó para nada a sus ideas educativas expuestas en sus publicaciones, pero la Escuela Moderna permaneció clausurada para siempre. Volvieron a publicarse los boletines cuyo primer número apareció el 1 de mayo de 1908. Tras el clásico «decíamos ayer», escribe Ferrer: «La Escuela Moderna continúa su marcha, sin rectificar procedimientos, métodos, orientaciones ni propósitos; continúa su marcha ascendente hacia el ideal, porque tiene la evidencia de que su misión es redentora y contribuye a preparar, por medio de la educación racional y científica una humanidad más buena, más perfecta, más justa que la humanidad presente. Esta se debate entre odios y miserias, aquélla será el resultado de la labor realizada durante siglos para la conquista de la paz universal.

No tenemos que rectificar una tilde de nuestra obra hasta el presente; es nuestra convicción íntima, cada vez más intensa de que sin una absoluta reforma de los medios educadores no será posible orientar la humanidad hacia el porvenir. A ello vamos (...) fija la mirada en un mañana de justicia y de amor.» [59]

Fe ciega en un mañana mejor, fe en la eficacia de la obra emprendida para regenerar la humanidad y librarla de los odios y miserias que la afligen; fe en los métodos adoptados sin el menor atisbo de duda; tales son los móviles de Ferrer entregado a su empresa.

Como todos los innovadores de la educación, Ferrer no deja de atacar a la escuela de su tiempo, haciéndola responsable de las injusticias, miserias y calamidades sociales. Es la misma actitud de los hombres de la Revolución Francesa, de Rousseau, de Pestalozzi, de Fichte y de todos los voceros de la escuela activa. Primero protestan contra la enseñanza de su tiempo, cargan las tintas negras y señalan todos los aspectos negativos para mejor valorar su propia mercancía, presentándola perfecta, sin mancha ni posible error. Piensa Ferrer que la enseñanza vigente entonces equivale «a domar, adiestrar, domesticar». Los sistemas empleados «se han inspirado sencillamente en los principios de disciplina y de autoridad que guían a los organizadores sociales de todos los tiempos, quienes no tienen más que una idea muy clara y una

[59] Ferrer, «A todos», en *Boletín de la Escuela Moderna,* 2.ª época, núm. 1, 1 de mayo de 1908.

voluntad, a saber: que los niños se habitúen a obedecer, a creer y a pensar según los dogmas sociales que nos rigen. Esto sentado, la instrucción no puede ser más que lo que es hoy. No se trata de secundar el desarrollo espontáneo de las facultades del niño, de dejarle buscar libremente la satisfacción de sus necesidades físicas, intelectuales y morales; se trata de imponerles pensamientos hechos; de impedirle para siempre pensar de otra manera que la necesaria para la conservación de las intituciones de esta sociedad; de hacer de él, en suma, un individuo estrictamente adaptado al mecanismo social». Los Gobiernos —continúa Ferrer— «han logrado servirse de la instrucción en su provecho» y lo seguirán haciendo. «Basta que conserven el espíritu de la escuela, la disciplina autoritaria que en ella reina, para que todas las innovaciones les beneficien (...) El educador impone, obliga, violenta siempre; el verdadero educador es el que, contra sus propias ideas y sus voluntades, puede defender al niño, apelando en mayor grado a las energías propias del mismo niño.» [60]

Como es obvio, Ferrer desea una enseñanza sin disciplina ni autoridad, gobernada únicamente por la espontaneidad infantil, defensora a ultranza de la libertad del niño en contra, incluso, de sus maestros, al margen del Estado al que hay que combatir y destruir porque su existencia —piensa Ferrer— impide la libertad total del individuo; quiere una escuela sin dogmas, sin horarios ni programas, una escuela que forme «hombres capaces de destruir, de renovar constantemente los medios y de renovarse ellos mismos; hombres cuya independencia intelectual sea la fuerza suprema, que no se sujeten jamás a nada; dispuestos siempre a aceptar lo mejor, dichosos por el triunfo de las ideas nuevas y que aspiren a vivir vidas múltiples en una sola vida. La sociedad teme tales hombres; no puede, pues, esperarse que quiera jamás una educación capaz de producirlos» [61].

No se equivocaba Ferrer. Ninguna sociedad prepara hombres para que la destruyan y cuando crecen en su seno la sociedad se defiende de ellos con los medios a su alcance.

Ferrer se sitúa en la línea naturalista extrema de Rousseau, Ellen Key y Tolstoi, cuyos artículos y fragmentos de obras aparecen frecuentemente publicados en los *Boletines de la Escuela Moderna.* Tampoco faltan extensas referencias a los centros de interés de Decroly. En este aspecto, la Escuela Moderna se alinea en el movimiento de la Escuela Activa y se diferencia de él por su cargado contenido político.

El mejor conocedor de los movimientos educativos de la época, el verdadero técnico en educación, es Elslander, cerebro gris de las em-

---

60 Ferrer, *ibídem.*
61 Ferrer, *ibídem.*

presas pedagógicas de Ferrer. Elslander fue el secretario de *L'Ecole Renovée,* el secretario del «Comité de la Liga Internacional para la educación racional de la infancia», ambos fundados por Ferrer en Bruselas y París respectivamente después de la clausura de la Escuela Moderna. Estos organismos fueron los que agigantaron la fama de Ferrer más allá de los Pirineos. Sus publicaciones y actividades perfectamente cuidadas, fueron las que, sin duda alguna, contribuyeron mejor a confundir la opinión pública europea, formando de Ferrer un juicio parcial y, por tanto, equivocado.

He aquí las bases de «L'Ecole Renovée»:

«L'ECOLE RENOVEE»

Fundador: FRANCISCO FERRER

> La educación de los niños no debe dejarse a la influencia única de la escuela, sino que ha de ser una obra harmónica, producto de los inteligentes cuidados de todos los que les amen.

«L'École Rénovée», fundada para la elaboración de un plan de educación moderna, será una tribuna donde se expondrán y discutirán todas las ideas y todos los intentos referentes a la renovación de la escuela, con objeto de agrupar los esfuerzos y las iniciativas que se produzcan por todas partes pero que se esterilizan en el aislamiento, a fin de llegar a formular una concepción de conjunto y los medios de realizarla completamente.

El programa de «L'École Rénovée» comprenderá, pues, en sus grandes líneas:

1.—La discusión de las ideas generales sobre la educación física, intelectual y moral de los niños, como resultan de los datos de la ciencia moderna y de conformidad con las actuales necesidades sociales.

2.—Estudios sobre la infancia. Fisiología y psicología del niño. Florecimiento y desarrollo de las facultades.

3.—La educación física.

Organización material de la escuela inspirada en la idea de una educación física normal. La vida física del niño en la escuela.

4.—La organización intelectual de la escuela. Elaboración de un plan de educación intelectual.

a) *La concepción general del objeto de la educación intelectual.*
El sentido de los métodos.
Las relaciones que han de establecerse entre los conocimientos.
El orden de su adquisición.
Los medios y procedimientos de enseñanza.

b) *Distribución de los conocimientos.*
Conocimientos que dependen de la vida. Los medios escolares.
Conocimientos que dependen del trabajo. Los talleres escolares.
Conocimientos que dependen de la investigación y del estudio. Las extensiones de la escuela en los medios exteriores.

c) *Detalle de los métodos naturales que han de proponerse para las diversas materias de enseñanza.*

d) *Modos de adquisición de los conocimientos.*

e) *Modos de clasificación de los conocimientos.*

5.—Establecimiento de un programa conforme con las fases del desarrollo intelectual del niño, de manera que los conocimientos constituyan en él un conjunto cuyas partes estén armónicamente unidas entre sí, correspondiendo a estados intelectuales completos y sucesivos.

6.—El régimen moral de la escuela.

7.—La educación de los educadores.

8.—La extensión de la escuela. La influencia que la escuela debe tener sobre toda la vida humana. La escuela, centro social de la vida física, intelectual y moral de los grupos humanos. La educación continuada.

9.—La influencia de la escuela sobre los padres y la vida familiar. La educación de las madres y de los padres.

10.—Los medios materiales de educación. Arquitectura y disposición de la escuela. Las colecciones. Las reproducciones y trabajos artísticos.

11.—Los libros para niños.

12.—La historia de la educación, de los métodos, de las tentativas, etc.

Este proyecto de programa se completará con apartados especiales.

La revista se ocupará también de todas las tentativas que se practican en cada país para la renovación de la escuela y las obras que a la misma se refieren.

Una sección bibliográfica informará acerca de todas las publicaciones referentes al objeto de la revista.

Rogamos, pues, a las personas cuya atención se fije sobre alguno de los puntos de este programa, se sirva dirigirnos una exposición de sus ideas, o los resultados de sus trabajos.

La revista podrá publicar también estudios sociológicos o políticos referentes a los hechos sociales que puedan ejercer alguna influencia sobre la renovación de la escuela.

«L'École Rénovée» se dirige al público en general: se trata de suscitar la reflexión y la discusión sobre un asunto excesivamente abandonado a la pedagogía oficial; preciso es que se comprenda que la escuela como hoy está organizada no responde a las necesidades sociales e individuales de la educación de los niños.

Los promovedores de la revista esperan determinar un movimiento en que se interesen cuantos esperan de la renovación de la escuela moderna la renovación de la sociedad. Con tal objeto intentarán difundir en el público ciertas ideas que suelen quedar aisladas en revistas especiales.

«L'ÉCOLE RÉNOVÉE»

«L'École Renovée» queda establecida en Bruselas, rue de l'Orme, núm. 76, donde se dirigirán todas las comunicaciones, estudios, artículos, etc., a nombre del secretario de la redacción.

J.-F. Elslander,
Secretario de la redacción

F. Ferrer,
Fundador

¿No es un buen programa llamando a la cooperación desinteresada de todos los que deseaban una escuela mejor, una escuela que ayudase a transformar, mejorar y perfeccionar las estructuras sociales? Los puntos del programa uno por uno y en su conjunto, ¿no serían firmados por todos los educadores y psicólogos, prescindiendo de sus ideas particulares? Se trataba de preguntar a la ciencia su opinión acerca de la educación del niño y de reinvestigar de nuevo todo: contenidos, organización, métodos, material escolar... Sospecho que se trata de una postura equívoca de cara a las bambolinas, puesto que Ferrer ya tenía sus dogmas, sus directrices, de las que no estaba dispuesto a apartarse, como acabamos de ver.

En un trabajo publicado en los boletines se cita *El siglo del niño,* de Ellen Key, y se ratifica la frase de la autora sueca: «dejemos que los niños vivan por sí mismos», añadiendo seguidamente: «Ellen Key deseaba un diluvio que anegara a todos los pedagogos, y si el arca salvara únicamente a Montaigne, Rousseau y Spencer, progresaríamos algo.» [62]

Dos escuelas aparecen como arquetipos en los *Boletines:* Yasnaia Poliana, de Tolstoi, y Novella, en Francia. La última es defendida con más extensión por Elslander, en su libro *La Escuela Nueva,* publicado por la Escuela Moderna en 1908. Yasnaia Poliana fracasó una y otra vez, como todas las que intentaron organizarse sobre el trípode de la bondad natural, libertad absoluta y libre iniciativa del niño. El error está en presuponer innatos los objetivos a lograr por una educación sensata. Es al final, no al principio, cuando el hombre educado llega a conquistar la bondad, cuando es capaz de ser auténticamente libre, después de conocer sus propias limitaciones, sus propias posibilidades y las de los demás. La anarquía escolar de la escuela de Tolstoi no es la más indicada para preparar al niño para una sociedad mejor, sólo sirve para destruir la «vida organizada y legal de las sociedades legales», que es el objetivo principal de la Escuela Moderna: «El ideal al que nos dirigimos, dice Spencer —y hace suyo Elslander— [63], es una sociedad en que el gobierno será disminuido cuanto pueda serlo, y la libertad aumentada cuanto sea posible; en que la naturaleza humana será, por la disciplina social, modelada para la vida civil de modo que sea inútil toda represión exterior, dejando a cada uno dueño de sí mismo; en que el ciudadano no sufrirá ninguna traba en su libertad, excepto la que sea necesaria para asegurar a los demás una libertad igual», etc. Es decir, un paraíso sideral romántico utópico y ucrónico. La actitud spenceriana del hombre creciente y del estado menguante es propia de una época en que el liberalismo era la moneda de cambio. Sus frutos son conocidos de todos.

Los ataques al Estado son acres en las publicaciones de la Escuela Moderna. El Estado es una «especie de ladronera —aparece en una de las páginas del Boletín— [64], un resguardo, algo así como un parapeto situado en una encrucijada desde donde los ricos que mandan hacen poner a sus servidores para que pidan y arranquen en su nombre la bolsa o la vida a los caminantes».

---

62 F. Domela Nieuwenhuis, «La Pedagogía individual», en *Boletín de la Escuela Moderna,* 1 de mayo de 1908, págs. 21-22.

63 J. F. Elslander, *La Escuela Nueva.* Bosquejo de una educación basada sobre las leyes de la evolución humana. Versión española de A. Lorenzo, Barcelona, 1908, *Publicaciones de la Escuela Moderna,* pág. 16.

64 Anselmo Lorenzo, «Sin escuelas», *Boletín* del 1 de febrero de 1909.

«Y los caminantes que llegan a la vida son despojados de su derecho a la participación que les corresponde por solidaridad humana en el patrimonio universal, formado por los bienes naturales y por los creados por el saber y el poder de la humanidad en todos los tiempos, quedando los infelices despojados bajo el peso de todos los atavismos, inútiles para la evolución, incapacitados para todo progreso y únicamente en situación de desarrollar fuerza animal para la servidumbre y para el trabajo.»

No son infrecuentes en los Boletines estos tonos agrios más propios de un mitin callejero o de un libelo anónimo que de una publicación educativa que se tiene por seria y científica.

Junto con el Estado, los ataques van dirigidos con la misma saña hacia la Iglesia, el Ejército, la Patria, la propiedad privada, las leyes, la autoridad... Al lado de las reseñas de los métodos de Decroly, de los jardines de infancia de Fröbel, de las escuelas americanas, se disparan las baterías del fanatismo más sectario. La libertad del niño en la búsqueda de la verdad, su defensa incluso contra los juicios de sus maestros, la ausencia de pensamientos hechos, la educación libre de todo prejuicio, la enseñanza sin dogmas... no son sino simple declaración de principios que se olvidan en la práctica docente. Los *Boletines* son más franceses que españoles puesto que sus colaboradores son de nacionalidad gala, en su mayoría.

Por si quedara duda sobre lo que vengo exponiendo o bien hubiese caído en el apasionamiento o parcialismo, conviene detenerse, aunque sea con brevedad, en los libros de carácter eminentemente formativo escritos expresamente para la Escuela de Ferrer.

Con el fin de habituar a los niños a leer cualquier caligrafía, publicó y prologó Ferrer un *Cuadernillo Manuscrito* a base de una colección de pensamientos antimilitaristas. En 195 páginas aparecen 36 tipos distintos de caligrafía usual ordenados en dificultad creciente, hasta llegar a una muestra, la última, escrita en caracteres góticos. Cada muestra es un fragmento escogido ex profeso para transmitir a los niños el odio a la guerra. La mayoría de los fragmentos son de un realismo macabro y nauseabundo para un lector adulto; para niños su lectura debía ser traumática. Las descripciones de aldeas en llamas, de los hospitales de sangre, de las amputaciones de miembros, de los desfiles de muertos y heridos se pasean morbosamente por las páginas de este libro, sin detenerse ante la pincelada horripilante, ante el detalle de mal gusto. Algunos de ellos producen náuseas.

Otro libro de lectura es *Las aventuras de Nono,* de Juan Grave [65].

[65] Traducido del francés por Anselmo Lorenzo. Public. de la Escuela Moderna, Barcelona, 1905, 230 págs.

En una carta colectiva escrita por los alumnos de la Escuela Moderna a los de la clase elemental del Ateneo Obrero de Badalona, se expresan en los siguientes términos acerca de este libro[66]: «¡Qué hermoso es el país de la autonomía! Allí se está muy bien; se trabaja, se descansa y se juega cuanto se quiere; cuando uno hace lo que desea, como debiera hacerse entre los hombres; no hay dinero, ni centinelas, ni guardas rurales, ni soldados que tengan cara de garduña o de hiena, ni ricos que vivan en palacios y se paseen en coche junto a pobres que viven en malas habitaciones y mueren de hambre después de trabajar mucho; no hay ladrones, porque todo es de todos y no se practica la explotación del hombre por el hombre. En país tan delicioso quisiéramos vivir todos. Ese país lo sueña Nono, hoy no es posible pero vendrá un día que lo será; para que lo sea pronto debemos trabajar todos, porque Autonomía es un ejemplo de la sociedad futura. Hemos deducido que es de aquella manera como se tiene que vivir, no de la manera que vivimos actualmente, tan lejos de la verdadera y completa civilización.»

«Argirocracia es una repetición de lo que sucede en la sociedad actual; todos los países, unos más que otros, todos imitan a Argirocracia, país fatal donde existe la explotación, donde hay quien trabaja y quien se recrea, donde unos sirven a otros y se encierra en la cárcel a los que hablan de la felicidad con que se vive en Autonomía» (...)

No creo que sea necesario comentar esta carta que refleja hasta qué punto los maestros de la Escuela Moderna transmitieron sus sueños a sus alumnos, a no ser que se piense que la carta fue retocada y redactada por los maestros y no por sus alumnos.

Otro libro anunciado por la Escuela Moderna como segundo de lectura —por tanto, para niños de unos diez años— es *Preludios de lucha (Baladas),* de Francisco Pi y Arsuaga[67]. Redactado en forma de pequeños apólogos, insiste en todos ellos, en las diferencias sociales, en la miseria del pobre y en el rico explotador. En uno de ellos, se pasean el sacerdote, el capitalista y el general contemplando cómo sufren y trabajan para ellos el agricultor, el lagarero, el obrero de la fábrica textil, etc., que elaboran pan que no comerán ni él ni sus hijos, vino que se servirá en copa de plata en la mesa del rico, tejidos con los que no podrá vestirse, armas que se emplearán para matarle... Dice el pueblo: «No tengo patria: ni un palmo de tierra es mío, ni uno solo de los frutos que penden de los árboles me pertenecen. Defiendan la patria los que la gozan.»[68]

---

66 Ferrer, *La Escuela Moderna,* págs. 186-187.
67 Tobella y Costa, impresores, Barcelona, 1901, 143 págs.
68 Página 40.

He aquí otro apólogo, titulado «El Pueblo». Comienza así: «¿A dónde irá el buey que no are, a dónde el pobre que no padezca?» En otro, «La Ramera» —la obra, repito, está escrita para niños—, defiende a las prostitutas como útiles al Estado y pontifica diciendo que «sólo la miseria hace rameras» [69]

Del mismo tipo es *León Martín o la miseria, sus causas, sus remedios,* de Carlos Malato [70], manual de lectura como los anteriores. En todos ellos la misma monotonía de temas, los mismos ataques; en todos ellos la misma ausencia de literatura, la misma pobreza de imaginación.

Alargaría innecesariamente este apartado si continuase el estudio de todos los libros de la Escuela Moderna: Los libros del catedrático Odón de Buen, Eliseo Reclus, Martínez Vargas, Malato, Federico Urales... Para terminar, unas cuantas redacciones de niños formados en la Escuela Moderna [71]. A mi juicio son el mejor *test* para poder valorar objetivamente la educación impartida o dirigida por Ferrer [72].

Una niña de nueve años redacta así:

«Al criminal se le condena a muerte: si el homicidio merece esa pena el que condena y el que mata al criminal igualmente son homicidas; lógicamente deberían morir también, y así se acabaría la humanidad.

Mejor sería que en vez de castigar al criminal cometiendo otro crimen se le diesen buenos consejos para que no lo hiciese más. Sin contar que si todos fuéramos iguales, no habría ladrones, ni asesinos, ni ricos, ni pobres, sino todos iguales, amantes del trabajo y de la libertad.» [73]

En otra redacción de un niño de doce años, después de hablar de la sinceridad, agrega: «Hay casos en que no se debe ser sincero. Por ejemplo: Un hombre llega a nuestra casa huyendo de la policía. Si después se nos pregunta si hemos visto a aquel hombre, debemos negarlo; lo contrario sería una traición y una cobardía.» [74]

«Entre las faltas del género humano —escribe una niña de diez años— se encuentran la mentira, la hipocresía y el egoísmo. Si los hombres estuvieran más instruidos y principalmente las mujeres, enteramente iguales al hombre, esas faltas desaparecerían. Los padres no enseñarían a sus hijos en escuelas religiosas, que inculcan ideas falsas, sino que los llevarían a las escuelas racionales donde no se enseña lo

---

69 Página 67.

70 Public. de la Escuela Moderna, Barcelona, 1905, 166 págs.

71 Algunas redacciones fueron publicadas en los boletines y en el libro de Ferrer *La Escuela Moderna,* págs. 171-187.

72 Ferrer seleccionaba a los maestros, controlaba, dirigía la escuela, pero no daba clases habitualmente.

73 Ferrer, *La Escuela Moderna,* pág. 172.

74 *Ibídem,* pág. 173.

sobrenatural, lo que no existe; ni tampoco a guerrear, sino a solidarizarse todos y a practicar el trabajo en común.»[75]

«¿Quiénes son los que disfrutan del trabajo producido por los obreros? Los ricos. ¿Para qué sirven los ricos? Estos hombres son improductivos por lo que se les puede comparar con las abejas, sino que *éstas tienen más conocimiento porque matan a los parásitos* (niño de doce años).»[76]

A la luz de todos estos datos y otros muchos que omitimos por no alargar excesivamente el tema, creo que se puede juzgar objetivamente la Escuela de Ferrer Guardia. No creo que Unamuno dispusiese de tantos elementos de juicio. En todo caso sus apreciaciones responden a la realidad: Las escuelas de Ferrer eran «un horror. Pedagógicamente detestables. Su enseñanza de una vacuidad y una mala fe notorias. Sus libros de lectura horrorizan por lo estúpido. Y se las cerró, no por ateas, sino por anarquistas», etc. El Estado, al cerrarlas, no hizo sino defenderse a sí mismo.

Sus indudables aciertos —idéntica educación para el hombre y para la mujer, el interés por la higiene escolar, la preocupación para que la familia viviese la marcha de la escuela, la abolición de premios y castigos, al igual que la supresión de exámenes, el material escolar moderno, las conferencias dominicales a los alumnos y familiares, la enseñanza amena, etc.— no salvan a la Escuela Moderna; quedan invalidados por sus muchas equivocaciones: dogmatismo sectario, materialismo ateo disolvente, odio a todas las estructuras por las que se rige cualquier sociedad organizada, preocupación obsesiva por transmitir sus ideales políticos utópicos, por anarquizar a los alumnos prescindiendo del principio admitido de la libertad del niño para buscar por sí mismo la verdad, falta de respeto a quienes piensen de otro modo, implantación eficaz de la lucha de clases... La Escuela Moderna pudo ser un centro modélico de la Escuela Nueva, pero la obsesión política lo echó a perder. Ferrer odiaba cordialmente la sociedad en la que no llegó a encajar nunca. La vida fue dura para él desde los catorce años en que su padre le expulsó de casa. Los largos años de exilio en Francia, su constante vivir de conspiración en conspiración con los republicanos, masones y anarquistas, su moralidad «científica», que le permitía cambiar de mujer como quien cambia de traje, así como alejar de sí a sus hijos para no preocuparse de ellos, impidieron que Ferrer gozase del equilibrio necesario para todo educador que lo sea de verdad. Aunque se diga otra cosa, le preocupaba más su fe anarquista que la educa-

[75] *Ibidem*, pág. 176.
[76] *Ibidem*, pág. 181.

ción; si a ella dedicó los últimos años de su vida fue para servirse de ella, para hacer proselitismo entre los niños confiados a su institución.

IV. CONTRA LA MIXTIFICACION DEL JUEGO Y DE LA ENSEÑANZA: LAS ESCUELAS DEL AVE MARIA

El archivo de Unamuno conserva dos cartas de don Andrés Manjón, fundador de las Escuelas del Ave María, una de las primeras revolucionarias realizaciones escolares de finales de siglo [77]. La primera carta (17-IX-1900) es un acuse de recibo del discurso de Unamuno leído en la apertura de curso de la Universidad de Salamanca, 1900-1901, «tan extraño por la forma como especial por el fondo», escribe el pedagogo burgalés. «Casi todo lo que en él se dice me agrada, y digo *casi,* porque son muchas las exhortaciones de su alocución escolar, mucho el deseo de innovar y muy radical y absoluto el modo de decir y el modo de negar y contradecir a todo lo existente en el modo de enseñar.» La carta termina con una exhortación: que le ayude a conseguir de Dios lo que desea para él, para Unamuno, «que vea», rezando padrenuestros y avemarías como hacen los niños y los viejos. Con esta carta enviaba el P. Manjón unos impresos explicatorios de los objetivos de las escuelas del Ave María [78]

La otra carta, escrita cinco años más tarde, es una típica carta de agradecimiento por el nombramiento de maestro interino de uno de los antiguos colaboradores del P. Manjón. También al final una exhortación: «Dios le guarde estómago y cabeza, sin ser Panza ni Quijote.»

Entre ambas cartas tuvo lugar la visita de Unamuno a las Escuelas del Ave María de Granada, el 6 de septiembre de 1903. Después de recorrerlas de punta a cabo durante cuatro horas, el fundador pide a Unamuno que señale los defectos que haya podido observar, y éste escribe:

«Así como el niño no es un hombre reducido, sino un germen de hombre, así las disciplinas que se le transmitan no pueden ser las mismas de los adultos reducidas, no extractos, resúmenes o índice de ciencias, sino gérmenes de ellas. De aquí que en la enseñanza de la

[77] Los primeros «cármenes» del P. Manjón comenzaron a organizarse en 1889. Anteriores son la Escuela Yasnaia Poliana, de Tolstoi (1849), y la de Tagore, Santiniketan (morada de paz). Las tres son la avanzadilla del fecundo movimiento llamado de la «Escuela Activa», que revolucionaría todo el sistema de enseñanza.

[78] Ambas cartas se conservan en la Casa Museo de Unamuno de Salamanca.

historia, v. gr., en vez de un cuadro sinóptico de toda ella, de un resumen de todos los sucesos principales, sea acaso preferible enseñarles unas cuantas biografías de hombres bienhechores de la patria: santos, sabios, héroes. El niño entiende mejor la biografía que la historia de sucesos colectivos y de aquí la ventaja de la historia sagrada. En geografía, poniendo otro ejemplo, sin descuidar el esquema de las tierras vastas y amplias, acaso fuera más vivo hacerles levantar el plano del local en que se hallan. Y así todo. Mas éstas son consideraciones técnicas que estampo aquí obligado por la indicación de don Andrés de que señale defectos. Defectos que antes de conocer los ajenos harto trabajo tengo que buscar los propios. Mas ya que no defectos apunto reflexiones, acompañadas del necesario adverbio *acaso.* No es lo mismo pensar en Pedagogía que ejercer el magisterio, escribir que obrar.» «De esta mi visita saco un fruto, y es que a la vista de los niños despierta mi niñez, mi niñez que es la fuente de mis mejores aspiraciones. Dejad que los niños se acerquen a mí —dijo Jesús— y añadió...»

Don Andrés escribió en su diario aquel mismo día: «Unamuno, rector de Salamanca y escritor un tanto raro y averiado, ha visitado por cuatro horas el Avemaría y me prometió volver. Me ha parecido ilustrado, simpático, no católico, le gusta mucho se hable de él y goza con decir lo contrario de lo que el mundo diga.» [79]

El juicio de Unamuno es un juicio de circunstancias, aunque sincero. La idea rousseauniana de que el niño no es un homúnculo, sino fundamentalmente un niño, le da pie a Unamuno para poner en tela de juicio la forma velada de la enseñanza de la Historia a base de resúmenes apretados de listas de nombres sin sentido. Lo mismo en cuanto a la enseñanza de la Geografía. Es más didáctico comenzar el conocimiento del mundo partiendo del contorno en que el niño vive. Unamuno demuestra a través de estas tímidas observaciones su puesta al día en cuanto a los movimientos de la escuela activa se refiere.

En una conferencia pronunciada en Málaga [80], es más explícito en sus juicios. Ha tenido tiempo suficiente para que las imágenes grabadas en sus sensibles retinas se sedimenten y sirvan de materia prima en la elaboración de sus juicios. Después de hablar a sus oyentes de que lo importante en Pedagogía no es la forma, el método, sino el contenido, dice: «Hace tres años visité en esta misma Andalucía unas escuelas que han adquirido cierta fama, y contestando luego a los que me preguntaban por el efecto que me causaron, no pude menos de decirles: «La obra de estas escuelas es una obra moral muy laudable: siempre es

---

[79] Juan Antonio Cabezas, «Una visita de D. Miguel de Unamuno a las Escuelas del Ave María de Granada», *Revista Salmanticensis,* 1969, págs. 231-239.
[80] 23 de agosto de 1906; VII, págs. 715-726.

Sr. D. Miguel Unamuno.

Muy Sr. mío y estimable compº:
Gracias por el nombramiento de Maestro interino de Zarza de Granadilla á favor de D. Bernardino Franco Esteban Herrero, que yo le recomendé.

Estuvo aquí y es bueno.

Aquí, ya satisfechos de Quijote, volvemos á reanudar por 4ª vez el averiado curso, encontrando normal la holgazanería y muy cómoda y llevadera la vida académica, que asegura el pan y no impone grandes trabajos ni apremiante disciplina. ¡Estas sí que son canongías! —

En fin de mes casará D. Manuel Segura á su hija mayor, poniendo los hitos para ser abuelo.

En estas Escuelas del A. hay (á falta de otra cosa) buen humor y flores de primavera.

Dios le guarde — ostingo y cabezón — sin ser Panza ni Quijote. Suyo en C.

Andrés Manjón
Gª 10-5-1905.

Carta de D. Andrés Manjón a Unamuno.

de alabar el que un hombre salga del sosiego de una vida tranquila y asegurada para entregarse a una obra social; pero como obra pedagógica me parece, no ya laudable, sino más bien equivocada y hasta funesta.»

A continuación, explica Unamuno el porqué de su discrepancia y desagrado con los métodos manjonianos. «Allí, en efecto, se han buscado procedimientos para que los niños aprendan con el menor esfuerzo, y lo más agradablemente posible, conocimientos que después de adquiridos han de resultarles inútiles o poco menos. Allí hay más preocupación de cómo se ha de enseñar que no de lo que ha de enseñarse. Al aire libre, jugando y respirando libremente, aprenden aquellos muchachos los nombres de romanos y cartagineses, y un seco esquema de historia de España, una tabla de sus dinastías, sin adquirir la menor representación vivamente imaginada de lo que aquellas épocas pasadas fueron.»

«Ello es una rutina, tan rutinaria como la antigua, y con el mal, además, de que, procurando que aprendan en juego, se acaba por convertir en juego la enseñanza.» [81]

En otros dos artículos vuelve Unamuno a machacar en sus puntos de vista [82]. En el primero, acusa a cierta pedagogía perniciosa empeñada en simplificar y facilitar las cosas indebidamente, una pedagogía que, en su afán de transmitir la enseñanza de la manera más agradable posible, «huye de las dificultades, huye del verdadero trabajo, huye de la austeridad. Parece que nos asusta enseñar a los niños todo lo duro, todo lo recio que es el trabajo. Y de ahí ha nacido lo de que aprendan jugando, que acaba siempre en que juegan a aprender. Y el maestro mismo que les enseña jugando, juega a enseñar. Y ni él, en rigor, enseña, ni ellos, en rigor, aprenden nada que lo valga» [83]. Sigue el artículo aludiendo a las escuelas del Ave María, con sus listas de romanos, cartagineses, visigodos, dinastías españolas, batallas..., aprendidas «jugando a la rayuela», una Historia de España realmente muerta, como sigue todavía aprendiéndose en muchos de nuestros centros docentes.

Prevé inmediatamente la reacción del lector de su artículo y le ataja con lo siguiente: «Lo que vengo diciéndole no implica que yo proscriba de la vida, del arte y de la enseñanza la amenidad. Muy lejos de eso, pretendo ser, a mi manera, un hombre ameno, de conversación y de enseñanza amenas» [84] y lo era realmente. Pero no es la amenidad, para Unamuno, no es el gracejo y la chispa del maestro, ni, por tanto, la ingeniosidad del método, lo que mejor encadena al discípulo a su

---

[81] *Conferencia...*, VII, págs. 717-718.

[82] Estos dos artículos son «Arabesco pedagógico» y «Otro arabesco pedagógico», publicados ambos en *Los Lunes de «El Imparcial»*, Madrid, 17 de noviembre de 1913 y 22 de diciembre de 1913; XI, págs. 290-300.

[83] «Arabesco pedagógico», XI, 291.

[84] *Ibídem*, pág. 292.

maestro; «es sentir el calor de la pasión por la enseñanza, del heroico furor del magisterio. Cuando el que aprende siente que quien le enseña lo hace por algo más que por pasar el tiempo, por cobrar su emolumento, o por lo que llamamos cumplir el deber, y no suele pasar de hacer que se hace, entonces es cuando aquél se aficiona a lo que se le enseña» [85].

No le falta razón al atacar pedagogías vacías de contenido consistentes sólo en métodos —caminos— que no conducen a ningún sitio. Cualquier renovación pedagógica que sólo mire al modo, al cómo transmitir los conocimientos, es pedagogía que construye el tejado sin cimientos; primero habrá que revisar los contenidos, lo transmisible, y después el cómo transmitirlos; del *qué* y *para qué* surgirá el *cómo*. No sirve el camino, por placentero y cómodo que sea, que no lleva a parte alguna, el camino que es callejón sin salida. Una renovación pedagógica no planteada a fondo, no es tal renovación; es lo mismo que inventar una máquina cuyo inventor no sabe para qué sirve.

Sin embargo, la labor pedagógica del P. Manjón no queda invalidada, en su conjunto, por este defecto descubierto por Unamuno. Tenerlo única y exclusivamente a la vista, como hace él lleva a conclusiones equivocadas por lo simplistas.

Unamuno rechaza la acusación que le lanzó su amigo «Xenius», de que era enemigo del juego. «Pocos, muy pocos, si alguno, más enamorados del juego y más propensos que yo a él. Pero al juego puro, ¿eh?, al juego que no es sino juego, al juego serio. Y llamo serio al juego en que no entra otra consideración que la de jugar (...) Y lo peor que tiene esa pedantesca aplicación pedagógica del juego a la enseñanza no es acaso tanto que estropea la enseñanza cuanto que estropea el juego. Esos juegos pedagógicos son como juegos, en su respecto estético, detestables.» [86]

Unamuno rechaza toda mixtificación del juego; es preferible sacrificar la enseñanza a adulterar el juego. El juego del niño y del pueblo es sagrado. Ambos gozan con la arbitrariedad y el despropósito «sin más hilo que el de un ritmo o una consonancia», escribe Unamuno en este mismo artículo. El pedagogo no puede, no debe, servirse de las canciones tradicionales sustituyendo «una letra libre, tradicional entre los niños, por una de esas cosas escritas expresamente para los niños por los mayores y que suele ser el colmo del verdadero despropósito». [87]

---

[85] *Ibídem*, págs. 292-293.

[86] Unamuno, «Arabesco pedagógico sobre el juego». Al amigo «Xenius», *Los Lunes de «El Imparcial»*, Madrid, 19 de enero de 1914; X, 257.

[87] *Ibídem*, X, 258.

Siete años después de escribir este artículo, porfía de nuevo: «El juego es lo más educador, y por eso los pedagogos se preocupan de él y estudian el modo de introducir entre los niños juegos... educativos. Sin pensar que lo son todos, y tanto más cuanto más espontáneos y menos intervenidos por los mayores.» [88]

---

[88] «Boyscouts y footballistas», *BILE,* 31 de enero de 1921, págs. 14-15.

CONTRA EL POSITIVISMO PEDAGOGICO

I. LAS LINEAS MAESTRAS DE LA PEDAGOGIA SPENCERIANA

«La pedagogía en Europa se halla, en la segunda mitad del siglo XIX, dominada, según las zonas, por tres o cuatro figuras señeras del pensamiento.» [1] En Alemania, las teorías de Herbart, que apenas hallaron eco en vida de su autor por prevalecer las de Rousseau, Pestalozzi y Fröbel, se imponen de tal manera que casi desbancan a las demás. Dentro y fuera de Alemania —en Inglaterra, en Italia y también en Estados Unidos, e incluso en Japón— comienzan a fundarse institutos de educación, a imitación del fundado por Herbart en Königsberg, en 1810. Estudiantes norteamericanos acuden a Alemania para mejor conocer las doctrinas *herbatianas;* hasta se fundó una sociedad con su nombre: la *National Herbart Society.* En Francia, predominan Dupanloup y el *sociologismo* positivista. En Inglaterra se discuten acaloradamente los objetivos educativos y se insiste para que la educación prepare hacia la vida moderna. Su principal portavoz es Herbert Spencer. Partidario de una pedagogía que conceda amplio margen a la libertad del educando, piensa que el objetivo de la educación será formar hombres capaces de gobernarse por sí mismos, no hombres que necesiten ser gobernados por los demás. Los educadores no son más que «servidores y discípulos de la naturaleza»; hay que dejar hacer, dejar que la naturaleza obre en todo por sí misma. Spencer es poco original y se apoya constantemente en Rousseau y en Pestalozzi. De Rousseau toma el principio de «dejar los primeros años para el ejercicio de los miembros y de los sentidos»; de Pestalozzi, el partir de los elementos simples y particulares para ascender a lo abstracto; repite el principio rusoniano de que las facultades se desarrollan espontánea y escalonadamente y

[1] Agazzi, *Historia de la Filosofía y la Pedagogía,* V. III, pág. 279.

que, por tanto, a cada etapa le corresponde un tipo diferente de instrucción. Cae en el mismo dogmatismo de Pestalozzi al decir que sólo hay un método, siempre el mismo, y en todas las edades [2]. Resucita nuevamente el principio de la instrucción placentera, culpando a los maestros de la repugnancia experimentada por los niños hacia determinadas disciplinas, al mismo tiempo que aboga, como Kant y como Herbart, por cierto absolutismo y disciplina rígida en la primera infancia hasta llegar a suprimir toda intervención adulta a medida que el joven se acerca a su madurez [3].

Su originalidad radica fundamentalmente en haber elaborado un sistema educativo asequible, lejos de la aridez matemática *herbatiana,* a base de materiales dispersos y fuertemente enraizados en el positivismo reinante. Su espíritu práctico y su estilo fácil explican el éxito de sus doctrinas. El plan de estudios propuesto por Spencer se rige por la mayor o menor utilidad que los conocimientos prestan en la vida. «El primer requisito para el buen éxito en la vida —nos dice— es el de ser un buen *animal.* El cerebro mejor organizado sirve de poco si no hay la suficiente fuerza vital para ejercitarlo» [4]; en otro lugar, añade: «Se toman cuidados infinitos para producir un caballo corredor que pueda ganar premios en las carreras; pero ninguno para formar un atleta moderno.» [5] La más importante de todas las disciplinas es la Higiene, puesto que de ella depende la salud, y de ella, la felicidad [6]; íntimamente ligada a la higiene están la Biología, la Química... Es decir, un plan de estudios a base de materias *positivas,* conocimientos concretos, de los que no puede faltar la Sociología que estudia los *hechos* humanos.

Spencer es, como buen positivista, idólatra de la ciencia. Mira la ciencia con tanta unción, con tanto respeto, tan religiosamente, que no necesita para nada la religión.

«La ciencia es —asevera— enemiga de las supersticiones que se hacen pasar con el nombre de religión; pero no lo es de la religión esencial... La ciencia y la religión son hermanas gemelas, y la separación de ellas resultaría inevitablemente la muerte de ambas.» [7] Podría creerse por estas palabras que Spencer admite la posibilidad de una «pacífica coexistencia» entre la religión y la ciencia. Los párrafos siguientes despejan toda ambigüedad. «Lo irreligioso no es la ciencia sino

---

[2] Cfr. Spencer, *Educación intelectual, moral y física* (1861), Appleton y Cía., sexta edic., New York, págs. 91-98.

[3] *Ibídem,* pág. 183.

[4] *Ibídem,* pág. 84.

[5] *Ibídem,* págs. 190-191.

[6] *Ibídem,* pág. 29.

[7] *Ibídem,* pág. 73.

su abandono y desprecio. El amor a la ciencia es un culto tácito; el reconocimiento tácito del valor de las cosas estudiadas y por implicación, también el de las causas.» Es más, la ciencia es esencialmente religiosa «porque hace respetar profundamente y tener fe en las leyes uniformes a que están sujetas todas las cosas. El hombre científico adquiere por medio de la práctica una entera fe en las relaciones invariables de los fenómenos, en la invariable relación de causa y efecto, y en la necesidad de los resultados buenos o malos» [8].

En capítulos anteriores he tratado la etapa positivista de Unamuno y las causas de su decepción por este movimiento. En los denuestos al positivismo de moda en las últimas décadas de siglo no excluye Unamuno la pedagogía positivista, sobre todo, la predicada por Spencer. Confiesa Unamuno a su amigo Carlos Vaz Ferreira —pedagogo y ensayista uruguayo— su poca fe en la pedagogía como ciencia independiente, quejándose al mismo tiempo de ciertos maestros equivocados que convierten a los niños «en algo a modo de ranas o conejillos de Indias de fisiólogos», es decir, que invierten los términos y creen, según Unamuno, que «los niños se hicieron para la pedagogía y no ésta para aquéllos». La mayoría de los abusos «están en germen en el *Emilio* y los acentuó Spencer, individualista a todo trance. Parecen olvidar que el hombre es un producto social, hecho por la sociedad y para ella.

«Empiece por aquello de Spencer de que siendo el hombre ante todo un animal, es preciso hacerle un buen animal. Y de aquí cierto abuso de la educación física.

«Queriendo hacer hombres fuertes o *sportsmen* se hacen brutos e ignorantes. Olvidando a la vez que el ejercicio normal de la inteligencia desarrolla el organismo todo.»

«Eso mismo ha hecho que los pedagogos se fíen demasiado en la espontaneidad del niño, abusando de los términos «natural» y «naturaleza». Claro está que fuera de la naturaleza en cierto respecto no hay nada, porque hasta la sociedad es natural y parte de la naturaleza, pero hay un sentido restringido en que podamos oponerlas y decir que la sociedad es algo sobre-natural. Y como al niño hay que educarle para ser social y miembro de una sociedad es preciso violentar su naturaleza siguiendo las leyes naturales mismas.»

Después de una serie de digresiones típicas de su estilo, Unamuno vuelve a bombardear la teoría de Spencer: «Esa educación individualista spenceriana —me parece que Spencer no tuvo hijos, lo que explica mucho— suele descuidar lo que significa el legado de la especie. ¿A qué conduce pretender que un niño encuentre por sí una solución cuando al cabo de los siglos y por el esfuerzo de generaciones ha sido hallada?

---

[8] *Ibídem*, pág. 74.

Además, esa supuesta invención propia, guiado por el maestro, suele ser una mentira. Es algo como los diálogos platónicos en que de ordinario es Sócrates el único que habla y les hace decir a los demás lo que quiere.»[9]

Esta diatriba contra la pedagogía positivista va dirigida contra el aspecto rusoniano de la misma resucitado por los positivistas y partidarios de la excesiva espontaneidad del alumno en el aprendizaje. Rousseau fue quien abogó para que su discípulo, Emilio, reinventase la ciencia. Estoy de acuerdo con Unamuno en que es un error hacer tabla rasa del «esfuerzo de generaciones» en hallar soluciones a problemas planteados y resueltos hace siglos. El esfuerzo será inútil si los problemas se formulan en los mismos términos y se llega a la misma solución que el maestro conoce previamente al iniciar la investigación. Ahora bien, no creo que sea inútil inculcar a los alumnos los métodos y hábitos científicos, haciendo, por vía de ejercicio, investigaciones entre maestro y alumno, aunque se trate de problemas de solución conocida.

II. AMOR Y PEDAGOGIA, EN LA LINEA ANTIPOSITIVISTA

Donde Unamuno se explaya a gusto respecto a la pedagogía positivista —spenceriana— en particular y al positivismo decimonónico en general, es en su *Amor y Pedagogía* (1902), novela en la que da un giro de 180 grados, no en su manera de pensar, sino en su manera de escribir, en su estilo. Un año antes, en 1901, cuando todavía la obra se encuentra en el telar, escribe a su amigo Jiménez Ilundain [10]: «Me siento entrar en la madurez. Físicamente se me và llenando de canas la cabeza y barba y voy cobrando más carnes de las que quisiera (¡peso 78 kilos!). Tengo ya seis hijos. Espiritualmente entro en un período de calmosa navegación, dispuesto a llevar a cabo mis proyectos, todos literarios.»

Existen numerosas alusiones en las cartas de Unamuno respecto a esta novela. La más extensa y precisa y, por tanto, la más citada, es la contenida en la VII carta a Jiménez Ilundain [11].

---

[9] Carta de Unamuno a C. Vaz Ferreira, Salamanca, 29 de mayo de 1907, *Correspondencia entre Unamuno y Vaz Ferreira,* V. XIX, Montevideo, 1963.

[10] Salamanca, octubre de 1901. En *Revista de la Universidad de Buenos Aires,* enero-marzo de 1949, págs. 108-109.

[11] Salamanca, 19 de octubre de 1900, *Revista de la Universidad de Buenos Aires,* julio-septiembre de 1948, págs. 353-354.

«Voy a ensayar el género humorístico. Es una novela entre trágica y grotesca, en que casi todos los personajes son caricaturescos. Uno suelta aforismos absurdos. Trátase de un hombre que se casa *deductivamente* para poder tener un hijo y educarlo para genio, por amor a la pedagogía. Pone en práctica su sistema. Ensombrece la vida del hijo y acaba éste por pegarse un tiro. Espero que tenga más contenido que mi *Paz en la guerra,* no más extensión. Me esfuerzo por decirlo todo con sordina y que salga todo subrayado (...).

En esta novela me salgo bastante de mis procedimientos usuales, volviendo a lo primero que hice, a la zumba con propósitos trascendentales. Quiero hacer una rechifla amarga y fundir, no yuxtaponer meramente, lo trágico, lo grotesco y lo sentimental. No sé cómo me saldrá.»

Siempre escoció a Unamuno el poco éxito de esta novela —sin duda no de las más afortunadas que salieron de su pluma—; necesitó treinta y dos años para publicar la segunda edición, a pesar de que en ella se encuentran —dice— en germen —y más que en germen— «lo más y lo mejor de lo que he revelado después de mis otras novelas» [12]. Casi todos los reparos que se pueden poner a esta «nivola» los resume Unamuno en el prólogo a la primera edición: «lamentabilísima equivocación», novela desconcertante y ambigua, «mezcla absurda de bufonadas, chacarrerías y disparates»; «caracteres desdibujados»; estilo descuidado, etc. El profesor García Blanco recopila los juicios de los amigos de Unamuno sobre esta obra en el prólogo del volumen II de las *Obras Completas* unamunianas; no es preciso repetirlos, como tampoco los de Julián Marías en el capítulo II de su *Miguel de Unamuno.* Por mucho que el flagelo de la crítica se ensañe con *Amor y Pedagogía* no excederán en dureza los juicios a los apuntados por el propio autor en los prólogos a las dos ediciones. Quiero decir que Unamuno es consciente del valor de su obra —no la más apreciada por él— [13] y previendo los ataques que le vendrán encima, se autocritica, para amortiguar el golpe.

Aparte de sus errores de concepción, elaboración y expresión, en flagrante contradicción con la técnica novelística, fue una obra inoportuna, una obra que caía en un ambiente totalmente adverso. Cuando todos coinciden en señalar que el problema de España era eminentemente pedagógico; cuando todos creen optimistamente que la Pedagogía es la panacea de los males nacionales, Unamuno, en una cabriola muy suya, se sale por la tangente ridiculizando y burlándose de la Pedagogía, y por extensión, de la ciencia.

---

[12] Unamuno, «Prólogo-epílogo a la segunda edición de *Amor y Pedagogía*».
[13] Cfr. carta de Unamuno a P. de Mugica, *Cartas inéditas,* pág. 161.

III. UN PRECEDENTE DE AMOR Y DEDAGOGIA: «LE DISCIPLE», DE PAUL BOURGET

No fue, sin embargo, el primero en fustigar la pedagogía positivista a través de la novela. Gracias a las indicaciones del profesor J. Tusquets, he encontrado un gran paralelismo entre *Amor y Pedagogía* y la novela *Le Disciple,* de Paul Bourget, publicada tres años antes.

Bourget, convertido al catolicismo, comenzó a escribir como psicólogo en una época fuertemente impregnada del más nihilista determinismo. Considerado como el mejor maestro francés de novela de análisis después de Stendhal, describe con admirable maestría las circunstancias e influencias que conforman el carácter del discípulo Robert Greslou. En estas páginas maestras la novela se convierte en lo que anhelaba Taine, en un documento de historia moral. *Le Disciple* cierra el ciclo del naturalismo en Francia.

Ambas novelas coinciden en el planteamiento de los mismos problemas: las funestas consecuencias de una pretendida educación científica descabellada; la nefasta influencia de unos maestros, de unos «sabios» abroquelados en ciencia que inconscientemente, empujan a sus discípulos respectivos hacia el suicidio.

Ambas coinciden también en denunciar la negación de todo valor espiritual y trascendente, como Dios, religión, virtud y vicio, deber..., sacrificados en honor de la ciencia y del progreso humano.

Los protagonistas de ambas novelas —Robert Greslou y Apolodoro— se enamoran cerebralmente para poder desdoblarse en actores y espectadores y así poder experimentar en ellos mismos y en sus prometidas los efectos del sentimiento amoroso.

Las consecuencias trágicas de uno y otro experimento son cargas de dinamita que hacen saltar por los aires las estructuras científicas de los maestros con las que creían poder transformar la marcha de la humanidad.

En mi artículo «*Amor y Pedagogía,* de Miguel de Unamuno, y *Le Disciple,* de Paul Bourget», publicado en *Perspectivas Pedagógicas* [14], puede verse el paralelismo existente entre los protagonistas de ambas novelas. Los maestros Adrián Sixto, Avito Carrascal y don Fulgencio Entrambosmares son pseudosabios cargados de ciencia positiva, conscientes de la revolución que sus teorías provocarán en la marcha de la humanidad. El resultado inmediato de las teorías descabelladas de ambos es la infelicidad y desgracia de dos pobres muchachos, discípu-

[14] Núms. 21-22, págs. 25-36, Universidad de Barcelona, Facultad de Filosofía y Letras, 1968.

los suyos que, con su fin trágico, hacen tambalear el edificio mental de sus educadores. Tanto Adrián como don Fulgencio, contradiciendo sus propias convicciones, acaban intentando recordar las olvidadas oraciones de su infancia. Ambos discípulos, Robert y Apolodoro, se enamoran artificialmente; el primero, para llevar a cabo un experimento de psicología; el segundo, para encontrar en sí mismo material literario. Uno y otro llegan a la seducción y acaban sus experimentos asesinando y suicidándose respectivamente.

A pesar de las diferencias entre ambas novelas, sobre todo, de estilo, ¿puede acusarse de plagio a Unamuno? El paralelismo es evidente e inclina a la respuesta afirmativa. En 1923 escribió Unamuno en el diario de Buenos Aires, *La Nación,* un artículo contestando a quienes veían una gran semejanza entre sus obras y las de Pirandello: «Es un fenómeno curioso y que se ha repetido muchas veces en la historia de la literatura, del arte, de la ciencia o de la filosofía, el que dos espíritus, sin conocerse ni conocer sus sendas obras, sin ponerse en relación el uno con el otro, hayan perseguido el mismo camino y hayan tramado análogas concepciones o llegado a los mismos resultados. Diríamos que es algo que late en las profundidades de la historia y que busca quien lo revele.» [15] Esto es cierto, pero conviene también tener en cuenta el sentido laxo que Unamuno tiene de la paternidad de las obras literarias. Sin embargo, no es simple coincidencia el paralelismo entre ambas novelas puesto que Unamuno conocía perfectamente las obras de Bourget, y, sobre todo, *Le Disciple*. Posiblemente a su amigo Pedro de Mugica no le pasó desapercibida la semejanza cuando le contesta Unamuno en los siguientes términos: «Dice V. que entre mis autores favoritos no le cito a P. Bourget que debe de ser (no «debe ser») de mi gusto. Está V. equivocado. He leído de él *Mensonges,* que es la que más me gusta, *Le Disciple* y *André*... no recuerdo qué [16]. El tal Bourget *huele a libro,* quiero decir, a gabinete, y la psicología de que abusa en sus obras es una psicología aprendida más bien que en la vida en las aulas de l'Ecole Normale, de boca de Taine probablemente.» [17]

La tesis de *Le Disciple* es una dura «protesta contra los ilimitados derechos de la investigación científica proclamados por Taine y Renan» [18]: han de interrumpirse cuando está en juego una vida humana. *Amor y Pedagogía,* sin perder de vista este mismo objetivo, apunta a un cam-

---

[15] García Blanco, *En torno a Unamuno,* Taurus Ediciones, S. A., Madrid, 1965, página 411.

[16] *André Cornélis* (1887).

[17] Carta de Unamuno a P. de Mugica, Bilbao, julio de 1890, *Cartas inéditas,* páginas 117-118.

[18] G. Lanson, *Histoire de la littérature française,* Librairie Hachette, París, 1968, pág. 1094.

po mucho más amplio: al positivismo globalmente considerado y a la pedagogía positivista en concreto; de ambos se burla, y para que no sea todo crítica destructiva, apunta en la misma novela, casi tímidamente, el idealismo educativo que, con el correr de los años, desenvolverá con mayor claridad y extensión.

Don Avito y don Fulgencio son los prototipos de los sabihondos de la época, atiborrados de toda clase de ciencias positivas. Son, en gran parte, proyecciones del mismo Unamuno; cuando éste los pone en solfa se burla a la vez de sí mismo, se ríe, no sin dolor, de su reciente fe perdida en la ciencia. Me atrevería a afirmar que —*servatis servandis*— don Avito es el Unamuno pedante, libresco e insoportable de los veinte años, y don Fulgencio es el Unamuno posterior a la resaca positivista, el Unamuno ya maduro cuyas estructuras personales se encuentran cristalizadas. Don Avito instruye a su hijo Apolodoro en la línea ortodoxa positivista; le habla con sumo respeto de Spencer, «fíjate bien —le dice— en este nombre, hijo mío, Spencer, ¿lo oyes? Spencer, no importa que no sepas aún quien es, con tal que te quede el nombre, Spencer, repite, Spencer» [19]. La casa de Avito, más que hogar, es un laboratorio con toda clase de cacharros: «Techos altos, como ahora se lleva, iluminación, aereación, antisepsia. Por todas partes barómetros, termómetros, pluviómetro, aerómetro, dinamómetro, mapas, diagramas, telescopio, microscopio, espectroscopio, que a donde quiera que vuelva los ojos se empape en ciencia; la casa es un microscopio racional. Y hay en ella su altar, su rastro de culto, hay un ladrillo en que está grabada la palabra *Ciencia,* y sobre él una ruedecita montada sobre su eje.» [20] Cada día dedica don Avito un rato «a frotarle bien la cabeza por encima de la oreja izquierda para excitar así la circulación en la parte correspondiente a la tercera circunvolución frontal izquierda, al centro del lenguaje, pues algo de la excitación ha de atravesar el cráneo y ayudar al niño a romper a hablar» [21]. «Le hace comer su padre a reló a tal hora y tantos minutos, pesando la comida que le da, y luego le pesa a él, tres veces al día. La higiene y la educación física ante todo; por ahora hay que hacer un buen animal y tupirle de habas; fósforo, mucho fósforo.» [22] Don Avito es spencerista, frenologista, transformista, lombrosista...

Por el contrario, don Fulgencio, con sus *Simia sapiens y su Homo insipiens* es la negación viviente de los dogmas positivistas. Enemigo acérrimo del sentido común, piensa que las matemáticas «son como el arsénico; en bien dosificada receta fortifican, administradas a todo pasto

[19] *Ibídem,* 487.
[20] *Ibídem,* 459.
[21] *Ibídem,* 467.
[22] *Ibídem,* 477.

matan. Y las matemáticas combinadas con el sentido común dan un compuesto explosivo y detonante: la *supervulgarina*» [23]. En la primera entrevista con Apolodoro, don Fulgencio desmonta una a una las piezas con que don Avito ha formado, no sin esfuerzo, a su hijo. «Huye de la salud gañanesca» [24], dice el caricaturesco filósofo, aludiendo a Spencer. «¡Hechos!, ¡hechos!, ¡hechos!, te dirán. ¿Y qué hay que no lo sea?, ¿qué no es hecho?, ¿qué no se ha hecho de un modo o de otro? (...). Si yo tuviese la desgracia de tener que apoyar en datos mis doctrinas, los inventaría, seguro como estoy de que todo cuanto pueda el hombre, imaginarse, o ha sucedido o está sucediendo o sucederá algún día. De nada te servirán, además, los hechos, aun reducidos a bolo deglutivo por los libros, sin jugo intelectual que en quimo de ideas los convierta. Huye de los hechólogos, que la hechología es el sentido común echado a perder, echado a perder, fíjate bien, echado a perder, porque lo que sacan de su terreno propio, de aquel en que da frutos, comunes, pero útiles.» [25]

Don Fulgencio habla de Dios con gran asombro de Avito Carrascal [26]. Mientras éste prevé científicamente todo y no da un paso sin consultar con la ciencia, aquél prefiere que «lo vea todo, lo experimente todo, de todo se sature y pase por todo ambiente...» [27]. Avito confiaba plenamente en la eficacia de su método para fabricar un genio que fuese el orgullo de su sistema pedagógico al servicio de la humanidad; a don Fulgencio le bailaba en la cabeza decir a Apolodoro «que se quite de la cabeza lo de ir para genio» [28] y se conforme con ser hombre, que no es poco. El padre es enemigo de la escuela porque en ella le enseñan antropomorfismo al explicar que el sol *dice* a los planetas por dónde han de ir y el filósofo insiste en el valor de la integración social de la escuela [29]. Don Avito se revela contra don Fulgencio cuando éste le dice que hay que dejar al niño tranquilo, pero se doblega y deplora no ser capaz de actuar enérgicamente [30], sin la sombra entorpecedora del filósofo y, por supuesto, de su esposa Marina, que le impiden aplicar con toda pureza su método. Tampoco él está exento de culpa ya que su matrimonio no ha sido científico, *deductivo*. Falló la ciencia al comienzo del experimento y se salió con la suya la naturaleza; la parte menos científica del hombre —el amor— burló los principios todos de la ciencia.

---

[23] *Ibídem,* 506.
[24] *Ibídem,* 506.
[25] *Ibídem,* págs. 506-507.
[26] *Ibídem,* 471.
[27] *Ibídem,* 476.
[28] *Ibídem,* 504.
[29] *Ibídem,* 488.
[30] *Ibídem,* 487.

Unamuno enfrenta la ciencia y la naturaleza como enemigos irreconciliables; sus métodos son divergentes y se contradicen a cada paso. Quiere subrayar los límites de la ciencia, su inoperante impotencia ante determinados hechos. Y dentro de la repulsa general al cientifismo incluye también a la pedagogía. Yvonne Turin señala el sentido equívoco que Unamuno asigna al término pedagogía: «Bien conserva en este término su significado habitual, bien lo utiliza como un sinónimo de «cientifismo», sobre todo en su novela *Amor y Pedagogía.* Si no se tiene en cuenta esta distinción se corre el peligro de deformar el pensamiento del autor.» [31]

En el primer capítulo de esta novela habla Unamuno a través de don Avito de la «pedagogía sociológica» en siete ocasiones, sin molestarse mucho en definir el concepto. Después olvida el adjetivo y sólo habla del sustantivo, de la pedagogía, incluyendo en él a todas las variantes del positivismo decimonónico. Mediante el sarcasmo, rechaza con el mismo vigor a la pedagogía convertida en fin en sí misma para la que los niños son materia prima de experimentación pedagógica y a la sociología que olvida al hombre concreto en su peculiar individualidad, y lo estudia como pequeña partícula del ser social. En el prólogo a la primera edición sale al paso Unamuno de quienes han pretendido ver en esta novela una manía persecutoria hacia la pedagogía: «A muchos parecerá esta novela un ataque, no a las ridiculeces a que lleva la ciencia mal entendida y la manía pedagógica sacada de su justo punto, sino un ataque a la ciencia y a la pedagogía mismas, y preciso es confesar que si no ha sido tal la intención del autor —pues nos resistimos a creerlo en un hombre de ciencia y pedagogo—, nada ha hecho, por lo menos, para mostrárnoslo.» [32] Unamuno mismo ha dado pie a este error, mediante su peculiar estilo «nivolesco», ocultando sus verdaderas intenciones, confundiéndolo todo y despistando intencionadamente al lector que después de repasar una y otra vez las páginas de la novela, se queda perplejo sin saber «qué es lo que en ella se ha propuesto el autor» [33]. Las respuestas a todos los interrogantes que surgen después de la lectura no pueden encontrarse en la novela misma, sino en la producción unamunesca posterior. «Despístales —dice don Fulgencio a su alumno—. Sé ilógico a sus ojos hasta que renunciando a clasificarse se digan: es él, Apolodoro Carrascal, especie única.» [34].

Admitido el principio de que *Amor y Pedagogía* ridiculiza la ciencia la ciencia mal entendida y los abusos de una pedagogía dislocada, «sacada

[31] Yvonne Turin, *Unamuno universitaire.*
[32] Unamuno, *Amor y Pedagogía,* 421-422.
[33] *Ibídem,* 421.
[34] *Ibídem,* 507.

de su justo punto», es posible comprender cómo entiende Unamuno la verdadera pedagogía; la pedagogía al servicio del educando, no del educador, es decir, la pedagogía como medio, no como fin en sí misma. Para él, es algo así como un «biberón psíquico, lactancia artificial» del espíritu [35]. Con estas palabras Unamuno no hace más que incluirse en el grupo de los que tradicionalmente han considerado la educación como un alimento (de *educare,* en vez de *educere),* como una ayuda a la naturaleza. El error de don Avito radica en haber prescindido de la naturaleza y en haberla querido sustituir por la pedagogía. El resultado ha sido calamitoso: la naturaleza y la pedagogía se han ignorado mutuamente y cada una ha construido de espaldas a la otra con materiales diversos. En medio de ambos, el pobre Apolodoro incapacitado para llegar a hombre libre. «No me va a resultar genio; he fiado con exceso en la pedagogía, he desdeñado la herencia y la herencia se venga... La pedagogía es la adaptación, el amor, la herencia, y siempre lucharán adaptación y herencia, progreso y tradición (...). El Arte puede mucho, pero ha de ayudarle la Naturaleza.» [36] Así monologa Avito y a través de él explicita Unamuno su pensamiento. Líneas antes se pregunta Avito: «¿Puede la pedagogía transformar la materia prima?» «No me va a resultar genio; he fiado con exceso en la pedagogía.» ¿No intuye Unamuno el optimismo futuro del conductismo que, «al dar mayor importancia a la educación que a la naturaleza los partidarios de la doctrina del comportamiento hicieron abrigar grandes esperanzas a los educadores, reformadores, políticos, etc., por lo que se refiere al control de la conducta humana»? [37] El mismo Watson, popularizador del conductismo, «escribió en 1925 que si tenemos un niño recién nacido sano y normal y suponemos un control completo de su medio ambiente posterior, podemos formar a este niño para que llegue un día a ser, por ejemplo, médico, abogado, artista, jefe de oficina e incluso mendigo y ladrón, prescindiendo de sus dotes innatas, tendencias, habilidades, vocación y linaje de sus antepasados» [38].

Cuando Unamuno habla del Arte con mayúscula, opuesto a la Naturaleza, alude a la pedagogía, sin duda. El Arte, la pedagogía, puede mucho, pero ha de ayudarle la Naturaleza, es decir, la pedagogía edifica en el aire si olvida a la Naturaleza. A la pregunta de Unamuno de si la pedagogía puede «transformar la materia prima», habrá que responder negativamente, si se piensa en un cambio radical; con más claridad: la pedagogía no puede sustituir a la materia prima sino elaborarla, per-

---

[35] *Ibídem,* 462.

[36] *Ibídem,* pág. 486.

[37] Carroll Atkinson y E. Maleska, *Historia de la Educación,* Martínez Roca, Barcelona, 1966, pág. 229.

[38] *Ibídem,* 230.

feccionarla; sólo es una ayuda extrínseca que despierta aptitudes y actitudes, crea intereses y posibilita la adquisición de la madurez personal, en ambiente de libertad y respeto.

A la luz de esta colaboración entre la pedagogía y la Naturaleza ha de interpretarse el pensamiento de Unamuno en *Amor y Pedagogía,* empeñado en presentar ambos como incompatibles. De acuerdo con el desarrollo y exposición de la novela, el título debiera ser *Amor o Pedagogía,* puesto que su interés se vuelca más en denunciar los abusos de una pedagogía mal entendida que en exponer cuál debe ser a su juicio la pedagogía bien entendida. En este sentido afirma repetidas veces que «el amor y la pedagogía son incompatibles» [39] y por otra parte afirma que la pedagogía es amor y que el amor es el verdadero pedagogo.

El mayor pecado de la pedagogía, según Unamuno, es no preocuparse de lo más importante, del objetivo inaplazable e insustituible de cualquier sistema educativo: hacer hombres. Unamuno lanza su anatema por igual a los educadores preocupados por formar ciudadanos de tal o cual estado, o bien miembros de un partido, o bien sabios —el genio abortado de Apolodoro— al servicio de la ciencia o de la humanidad. Unamuno quiere hombres en primer y en segundo lugar; todo lo demás, después. «¡Adiós, Clara, mi Clara, mi Oscura, mi dulce desencanto! —exclama Apolodoro—. ¡Pudiste redimir de la pedagogía a un hombre, *hacer un hombre de un candidato a genio...,* que hagas hombres, hombres de carne y hueso; que con el compañero de tu vida los hagas, *en amor, en amor, en amor y no en pedagogía* (...) ¿En qué estaría pensando mi padre cuando me engendró? En la carioquinesis o cosa así, de seguro; *en la pedagogía, sí, en la pedagogía;* ¡me lo dice la conciencia! Y así he salido...» [40]

Don Avito achaca el fracaso científico al amor que lo ha estropeado todo. «No haremos con la pedagogía genios mientras no se elimine el amor.» Y Unamuno redarguye inmediatamente: «¿Y por qué no hacer del amor mismo pedagogía?» [41]

Para mí está claro el hilo conductor que mueve a Unamuno en esta serie de antinomias. Es el amor el que ha de educar ayudado por la pedagogía, o ésta de la mano de aquél. La conjunción del título de la novela es correcta en la mente unamuniana, aunque en la exposición le conceda un valor disyuntivo. No creo que sea necesario acudir al apéndice de la segunda edición en que, después de treinta y dos años dice: «Tengamos la fiesta en paz y ahoguemos en amor, en caridad, la pedagogía.» [42] Unamuno cree en la pedagogía, pero odia ciertas peda-

---

[39] *Amor y Pedagogía,* II, 464; cfr. 549, 553-554 y 560.

[40] *Amor y Pedagogía,* II, 560. Subrayados míos.

[41] *Ibídem,* 553.

[42] *Amor y Pedagogía,* II, 618.

gogías de la época; se rebela contra los discípulos convertidos en conejillos de Indias y los defiende de los pedagogos equivocados que, en vez de hombres, desean convertirlos en «ciudadanos republicanos o monárquicos, comunistas o fajistas, creyentes o incrédulos (...). El niño es del Estado, y debe ser entregado a los pedagogos —demagogos— oficiales del Estado, a los de la escuela única. "¡Pobre conejillo! ¡Pobre conejillo!", exclamaba Apolodoro en la policlínica del doctor Herrero, adonde le llevó su padre a ver los conejillos —cuines— en quienes se hacían experiencias patológicas. El pobre Apolodoro se suicidó. Haga Dios que no tengan que suicidarse —mental y espiritualmente, se entiende— nuestros Apolodoros.» [43]

Un par de ideas más pueden encontrarse en esta novela y ciertamente de las más queridas y repetidas por su autor a lo largo de sus escritos: el verdadero pedagogo lleva a flor de piel su propia niñez y su postura ante el problema de la educación femenina. Posteriormente expondré ambos pensamientos.

IV. «LA MAESTRA NORMAL», DE MANUEL GALVEZ

Manuel Gálvez (1882-1962) escritor argentino [44], inspector de enseñanza secundaria, normal y especial durante veinticinco años y corresponsal epistolar de Unamuno, publicó en 1914 su primera novela, con la que consiguió popularizar su nombre, *La Maestra Normal.* Es una novela en la misma línea antipositivista de *Le Disciple* y de *Amor y Pedagogía.* A la vez que describe con precisión cinematográfica el ambiente ramplón y mezquino de la vida provinciana, ridiculiza a los pedagogistas —que no pedagogos— argentinos, formalistas, pedantes, cientifistas, aquejados de la monomanía del método. El blanco que atrae como pararrayos los ataques de Manuel Gálvez es Ambrosio Albarenque, «reputado pedagogo», que llevaba cuatro años en la dirección de la Escuela Normal de maestras de La Rioja argentina, donde todos le conocían como el Director [45]. El tal Director «pasaba su existencia preocupado con los métodos de enseñanza; su afán de minucias y formalidades era una enfermedad (...). Como todo perfecto pedagogo, el director era anticlerical y positivista. Declaraba su indiferencia hacia

[43] *Ibídem,* 432.

[44] Premio Nacional de Literatura en 1919 con *Nacha Regules,* y Primer Premio Nacional, en 1933, con *El general Quiroga;* publicó más de 60 obras.

[45] Manuel Gálvez, *La maestra normal,* Losada, S. A., Buenos Aires, 1964, página 27.

todas las religiones, pero en el fondo tenía un odio secreto, subterráneo a la Iglesia Católica. Su positivismo había pasado por una época pintoresca. Se decía que al llegar a La Rioja usaba para su correspondencia privada el calendario comtiano: mes de Homero, mes de Shakespeare. Las bromas de algunos insolentes le obligaron a abandonarlo. El catecismo de Comte y la pedagogía de Torres eran para él lo único fundamental en los conocimientos humanos [46].

A los profesores de la Escuela Normal «odiaba pedagógicamente. Eran unos ignorantes, unos desaforados. El Ministerio no debía oírlos jamás. Los peores eran esos abogados sin pleitos, esos médicos sin enfermos, que tomaban las cátedras como vulgares empleos. Carecían de preparación pedagógica, de espíritu profesional; no querían estudiar la metodología, sin lo cual era imposible llegar a ser un buen maestro» [47].

En una apertura de curso dice el Director: «No basta de ningún modo poseer la ciencia, sino que es preciso conocer profundamente los secretos de la metodología. La ciencia pura es inútil para el maestro, es trabajo perdido, si no se la enseña de acuerdo con los principios y las leyes de aquellos métodos que especialmente le convienen.» [48]

El antagonista del Director es el médico don Nilamón, portavoz de los pensamientos del autor de la novela. Don Nilamón acusa al «normalismo» —pedagogismo de los maestros positivistas— como «la peor de las plagas». Acusa a los maestros de «primarios, verdaderos primarios» que odian la alta cultura y los estudios superiores. Considera a los normalistas como enemigos de la familia y de la libertad de enseñanza y partidarios de la escuela única, estatal y laica para convertirse pedantemente en los únicos con derecho a impartir su incultura en nombre de la pedagogía. «En ciencia, el normalismo conducía a las pseudociencias, a las ciencias «de macaneo»: la sociología, la psicología experimental». Los maestros normales «creían ser sacerdotes de la ciencia, pensaban que sólo ellos eran capaces de enseñar, como si el enseñar fuese otra cosa que un don, una aptitud personal» [49].

«En lo moral ocurría algo peor. Como el normalismo era laico, anticlerical y dogmático, no admitía la moral basada en principios religiosos. ¿Con qué la reemplazaba? Más o menos con las mismas reglas morales, pues no las había mejores, pero basadas en nada, en el criterio de los hombres. Edificio sin cimientos, se derrumbaba fácilmente. Las muchachas, a quienes en diez años no se les había inculcado los principios religiosos, se encontraban indefensas.» [50]

---

[46] *Ibídem,* 27.
[47] *Ibídem,* 28.
[48] *Ibídem,* 77.
[49] *Ibídem,* pág. 36-38.
[50] *Ibídem,* 37.

La víctima de esta educación es Raselda, «la maestra normal», compañera de infortunios y final trágico de Greslou y de Apolodoro.

Unamuno leyó *La maestra normal,* enviada por su autor a pesar de sus 400 páginas y de que, según confesión propia, desde hacía años no aguantaba la lectura completa de una novela [51]. El contenido ideológico de la novela se encuentra en la misma línea del pensamiento unamuniano. Sin grandes reparos Unamuno hace suyos los pensamientos de Manuel Gálvez y le sirven de nuevos elementos en que apoyar su postura. «Aquí es igual —escribe el primero—: igual plaga de pedantería. No quieren entender que lo que importa es lo que se enseña y no el cómo. La pedagogía esa no es sino una colección de moldes para quesos —metáfora muy querida y usada por Unamuno— de todas formas y tamaños; mas como no tiene leche ni cuajo, no hacen queso. ¡La superstición del método!» [52]

Lo que no gustó a Unamuno de la novela fue el ambiente sórdido y triste de la vida provinciana admirablemente retratado en sus páginas. El autor confiesa a Unamuno que apenas ha inventado casi nada. «Los tipos existen y muchas de las escenas escritas son rigurosamente verdaderas. Cierto que tanta chatura mental, tanta envidia, tanta maledicencia, tanta sensualidad, causa miedo (...). Y todo aquello de la escuela normal es de una verdad fotográfica. Me refiero a lo exterior, pues también tienen —creo— verdad humana. Este conocimiento del normalismo —quería decirle a usted— lo he adquirido ejerciendo mi puesto de inspector de enseñanza secundaria (...); el libro es un resultado de mi larga experiencia.» [53]

A esta experiencia profesional de Manuel Gálvez alega Unamuno sus catorce años de rector y sus veintitrés de profesor al escribir su artículo «La plaga del Normalismo», comentando *La Maestra Normal* para *La Nación,* de Buenos Aires [54]. En él dice que lo mismo que el sacerdocio y el militarismo convertidos en castas y abusando de su preeminencia social han producido el anticlericalismo y el antimilitarismo entre personas muy católicas y muy patriotas, «puede llegar el día en que frente al magisterio, que se llama a sí mismo, con su característica pedantería, sacerdocio de la cultura, pueda surgir un movimiento antipedagogista en el que entren gentes muy amantes de la cultura y de la educación y de la enseñanza. Somos muchos los que empezamos a abu-

---

[51] Unamuno, «La plaga del normalismo», *La Nación,* Buenos Aires, 8 de junio de 1915; VIII, 496.

[52] Carta de Unamuno a M. Gálvez, Salamanca, 6 de abril de 1915, en *Cuadernos Hispanoamericanos,* Madrid, abril de 1954, pág. 184.

[53] Carta de M. Gálvez a Unamuno, Buenos Aires, 1915, *Cuadernos Hispanoamericanos,* Madrid, mayo de 1954, págs. 185-186.

[54] 8 de junio de 1915.

rrirnos de las pedantescas cantinelas pedagógicas» [55]. Nadie podrá arrebatar a Unamuno el mérito de ser uno de los pioneros de este antipedagogismo.

El artículo sigue repitiendo las invectivas de don Nilamón transcritas líneas más arriba y ahondando en el problema de la cultura del pueblo, que «no es precisamente el del analfabetismo, ni son más cultos aquellos pueblos en que hay más tanto por ciento de los que saben leer y escribir. Hay que ver lo que leen y lo que escriben» [56], para luego detenerse en la cuestión del método: «¡Claro está! Como que aquí el método, es decir, el camino, lo es todo. ¡El método por el método mismo! Lo que importa es el camino y no lo que por él se transporta.» [57]

«La base del pedagogismo, por lo menos entre nosotros, es un árido y sórdido formalismo. En la pedagogía al uso todo es formal, puramente formal. Es algo así como la disciplina militar. Lo interesante para nuestros pedagogos parece ser, no lo que se ha de enseñar, sino cómo se ha de enseñar. Y yo estoy convencido que del "qué" saca cualquier hombre medianamente listo el "cómo", y en cambio no hay manera de sacar del "cómo" el "qué". Eso de que hay quienes saben bien una doctrina, pero no enseñarla, es casi siempre una falsedad. La experiencia me ha enseñado que la mayor parte de las veces en que se dice de uno que sabe algo, pero no sabe enseñarlo, o es que en realidad no lo sabe bien o no quiere enseñarlo. Y contra la falta de voluntad no sirve la pedagogía. Y, en cambio, he visto que los que enseñan bien lo poco que saben no es por pedagogía, sino porque saben bien ese poco que enseñan, pues no es saber mucho el saber muchas cosas.» [58]

Y sigue Unamuno, una vez más, despotricando contra los métodos manjonianos porque hacía aprender a los niños Historia jugando a la rayuela. Unamuno ataca el método, el «cómo», por no haber revisado antes la materia a transmitir por el método, el «qué». Unicamente de la materia, del contenido de la instrucción, surgirá el método, pero no de éste aquélla. El contenido aprendido de una manera o de otra «es perfectamente inútil» —dice— puesto que «eso ni es Historia de España ni cosa que lo valga. Como no vale la pena de poner la gramática en verso para facilitar su estudio, cuando lo derecho es no enseñar gramática y sí la lengua, pues no saber conjugar y todo eso y la definición

---

[55] VIII, 497.

[56] VIII, 498.

[57] *Ibídem,* 498, cfr. *Conferencia en la Sociedad de Ciencias,* de Málaga, 23 de julio de 1906, VII; pág. 717.

[58] VIII, 499.

del verbo y del adverbio y lo del régimen directo o indirecto se habla ni se escribe mejor una lengua ni se piensa mejor con ella»[59].

Estoy de acuerdo con Unamuno en que la mejor metodología es perfectamente inútil cuando también es inútil el contenido que se intenta transmitir. Ahora bien, ¿es el pedagogo el llamado a juzgar de la utilidad o inutilidad de la orientación ideológica, de los valores socialmente admitidos, de la calidad científica de cada una de las materias objeto de estudio, escritas y publicadas por especialistas, teóricamente, al menos? Si la Historia de España que se estudiaba en tiempos de Manjón —y en los nuestros— no era tal Historia de España, ¿son culpables de ello los pedagogos o, más bien, los historiadores que conciben la historia humana como el conjunto de generales, reyes y príncipes con su batallas victoriosas o adversas? El que se estudie la gramática y no la lengua, ¿depende de los pedagogos o de los políticos responsables de la orientación de la enseñanza? ¿Cuándo ha existido en España un ambiente favorable para que la voz del educador pudiese elevarse y dejarse oír por todos? Ciertamente no existía en tiempos de Unamuno en que los vilipendiados pedagogos sufrían —no gozaban— sueldos miserables.

Es inadmisible hoy día la simplista actitud de Unamuno ante la pedagogía: «basta saber bien una cosa para saberla enseñar; el que no sabe enseñar es porque no sabe lo que enseña»[60]. No, no basta saber para saber enseñar. El buen maestro tiene mucho de innato que no le puede comunicar la pedagogía; el arte de la docencia es un «quid» divino, algo intuitivo, si se quiere, pero perfeccionable con una técnica adecuada. El «hombre medianamente listo» del que habla Unamuno no puede intuir, si no lo estudia, la dinámica de grupos, la psicología de las edades, los intereses vocacionales, las aptitudes, los problemas que cada edad plantea, las tipologías, las dificultades de cada aprendizaje, etcétera. Decir que todo esto es perfectamente inútil es propio de una actitud regresiva contraria a la marcha de la cultura. Sólo tiene justificación la postura unamuniana en el contexto que le rodea, una actitud pseudocientífica, materialista, formulista, vacía de sentido y pedante.

---

[59] *Ibídem,* 500.

[60] «He oído a este respecto razonamientos tan especiosos y tan rebuscados como aquel de que no es lo mismo aprender una cosa para saberla que aprenderla para enseñarla, como si hubiese dos físicas, una para saberla, por amor al saber o para aplicarla en industria, y otra para transmitirla en enseñanza.» (Unamuno, *Conferencia en la Sociedad de Ciencias,* de Málaga, 23 de agosto de 1906; VII, 716.)

Pedagogía

Tendencia á exagerar lo específico y diferencial; la carrera magisterio enciclopedia con pedagogía. Una con formal y escolástica, hueca; moldes para quesos. Lógica. El que sabe sabe enseñar; el mapa. Lo que no hay que enseñar. Qué lugar ocupa entre las ciencias; importancia.

Ultimo refugio de la escolástica. Gramática. Clasificar sin fin ulterior. El catecismo y el Evangelio.

Inspiración y entusiasmo.

El niño mismo; los botijos de Dickens. Los niños se enseñan unos á otros, á pesar del maestro. Libros que no se titulan así.

No es nada sustantivo. Ni la medicina ni la pedagogía son ciencias.

Tan ciencia como el derecho procesal ó la bibliografía.

No hay que creer en recetas.

Autógrafo de Unamuno en que esquemáticamente resume su actitud ante la pedagogía.

LA VERDADERA PEDAGOGIA SEGUN UNAMUNO

I. CONCEPTO DE PEDAGOGIA

A través de los tres capítulos precedentes aparecen dispersas numerosas divergencias, conexiones, afirmaciones, negaciones, etc., con las corrientes pedagógicas de la época. A través de ellas, Unamuno expone su pensamiento pedagógico. Por amor a la claridad comienzo a redactar este capítulo, en el que trataré más *in extenso* una serie de puntos, sin duda interesantes. Son más numerosos los textos unamunianos de ataque que aquellos que expone lo que, a su juicio, debe ser la verdadera pedagogía.

Por esta causa resulta dificultoso conocer con exactitud el pensamiento de Unamuno, el cual, en sus conferencias y discursos adoptaba la misma actitud negativa que en sus escritos. Acostumbraba a señalar las quiebras, los puntos flacos de todos los sistemas pedagógicos, pero sin preocuparse mucho de concretar cómo ha de ser un buen sistema educativo. Lo uno se debe a su manera de ser y de comportarse, agresivamente; lo otro —el no definirse—, debido a su intento de despistar, de ser siempre inclasificable. Sin embargo, a pesar de esto, no es difícil encontrar en su extensa obra testimonios en los que aclara sin ambages y sin ambigüedades su pensamiento educativo.

Páginas más arriba he dado cuenta de la repulsa de Unamuno por toda pedagogía formalista, hueca y sin contenido; por la pedagogía que considera a los niños como medio, lo mismo que la medicina que tratase a los enfermos como materia prima para sus experimentos («¡pobres conejillos!», decía Apolodoro). Unamuno aborrecía la manía del método por el método, la clasificación por la clasificación; despreciaba a la pedagogía sacada de su justo medio, a la pedagogía que ignoraba a la naturaleza; anatematizaba cualquier pedagogía cuyo objetivo no fuese hacer hombres... Contra estos abusos levanta su voz, exagerando en muchas ocasiones, como cuando habla del P. Manjón.

En una cuartilla suelta encontrada en la Casa Museo de Unamuno aparece el esquema, posiblemente, de una conferencia a maestros, en los que se repiten, una vez más, las diatribas contra la pedagogía. A los ya conocidos denuestos añade Unamuno: «Ni la medicina ni la pedagogía son ciencias.» «Tan ciencia como el derecho procesal o la bibliografía.» Creo que discutir todavía hoy si la pedagogía es o no ciencia carece de interés y es un puro bizantinismo.

Al lado de las acometidas a la pedagogía aparecen conceptos positivos como los de «la pedagogía es un biberón psíquico, una lactancia artificial» del espíritu; el amor es el mejor pedagogo [1]; el verdadero pedagogo es aquel que lleva a flor de piel su propia niñez y, como consecuencia, ha de hacerse niño para educar a los niños; la misión de la pedagogía es hacer hombres; la pedagogía es una ayuda a la naturaleza, «el arte (docente) puede mucho, pero ha de ayudarle la naturaleza»... Estas ideas, expresadas en *Amor y Pedagogía,* constituyen el núcleo esquemático que Unamuno irá desarrollando a través de sus conferencias y escritos posteriores.

II. EL FIN DE LA PEDAGOGIA ES FORMAR HOMBRES

En un artículo aparecido en el *Boletín de la Institución Libre de Enseñanza* vuelve machaconamente a insistir en sus mismos puntos de vista, repetidos hasta la saciedad. Merece la pena transcribirlo.

«Eso que de ordinario se llama pedagogía es algo meramente formal, de encasillado, de categorías jerárquicas, de... ¡liturgia! Suele ser —hemos de repetirlo— como una colección de moldes de quesos, de todos tamaños y formas y bien clasificados; pero en no habiendo leche ni cuajo no se hacen quesos con ellos, mientras que habiendo leche y cuajo puede dársele forma al queso en un pañuelo o hasta con la mano desnuda. Y así es la pedagogía.»

«La fundamental, la de fondo, se propone la educación del hombre, del ciudadano, y la otra, la formal, lo que llaman, mal llamado, disciplina. Porque disciplina —*discipulina*— dice relación a discípulo, y

[1] Además de los textos aducidos anteriormente, no es difícil encontrar otros. Así, por ejemplo, en la conferencia pronunciada por Unamuno en la Sociedad de Ciencias, de Málaga, el 23 de agosto de 1906, dice: «Enseñad constancia, sobre todo constancia en el trabajo, y enseñadlo con amor. Al amor, al amor a los niños, se reduce toda pedagogía. Mal enseñará a niños aquel a quien los niños fastidian, y esto es muy frecuente» (VII, 725).

éste, a *discere,* aprender, y con eso que llaman disciplina no aprenden más que la disciplina misma, pura forma, inanidad, vacío o liturgia.» [2]

Por primera vez, y no podía ser de otra manera si se tiene en consideración el pensamiento filosófico de Unamuno, explicita el objetivo de la verdadera pedagogía, «la educación del hombre, del ciudadano»; en *Amor y Pedagogía* [3], Apolodoro es un muñeco al que la pedagogía le ha impedido llegar a la madurez del hombre; Apolodoro no tiene carácter ni voluntad para enfrentarse con el primer fracaso, no sabe vivir ni es capaz de emanciparse de la tutela paterna. La única salida que ve es el suicidio. Unamuno, en el epílogo de esta novela, refiere cómo un amigo suyo, conocedor de la trama y del fin trágico de Apolodoro, le aconsejaba que cambiase el desenlace y que hiciese reaccionar al protagonista sacudiéndose la pedagogía, para casarse y ser feliz, a cambio de traducir la obra al inglés. El autor se negó a ello, quizá para que la sátira pedagógica fuese más sangrienta, o quizá por pensar que no es fácil sacudirse la educación recibida como quien se cambia de traje o de zapatos molestos [4].

III. UNAMUNO, PEDAGOGO Y «DEMAGOGO»

A lo largo de este trabajo he señalado la preocupación de Unamuno por el hombre concreto, por el hombre de carne y hueso [5]. El hom bre es el objeto de la filosofía y, por tanto, de la pedagogía. Para él ser hombre es lo más importante, y forjar hombres será la misión del pedagogo, hombres nuevos, como quería Giner, para una nueva España, tan necesitada de ellos. Mientras Giner se preocupaba sólo de sus «selectos», de los miembros de su cenáculo, Unamuno se preocupaba también de los suyos, forjándolos y preparándolos uno a uno, pero sin descuidar la acción pública, la educación de las masas, necesitadas también de la preocupación del pedagogo. Deseaba en sus clases parecerse lo más posible a don Francisco Giner, y en la tribuna y en las publicaciones, a Pablo Iglesias. Ambos eran necesarios en España y a ambos deseaba imitar Unamuno. «Conozco a un insigne maestro en pedagogía,

---

[2] Unamuno, «Boyscouts y Footballistas», en *BILE,* 31 de enero de 1921, páginas 14-15.

[3] «Me ha faltado voluntad para imponer la pedagogía; la pedagogía no me ha enseñado a tener voluntad», dice don Avito (II, 535). «Su padre le ha echado a perder con la pedagogía», dice Federico a Apolodoro (II, 541).

[4] *Amor y pedagogía,* II, 567-568.

[5] Cfr. parte II, cap. IV, «La huella de Kierkegaard».

a un hombre socrático, forjador de almas, que habla de la esterilidad de los esfuerzos de un insigne político, de un hombre demosténico, movedor de muchedumbres, el cual a su vez acusa al primero de haber perdido el tiempo. Por mi parte creo en la eficacia de ambos; no sabré decir en cual de la de los dos más, pero me parece que les falta razón cuando cada uno de ellos niega en parte la del otro. Tengo mi cátedra, procuro en ella no sólo enseñar la materia que me está encomendada, sino disciplinar y avivar la mente de mis alumnos, obrar sobre cada uno de ellos, hacer obra pedagógica; pero no desperdicio ocasión de hacerla demagógica, de dirigirme, ya por la pluma, ya de palabra, a muchedumbres, de predicar, que es acaso para lo que siento más vocación y más honda»[6]. Es decir, quería ser Giner y Pablo Iglesias a la vez, unamunizando a ambos, sin dejar de ser él mismo, don Miguel de Unamuno.

Gonzalo Redondo, en su obra *Las empresas políticas de Ortega y Gasset*[7], recoge algunos testimonios sobre el paralelismo de Giner y de Pablo Iglesias captado por los redactores de *El Sol* y *Crisol,* así como por otros contemporáneos de distinta ideología. La acción de ambos educadores dejó honda huella en la España contemporánea. En cierto modo, el uno complementa la obra del otro, aunque ambos se aferrasen a la suya propia minimizando la del otro.

IV. BASES ANTROPOLICAS DE LA PEDAGOGIA UNAMUNIANA

El tema del hombre es uno de los más repetidos por Unamuno a lo largo de toda su obra. El primer capítulo de su *Del sentimiento trágico de la vida en los hombres y en los pueblos* lleva por título «El hombre de carne y hueso», y sus primeras palabras son «*homo sum; nihil humani a me alienum puto*». En este capítulo habla del «hombre Manuel Kant», del «hombre Guillermo James», del «hombre Butler», del «hombre Spinoza», Fichte, etc., en contraposición al hombre abstracto existente únicamente en el sujeto pensante. «Y este hombre concreto, de carne y hueso, es el sujeto y el supremo objeto a la vez de toda filosofía», afirma Unamuno[8], y de la educación, por tanto.

[6] Unamuno, «La educación», prólogo a la obra de Bunge, del mismo título; III, 519.

[7] Rialp, Madrid, 1970, vol. II, 340-341 y 353.

[8] XVI, 128.

En su artículo «El dolor de pensar» [9], después de afirmar que no es abogado de nada ni de nadie, rectifica inmediatamente diciendo: «Aunque no, eso no es verdad. Soy abogado, sí; pero abogado del hombre, del yo. No de mí mismo, no de mi yo exclusivamente, sino de todo yo, del de usted, señor mío, del de cada uno de mis lectores, del de todos los demás. Yo defiendo al hombre, a cada hombre. Y por eso, para defenderle y tenerle a la defensiva, le ataco.» Salvar al hombre se convierte en la obsesión de Unamuno durante toda su vida; salvar al hombre de la máquina, de la ciencia, del arte, de las ideas [10], de los partidos políticos. El respeto al hombre está «por encima del interés de la patria» [11], por encima de todo, puesto que «un alma humana vale por todo el universo» [12]. Convertido en abogado del hombre, lucha contra todo lo que le deshumanice [13], contra todo lo que menoscabe su plenitud e integridad. Le apasionan las autobiografías, las memorias, las obras personales en las que el hombre no se deja ahogar por el escritor [14]. El destinatario de sus novelas no es el público en general, ni siquiera una minoría, sino el lector concreto, cada uno de los lectores en singular. «Me interesas tú —escribe—; tú mismo, como persona; me interesarían, si las conociese, tus penas y tus alegrías, tus inquietudes, tus desalientos» [15], pero no tus ideas. Aun cuando se dirigía a un público numeroso, intentaba reducir la masa a unidad individual, haciéndose la ilusión de hablar a cada uno de sus oyentes, «a uno cualquiera, a cualquiera de ellos, a cada uno, no a todos en conjunto» [16].

Ser hombre para Unamuno es el principio y el fin del hombre en la vida; no ser español, ni americano, ni europeo, ni asiático, sino *hombre,* por encima de «las estrecheces de círculo, de nación, de raza» [17], hombre universal y eterno, hombre no circunscrito a una época ni a unas fron-

---

[9] *La Esfera,* Madrid, 7 de agosto de 1915; X, 315-316. Los textos paralelos se pueden multiplicar. He aquí uno más: «Yo no defiendo y predico un yo puro, como el de Fichte, el apóstol del germanismo, un yo que no sea más que un yo, sino que defiendo y predico el yo impuro, el que es todos los demás a la vez que él mismo» («Una entrevista con Augusto Pérez», *La Nación,* Buenos Aires, 21 de noviembre de 1915; X, 333).

[10] Cfr. «La dignidad humana», *Ciencia Social,* Barcelona, enero, 1896; III, páginas 441-450.

[11] «Confesión de culpa», *El Día,* Madrid, 7 de diciembre de 1917; X, 395.

[12] *Del sentimiento trágico...,* XVI, 139; la misma idea, pág. 173.

[13] Posiblemente sea Unamuno el primer escritor español en hablar de la *deshumanización* del hombre, en su ensayo *La dignidad humana,* publicado en 1896.

[14] «Sobre mí mismo, pequeño ensayo cínico», *Los Lunes de «El Imparcial»,* Madrid, 24 de noviembre de 1913, X, 244.

[15] «¡Ramplonería!», *Nuestro Tiempo,* Madrid, 10 de julio de 1905; III, 872.

[16] «Soledad», *La España Moderna,* Madrid, agosto de 1905; III, 887.

[17] Prólogo a *Más allá del Atlántico,* de Luis Ross Mugica; VII, 236.

teras determinadas, hombre que no es de aquí ni de allí, sino de siempre, el hombre que vive «en el légamo de cada etiqueta nacional».

Ahora bien, ¿cómo es el hombre visto por Unamuno?, ¿qué virtudes le adornan?, ¿qué límites encierra el concepto hombre?, ¿se nace hombre o, por el contrario, se hace viviendo la vida? Es decir, ¿el hombre aparece al principio o al final de la vida?

El fin del hombre es realizarse; «he venido a realizarme», dice en repetidas ocasiones. En cuanto a conocerse, el famoso «conócete a ti mismo» socrático es preferible dejarlo de lado opuesto que el hombre se conoce mejor a través de sus obras que a través de la introspección. «Conócete a ti mismo» decía Sócrates en el templo de Delfos, y Tomás Carlyle, el puritano, le responde: «¿Conócete a ti mismo? Harto te ha atormentado ese pobre ti mismo; ¡jamás le conocerás, créelo! No creas que tu cuestión es conocerle: eres un individuo inconocible; conoce lo que puedes obrar y obra como un Hércules! ¡Este será tu mejor plan!»

Tiene razón el puritano; la obra, no el hombre, porque tan chico como es éste es aquella grande. Cuando la obra no vale más que el hombre que la lleva a cabo, es cuando éste es digno de aquélla.

Estudiarnos es encerrarnos en la pereza de nosotros mismos, y obrar, vivir en comunión con nuestros hermanos; la ciencia es el principio del egoísmo, y la acción, el de la caridad.

El de la sabiduría es saber ignorar, y su fin, detenerse ante el misterio. Pero allí donde el hombre se detiene ante el abismo, su fe viva, madre de la obra, colma el abismo. Esto hace la fe, la verdadera fe, la fe viva, no el espíritu seco de la forma legada ni la confianza en la palabra ajena, ¡no!, sino el esfuerzo vigoroso y propio por crear lo que no conocemos ni acaso conoceremos nunca.

A todo joven a quien se le abre el camino de la vida hay que repetirle: «Déjate de ti mismo, que no vales nada; mira tu obra, ten fe en ella y ¡adelante!» [18].

El hombre se mide por su obra; cuando mayor sea ésta tanto mayor es aquél; pero para realizarla se necesita fe viva, fe que traslade las montañas de sus cimientos y conocimiento de las propias posibilidades, y conocer éstas supone poner manos a la obra, si no queremos encerrarnos en la pereza de la pura contemplación.

Unamuno clasificaba a los hombres en tres categorías, apoyándose en las epístolas de San Pablo: los carnales o *sárcinos,* los animales o *psíquicos* y los espirituales o *pneumáticos.* Carnales son los que no piensan en otra cosa que en comer, beber y dormir; los psíquicos son los intelectuales amantes de la ciencia y del progreso; «el psíquico

---

[18] Prólogo autógrafo de Unamuno a las *Memorias de un estudiante en Salamanca,* de J. Balcazar y Sabariegos, Madrid, 1935, Ed. Calatrava.

español clama por la regeneración patria, admira el teléfono y el fonógrafo y el cinematógrafo; lee a Flammarión, a Haeckel, a Ribot; posee tomos de la biblioteca Alcan, y cuando pasa junto a él la locomotora se queda extático contemplando su majestuosa marcha. Y si el psíquico es católico ortodoxo, admira el genio de Santo Tomás, aunque no lo haya leído (...).»

«Y por último vienen los espirituales, los soñadores, los que llaman aquéllos con desdén místicos, los que no toleran la tiranía de la ciencia ni aún la de la lógica, los que creen que hay otro mundo dentro del nuestro y dormidas potencias misteriosas en el seno de nuestro espíritu; los que discurren con el corazón, y aun muchos que no discurren.» [19]

Ni que decir tiene que entre estos últimos se incluye Unamuno. El grupo lo forman los místicos, los poetas, los intuitivos, los que no piensan con la cabeza, sino con el corazón; aquellos que rompen la norma, la cordura oficialmente establecida; son aquellos que juzgan todo desde el ángulo religioso, desde su relación con Dios y con los hombres, y de esta relación trascendente hacen norma de vida.

Cotidianamente luchaba por ser él mismo, por parecerse más cada vez a la imagen que de sí se había forjado, por «unamunizarse» más cada vez y «unamunizar» a todo lo que le rodeaba. «Sé tú, tú mismo, único e insustituible. No haya entre tus diversos actos y palabras más que un solo principio de unidad: tú mismo.» [20] Estas palabras del inefable filósofo don Fulgencio se las repite a sí mismo Unamuno. Suponen la aceptación de sí mismo, la unidad entre el pensamiento y la acción, la autenticidad [21]. No podía comprender que una determinada persona quisiera dejar de ser él para convertirse en otra. Los cambios en la manera de ser o de pensar son admisibles dentro de la unidad y continuidad personales, dentro del principio de autoperfección continua a la que hay que aspirar; pero estos cambios no deben afectar a la entraña de la personalidad. «Ni a un hombre ni a un pueblo —que es en cierto modo un hombre también— se le puede exigir un cambio que rompa con la unidad y la continuidad de su persona. Se le puede cambiar mucho, hasta por completo casi; pero dentro de continuidad.» [22]

---

[19] «Intelectualidad y espiritualidad», *La España Moderna,* Madrid, marzo de 1904; III, págs. 710-711.

[20] *Amor y Pedagogía,* II, 507.

[21] «Lo que determina a un hombre, lo que le hace *un* hombre, uno y no otro, el que es y no el que no es, es un principio de unidad y un principio de continuidad. Un principio de unidad primero, en el espacio, merced al cuerpo, y luego en la acción y en el propósito» (*Del sentimiento trágico...,* XVI, 134).

[22] *Del sentimiento trágico...* XVI, 136.

Una vez aceptado el hombre tal como es o como quiere ser —Unamuno fluctúa entre ambas fórmulas—, desea que el hombre viva dentro de sí mismo, creando su propia riqueza interior y en diálogo continuo consigo mismo. El ensayo *¡Adentro!,* escrito en 1900, es uno de los más significativos.

Lo encabeza su autor con el texto agustiniano «*in interiore hominis habitat veritas*». «Sal pronto de ahí y aíslate —dice Unamuno a su anónimo corresponsal— por primera providencia; vete al campo, y en la soledad conversa con el universo si quieres, habla a la congregación de las cosas todas.» [23] «Avanza, pues, en las honduras de tu espíritu, y descubrirás cada día nuevos horizontes, tierras vírgenes, ríos de inmaculada pureza, cielos antes no vistos, estrellas nuevas y nuevas constelaciones.» [24] Ahora bien, «vas descubriéndote conforme obras» [25]. La riqueza interior de nada sirve si no se comunica, si no trasciende a los demás. En este sentido escribe Unamuno: «Reconcéntrate para irradiar; deja llenarte para que rebases luego, conservando el manantial. Recójete a ti mismo para mejor darte a los demás todo entero e indiviso. "Doy cuanto tengo", dice el generoso. "Doy cuanto soy", dice el héroe. "Me doy a mí mismo", dice el santo; y di tú con él, y al darte: "Doy conmigo el universo entero." Para ello tienes que hacerte universo, buscándolo dentro de ti.» [26]

El hombre interior vive dentro de sí mismo, y a la vez, dentro de la sociedad; lucha contra el narcisismo estéril socializándose. Se da todo entero a la sociedad, pero sin encadenarse a ella; recibe todo de la sociedad, y a ella se lo devuelve de nuevo enriquecido. El hombre interior vive con los demás, vive como todos; pero siente a través de sí mismo. «Sólo en la sociedad te encontrarás a ti mismo; si te aíslas de ella no darás más que con un fantasma de su verdadero sujeto propio. Sólo en la sociedad adquieres tu sentido todo, pero desligado de ella.» [27] El problema de esta interacción hombre sociedad, de este llenarse hasta rebosar, para poder verterse a los demás, de este dar y no pedir nunca que aconseja Unamuno, de este apartarse de la sociedad para zambullirse en el silencio interior; el problema, repito, reside en lograr el espíritu de libertad suficiente para no dejarse encadenar por la sociedad en la que se vive y a la que se sirve. El peligro está en vivir tan ensimismado, tan en propia compañía, que el diálogo interior se convierta en monólogo exterior, sordo a los monólogos de los otros, de-

---

[23] «¡Adentro!», 1900, III, 419-420.
[24] *Ibídem,* 420.
[25] *Ibídem,* 420.
[26] *Ibídem,* 427.
[27] *Ibídem,* 427.

fecto del que no fue capaz de escapar Unamuno. Su superabundante riqueza interior, su afán en convertirse en especie única y su agresividad mesiánica le empujan a vivir solo en medio de los demás; su afán de no dejar ahogar su espíritu le empuja a la terrible soledad.

Otro interesante punto de este sustancioso trabajo de Unamuno que estoy comentando es el ideal. Aconseja en éste y en otros escritos que el ideal que guíe al hombre en su lucha por engendrarse a sí mismo sea utópico, inaccesible: siempre futuro y *utópico*, es decir, de ningún lugar. El punto de partida es la frase evangélica «sed perfectos, como mi Padre celestial es perfecto». Ahora bien, como esta perfección es inalcanzable, el hombre, si quiere vivir evangélicamente, debe vivir como la cuerda de un arco en tensión durante todo el ciclo de su vida, pues sólo tendiendo a lo inaccesible se puede llegar a lo accesible. «Pon en tu orden muy alta tu mira —dice Unamuno—, lo más alta que puedas, más alta aún, donde tu vista no alcance, donde nuestras vidas paralelas van a encontrarse: apunta a lo inaccesible.» [28] Líneas más abajo escribe: «Morir como Icaro vale más que vivir sin haber intentado volar nunca, aunque fuese con alas de cera. Sube, sube, pues, para que te broten alas, que deseando volar te brotarán. Sube, pero no quieras, una vez arriba, arrojarte desde lo más alto del templo para asombrar a los hombres, confiado en que los ángeles te lleven en sus manos, que no debe tentarse a Dios. Sube sin miedo y sin temeridad. ¡Ambición, y nada de codicia!» [29]

Sólo viviendo en tensión, en lucha consigo mismo y con los demás, con la mirada fija en el ideal platónico de lograr la mayor perfección posible, vive el hombre unamuniano, conquistándose a sí mismo a diario, modelándose sin descanso, pensando siempre que el ideal todavía está lejos. «Tu acabada personalidad está al fin y no al principio de tu vida.» [30], dice Unamuno; sólo con la muerte termina el hombre de engendrarse y de descubrirse a sí mismo.

La personalidad se hace viviendo la vida, sin plan fijo, sin haber trazado previamente el cañamazo de la conducta. «¡Nada de plan previo, que no eres edificio! No hace el plan a la vida, sino que ésta lo traza viviendo. No te empeñes en regular tu acción por tu pensamiento; deja más bien que aquélla te forme, informe, deforme y transforme éste.» [31] Líneas más abajo explica nuestro autor: «¿Fijarte un camino? El espacio que recorras será tu camino; no te hagas como planeta en su órbita, siervo de una trayectoria. Querer fijarse de antemano la vía

---

[28] *Ibídem,* 419.
[29] *Ibídem,* 422.
[30] *Ibídem,* 420.
[31] *Ibídem,* 420.

redúcese en rigor a hacerse esclavo de la que nos señalen los demás, porque eso de ser hombre de meta y de propósitos fijos no es más que ser como los demás nos imaginan, sujetar nuestra realidad a su apariencia en las ajenas mentes. No sigas, pues, los senderos que a cordel trazaron ellos; ve haciéndote el tuyo a campo traviesa, con tus propios pies, pisando sus sementeras si es preciso.» [32]

Hombre libre, no esclavo, quiere Unamuno. Hombre con libertad para contradecirse sinceramente, con libertad para sacudirse el pasado y con fe en el porvenir; libre para romper la propia trayectoria trazada por sí mismo o por los demás; hombre que hace camino al andar, como decía su amigo Machado, aunque sea campo a través; hombre asteroide, no planeta, ambicioso; hombre «idea viva», que no se sacrifica «a las muertas, a las que se aprenden en los papeles" [33]; hombre que pone su principal empeño en ser único e insustituible; hombre que se enfrenta a la vida «seriamente alegre» [34].

Este hombre interior, universal e individual a la vez, «el entero y no de partido» [35], se opone al hombre de la calle, al de la ciudad, el hombre que se siente perdido fuera del rebaño, al que no se atreve a enfrentarse a solas con su individualidad íntima, al hombre de masa, en una palabra [36]. De él volveré a tratar de nuevo al hablar de las relaciones de Unamuno con la juventud.

Enemigo de todo dogmatismo, de todo sistema, sugiere, aconseja, apunta las líneas maestras de lo que él cree debe ser una buena educación. Incapaz por temperamento de elaborar un cuerpo de doctrina coherente, difícilmente puede agruparse su pensamiento educativo en un sistema propio, unamuniano. A lo más que llega es a construir los cimientos sobre las bases de su pensamiento filosófico y de la experiencia que le suministran sus largos años de maestro universitario, sinceramente preocupado por la formación de los jóvenes que a diario reciben su trato y de los otros a los que no conoce tan íntimamente, pero que leen sus obras.

Su enemiga con las fórmulas, recetas y moldes pedagógicos es perfectamente lógica si se piensa que cada uno es único, distinto a los demás. Se revuelve contra quienes creen que a los educandos hay que meterlos en las estructuras pedagógicas que el educador lleva consigo apriorísticamente. El proceso es inverso: partir del educando, de cada uno en concreto y en particular, para después educarle de acuerdo con

[32] *Ibídem*, págs. 420-421.
[33] *Ibídem*, 423.
[34] *Ibídem*, 426.
[35] «El hombre interior», *Ahora*, Madrid, 28 de marzo de 1933; XVI, 887.
[36] *Ibídem*, 887.

sus propias posibilidades. A mi juicio, esta postura es la correcta y tiene plena vigencia actual. No se puede educar en serie ni se debe masificar; a lo más que se llega con ello es a instruir, pero no a educar. Antes de formar ciudadanos, socialistas, republicanos o monárquicos, antes de formar alumnos a los que desde el principio se les pone la marca del sistema ideológico o político, es preciso formar hombres, hombres nuevos, íntegros, desarrollados armónicamente en todas sus facultades; hombres consecuentes en su pensamiento y en su conducta, sinceros consigo mismo y con los demás, auténticos, dotados de toda la perfección que el hombre sea capaz de conseguir. Pocos son los sistemas pedagógicos que nieguen la importancia de la formación integral del hombre, aunque en la práctica subrayen más el aspecto social, el natural, el ambiental, etc.

V. EL «EROS PEDAGOGICO» Y LA EDUCACION INDIVIDUALIZADA

La pedagogía se reduce para Unamuno al amor. El amor es el mejor pedagogo. Los «milagros» de Pestalozzi se explican mejor por el inmenso cariño que sentía a sus niños abandonados que por su sistema educativo. Lo mismo puede decirse de Fröbel. Spranger y el mismo Kriekemans se sitúan en esta misma línea del *eros pedagógico* [37].

Ahora bien, las líneas maestras de la pedagogía de Unamuno presentan matices originales. El quicio en el que descansa es la afirmación rotunda de la libertad; es una educación liberalizadora dirigida a formar hombres radicalmente libres, no esclavos. Yvonne Turin así lo señala al afirmar [38] que «todas las observaciones, principios, recomendaciones sobre pedagogía se apoyan sobre el principio único de la libertad; esto es lo esencial, la base de todo». Con lo cual Unamuno coincide de lleno con Dewey, el hombre que más ha influido en la educación actual. Para el educador norteamericano, el centro de gravedad de la pedagogía es la libertad; el educador ayuda a adquirir libertad, no la restringe; coloca al alumno sin coacción de ningún tipo en el camino de la libertad, en la creación de la fuerza del dominio de sí mismo.

Unamuno es partidario de una pedagogía individualizada. El educador ayuda a que cada uno se descubra a sí mismo, partiendo del

---

[37] Cfr. A. Kriekemans, *Pedagogía general,* Herder, Barcelona, 1968, pág. 44.
[38] *Unamuno universitario,* ob. cit., pág. 67.

hombre concreto, con sus límites y posibilidades. Transmite confianza, fe en sí mismo, empuja a la acción, señala el ideal ajeno, inaccesible, contagia entusiasmo, disciplina la mente, despierta al dormido, posibilita e impele hacia la creación de la propia riqueza interior; comunica tensión, vértigo, ansia de perfección ilimitada... Da el primer impulso en la autoformación, exige disciplina, obliga a reflexionar y a crear las propias ideas. Es un transmisor de actitudes, de autorresponsabilidades. Se muestra agresivo como Giner con sus íntimos, para servirles mejor, para extirparles quirúrgicamente sus propios defectos, es decir, para liberarlos de sí mismos.

Difícilmente puede reducirse esta dicotomía maestro-alumno a fórmulas matemáticas. La interacción de ambos es algo vital, inefable, que escapa a las recetas. Supone un testimonio personal paradigmático que el alumno intenta aprehender incluso inconscientemente. La calidad humana del maestro, el don magistral es más innato que adquirido en los tratados de pedagogía. Es un *quid* divino con el que se nace. Así lo señala Dante Morando en su *Pedagogía*[39] cuando afirma que si «bien en verdad que para poner en acción la actividad educadora es preciso más que nada una cierta habilidad, un cierto arte y poseer determinadas dotes particulares que, por otra parte, no se adquieren ni meditando ni estudiando determinados libros. En cierto modo puede decirse que se nace educador como se nace poeta». En esta línea puede justificarse el poco aprecio manifestado por Unamuno hacia la pedagogía en su aspecto teórico.

---

[39] Ed. Luis Miracle, S. A., Barcelona, 3.ª edic., 1968, pág. 7.

EL MAESTRO, EN LA LINEA SOCRATICA

I. EL MAESTRO ESPAÑOL VISTO POR UNAMUNO

Dos partes claramente definidas abarca este capítulo: el maestro español, tal como Unamuno lo conoció, y el maestro tal como él deseaba que fuera. Ambos contribuyen con sus luces y sombras a formar un concepto claro de uno de los dos principales agentes del fenómeno educativo —el otro es el propio alumno...

En un trabajo titulado «Aspectos lingüísticos» [1], establece Unamuno la etimología de una serie de palabras, entre ellas la de maestro: «*magister, de magis,* más, era el que estaba al frente de un taller u oficina; el que la dirigía, el maestro, en una palabra. Y el último, el pinche, el que ministraba, era el ministril o *ministro,* del latín *minister,* de *minus,* menos. El maestro, *magister,* era, pues, el que más, *magis,* y el ministro, *minister,* el que menos, *minus.*»

En otro lugar, al hablar de la etimología y sentido primigenio de la palabra *pater,* «el que apacenta o alimenta, *pascit*» [2], establece su correlativo, *alumnus,* el alumno, el alimentado, sentido que hoy se ha perdido.

El tema del maestro está íntimamente unido al de las escuelas normales; de su organización, de su nivel docente depende en gran parte el de los maestros que en ella se han formado. La actitud de Unamuno frente a las normales españolas es dura, sin duda alguna; pero su testimonio concuerda con los de los escritores de la época. «A nuestras normales —escribe Unamuno en 1907 [3]— iban a dar casi todos los mancos, cojos, tullidos y estropeados, casi todos los hijos de campesinos

---

[1] *Alrededor del mundo,* Madrid, 26 de septiembre de 1902 y 20 de febrero de 1903; VI, 486.

[2] Discurso en Orense, junio de 1903; VII, 529.

[3] «Los maestros de escuela», *La Nación,* Buenos Aires, 4 de septiembre de 1907; VIII, 399-400.

que no servían para las labores del campo, y con ellos un buen número de fugados del seminario y otras especies de náufragos de la vida.

En las provincias españolas del litoral cantábrico, mientras las escuelas normales de maestras están muy nutridas de alumnas, a las de maestros apenas acuden aspirantes, y es que los hombres desdeñan carrera tan poco lucrativa. Prefieren emigrar. Y así, mientras en mi país vasco, por ejemplo, las más de las maestras son del propio país, los más de los maestros son de afuera.

Algo empieza a cambiar esto desde que las atenciones de primera enseñanza corren a cargo del Estado, que les ha aumentado los sueldos.»

He hablado ya de la precaria situación del maestro, de su escaso nivel cultural, del problema del analfabetismo, de los congresos y asambleas pedagógicas, de la necesidad de nuevas escuelas y de la calidad humana de los aspirantes al magisterio y de los sueldos irrisorios que sufrían —no que gozaban— los maestros. Citaba entonces el testimonio de Costa, para quien los que en España eran maestros se debía a que no podían ser otra cosa. Para no repetir inútilmente lo dicho entonces, me reduciré a completar el cuadro descrito por Unamuno, a base de textos no citados entonces.

Aunque parezca una paradoja, el maestro, según Unamuno, debe ser un maestro y no un pedagogo, puesto que la pedagogía es lo que más les perjudica: «Lo que ha acabado de estropear al maestro de escuela es eso que llaman ellos pedagogía. Como es su conocimiento específico aquello cuya ciencia creen les distingue de los demás, se han agarrado a la pedagogía y no hay quien en ella les resista."[4] A mi juicio, no era la pedagogía más o menos equivocada lo que echaba a perder a los maestros de escuela, sino su escasa preparación científica, que nunca puede sustituirse por una pedagogía, por buena que ésta fuese. El mal no era la pedagogía, sino la ignorancia de los maestros señalada por el mismo Unamuno. Para él los maestros tienen un barniz superficial de ciencia sin profundidad alguna. Son «maestros tintoreros. O esto es, por lo menos, lo que se ha querido hacer de ellos, unos pequeños enciclopedistas. Causa horror considerar el número de cosas que en cuatro cursos se pretende meter en la cabeza de esos pobres muchachos que vienen de los pueblos en un estado de perfecta ignorancia enciclopédica. ¡Y así salen ellos!»[5]

Ve a los maestros como «pedantes, llenos de prejuicios», «pedigüeños, quejillones, leguleyos y enredadores. Saben más de legislación de primera enseñanza que de pedagogía o aritmética. Hay no pocos que

[4] «Los maestros de escuela», *La Nación,* Buenos Aires, 4 de septiembre de 1907; VIII, 402.

[5] *Ibídem,* 401.

Serenidad en la última etapa de su vida.

se complacen en variar de escuela, sin más fin que acumular años de servicios, sin servir. Los hay que van huyendo de un pueblo en que la Junta Local los obliga a asistir y no les consiente licencias (otro abuso), y conozco maestro que en cuatro años ha servido más de diez escuelas» [6].

No se puede decir que Unamuno conociese a los maestros superficialmente. Las escuelas normales, junto con las escuelas y maestros incluidos, dependían entonces directamente de la autoridad del rector de la Universidad, autoridad que se extendía a todo el distrito universitario. Del rector dependían los nombramientos de los maestros, ascensos, permutas, expedientes, etc. Por otra parte, a muchas de las oposiciones al magisterio nacional asistió Unamuno como miembro o presidente del tribunal. En la Casa Museo de Salamanca tuve la ocasión de hojear un cuadernillo de pastas negras en octavo —frecuentemente usados por Unamuno para sus notas personales—, en el que anotó las impresiones que, en tribunal, le causaron los opositores a través de los distintos ejercicios de acceso al magisterio primario.

Antonio J. Onieva recuerda una anécdota contada por Unamuno en la Residencia de Madrid, la cual revela el comportamiento de Unamuno como rector con los maestros de su distrito [7]: «Un día se le presentó un pobre maestro para pedirle lenidad en la resolución de un expediente gubernativo que se le había incoado, añadiendo que de él, de Unamuno, pendía su vida. Unamuno se negó a toda transigencia, y el maestro se despidió. Unos minutos después le pasaban un recado de que un maestro acababa de suicidarse en la calle. Era el mismo que había estado en el despacho del rectorado. Unamuno lo lamentó, ya que no pudo presumir que la situación de aquél fuese tan extremada.»

No hay motivos suficientes para dudar de la historicidad de este hecho, dado el carácter intransigente de Unamuno en el cumplimiento del deber para consigo mismo y para con los demás. Volveré a este tema al final del capítulo.

Unamuno, sin embargo, no cae en la literatura fácil a costa del maestro. Le ataca cuando su público está formado por maestros o cuando escribe para el público argentino; pero cuando sus escritos van dirigidos a la sociedad española lo hace con seriedad, en tono laudatorio. «Sirve aquí el estado de los maestros de primeras letras para tema de declaraciones retóricas, pero en el fondo se desprecia hondamente,

---

[6] Carta de Unamuno publicada en *El Magisterio Español,* en 1905. En A. Sastre, *El Magisterio español. Un siglo de periodismo (1867-1967),* ob. cit.

[7] Antonio J. Onieva, «Recuerdos de la Residencia», *Revista de Occidente,* Madrid, septiembre de 1968.

no ya sólo al maestro, a su función; desasnar muchachos es lo último.» [8] En una nota a pie de página agrega: «A los lamentos por el abandono en que se tiene al magisterio, contestan no pocos que no merecen más ni valen lo que cuesta. Esto es un círculo vicioso y nada más. ¿Cuál fue antes, la gallina o el huevo? No se los dignifica porque se dedican a tal función pocos jóvenes de valía, y no lo hacen éstos porque no se dignifica al magisterio.» [9]

Unamuno denuncia la indiferencia de la opinión pública respecto a la labor del maestro de escuela y de los problemas pedagógicos, aunque la época ponga de moda hablar de ello. En el fondo —dice— «les carga la ciencia y están convencidos de que los brutos e ignorantes son más felices que los intelectuales y cultos: fáltales fe en la cultura, que es en España casi exótica» [10]. Es más, las familias ven en la escuela la liberación de los hijos molestos en el hogar. «Estorba el niño en casa, molesta a los padres... "¡Ea, a la escuela!" Le diré al maestro que te castigue, pillo, pillete. *(Aparte.)* Me es tan molesto esto de castigarlos... Y luego, que no les enseñe demasiado, no; que no les cargue la cabeza... Tienen que crecer. Y ¡para lo que han de aprender!...» [11]

No es preciso insistir en las consecuencias que el divorcio entre la escuela y la sociedad supone para ambos. No deja de ser hoy un tópico afirmar la necesidad de la estrecha colaboración entre la familia, la escuela y la sociedad. Está claro que del estado de salud de la familia y de la sociedad depende el de la escuela, aunque ésta viva lo más divorciada posible de ambas, aunque viva de espaldas a ellas, olvidando su papel delegado y su función social, la ósmosis sociedad-familia-escuela es inevitable, a no ser que se piense en un tipo de escuela como quería Fichte, desvinculada por completo de todo ligamen familiar y social. La vida de las escuelas públicas españolas ha sido lánguida durante muchos años, durante siglos. En los pueblos, las juntas locales eran las encargadas de controlar al maestro y de pagarle de acuerdo con sus recursos económicos. La desamortización de Mendizábal arruinó también a los pueblos y les privó de los bienes comunales, aumentando considerablemente la pobreza de los vecinos. Los maestros elegidos apenas si sabían leer, escribir y mal contar; rara vez percibían sus magros

---

[8] Unamuno, *En torno al casticismo* (1895), III, 295.

[9] *Ibídem,* III, 295. En el artículo «La pirámide nacional» se expresa con parecidas palabras: «El problema de la instrucción pública en España suele ser un mero tópico de retórica; la triste verdad es que se menosprecia a los maestros. Cuidar caballos produce más que desasnar niños. Viven los pobres maestros en terrible círculo vicioso; no se les recompensa mejor porque su trabajo no lo merece, y no lo merece porque no se les recompensa mejor.» *Vida Nueva,* Madrid, 2 de septiembre de 1898; IV, 1034.

[10] *La educación,* ob. cit., III, 520.

[11] *De la enseñanza superior en España* (1899), III, 64.

sueldos con regularidad. El problema de la escuela no existía para las familias acomodadas; sus hijos no acudían a las escuelas públicas, sino a los colegios privados, generalmente de la Iglesia. La situación comenzó a cambiar en 1900, con la creación del Ministerio de Instrucción Pública. El pago de los maestros pasó a depender del Estado por Real Decreto del 21 de octubre de 1901, siendo ministro el conde de Romanones y según proyecto de Montero Ríos, en 1886. El Museo Pedagógico Nacional, creado por Albareda en 1882 y con Cossío de primer director, comenzó a influir de manera decisiva, aunque indirecta, en la reforma de las escuelas normales. El Consejo de Instrucción Pública, existente ya hacia la mitad del XIX, comenzó a tener verdadera actividad en 1900. La Junta de Ampliación de Estudios, creada por Real Decreto del 11 de enero de 1907, concedió en catorce años 810 becas, muchas de ellas para visitar los principales centros docentes de Europa. A estos organismos hay que añadir la Junta para el Fomento de la Educación Nacional y la Escuela Superior de Magisterio, vivero de los futuros profesores de normales, donde Ortega y Gasset dio sus primeras lecciones de Metafísica [12].

Ligadas íntimamente estas instituciones a los hombres de la Institución Libre de Enseñanza, hicieron posible el cambio de la educación nacional y aportaron soluciones concretas a los endémicos problemas planteados desde hacía mucho tiempo y cuya solución parecía casi imposible. Los congresos, asambleas y mítines pedagógicos; las campañas de prensa, la industrialización cada día más importante de las ciudades hicieron posible el cambio de mentalidad y se comenzó a trabajar eficazmente en la reforma de la educación nacional, Diputaciones, ayuntamientos y entidades profesionales y culturales, sobre todo del litoral cantábrico y levantino, pusieron manos a la obra sin esperar que el Gobierno diese solución a cada uno de los problemas planteados.

II. LA PASION DEL MAESTRO EN LA TAREA DOCENTE

Es sabido que Unamuno protestaba siempre que se le llamaba sabio. Sentía hacia este vocablo la misma antipatía que por la de profesor —el que profesa algo—. Aceptaba para sí el nombre de maestro, y por tal se tenía. Además de la carga despectiva que el nombre de

---

[12] Cfr. M. Dolores Gómez Molleda, *Los reformadores de la España Contemporánea,* ob. cit. pág. 492.

maestro ha tenido tradicionalmente, también tiene otro contenido elevado de respeto y prestigio. Maestros fueron Sócrates, Cristo, Giner, Bardón y González Garbín, el maestro de griego de Ganivet y de Rizal. «Este nombre de maestros —escribe— no implica en este caso nada de petulancia, sino que es, por el contrario, el más sencillo y el más humilde, pudiendo a la vez llegar a ser el más sublime. Maestro es el que enseña las primeras letras, y ni él las inventó ni para transmitir su enseñanza hace falta ni una inteligencia poderosa ni menos conocimientos extraordinarios. Pero puede enseñar a leer con tal espíritu y poniendo en ello tanta alma y tanto amor y tanta dedicación religiosa, que llegue a verdadera sublimidad de magisterio la enseñanza de las primeras letras.» [13]

Ni la profundidad ni el número de los conocimientos es lo que Unamuno admira en el maestro. La admiración, veneración y profundo respeto que siempre sintió a sus maestros, a sus verdaderos maestros, desde don Sandalio hasta Bardón, no se debían a la cantidad de conocimientos que le transmitieron, sino a su calidad humana; no eran profesores, ni catedráticos, ni sabios, sino hombres; hombres que no se dejaban ahogar ni por la ciencia, ni por la cátedra, ni por la profesión que ejercían; hombres que hacían oír más al corazón que a la cabeza [14].

Los mejores métodos pedagógicos, la amenidad al impartir la enseñanza, el interés intrínseco de cada una de las disciplinas, el chiste, la anécdota oportuna, la facilidad y atractivo con que el maestro enseña, pueden compararse en sus efectos a la pasión con que el maestro se entrega a sus alumnos, a lo que Unamuno llama «el heroico furor del magisterio» [15]. «Lo que más encadena a un discípulo a su maestro, lo que más le hace cobrar afición a lo que éste le enseña, es sentir el calor de la pasión por la enseñanza, del heroico furor por el magisterio. Cuando el que aprende siente que quien le enseña lo hace por algo más que por pasar el tiempo, por cobrar su emolumento o por lo que llamamos cumplir el deber, y no suele pasar de hacer que se hace, entonces es cuando aquél se aficiona a lo que se le enseña." [16]

---

[13] «Sobre la carta de un maestro», *La Nación,* Buenos Aires, 3 de junio de 1908; IV, 924.

[14] «Estoy seguro de que cuando hayan desaparecido los ingenuos y los maliciosos que me motejan de sabio —aquéllos por benevolencia y por malevolencia y pequeñas pasioncillas rastreras éstos— habrá muchos que me harán la justicia de comprender y sentir que, si logré alguna vez algo, es por haber escrito con el corazón» (Unamuno: «Sobre la carta de un maestro», ídem, pág. 925).

[15] «Arabesco Pedagógico», *Los Lunes de «El Imparcial»,* Madrid, 17 de noviembre de 1913; XI, 292.

[16] *Ibídem,* XI, 292-293.

Por otra parte, la pasión de enseñar que siente el maestro «no es sino la pasión de aprender». El maestro no va al encuentro de su discípulo con su verdad adquirida para transmitirla dosificada de acuerdo con el grado de madurez de sus alumnos; el maestro va también al diálogo para aprender. En un discurso de Unamuno dirigido a los estudiantes universitarios de Salamanca en el primer aniversario de la República [17], dice: «Disciplina —vosotros lo sabéis— viene de «aprender». Enseñando se aprende... ¡ah!, ¡naturalmente!, y aprendiendo se enseña. Yo he enseñado aquí a generaciones de muchachos de nuestra España. Pero ellos me han enseñado a aprender.» Y dos años después, y ante el mismo público estudiantil: «Tenía que disciplinar a discípulos. Y así llegó a asistirme el ánimo simbólico de Sócrates, el hijo de la partera, el gran partero que se llamó a sí mismo, el que asistía a la mocedad ateniense a que se diera a luz, a propia clara conciencia, la visión del mundo y así le recreara recreándose en ella. Y esto por la palabra. Que Sócrates, como el Cristo, el Verbo, no nos dejó escrito nada; no se enterró en letra.» [18] Once años antes de este discurso de jubilación había escrito un artículo titulado «A los treinta y dos años», los años que en 1923 llevaba dedicado a la enseñanza pública. Durante este tiempo, dice Unamuno, «ha estado estudiando, con sus alumnos, con sus discípulos, Humanidades. Aprendiendo y enseñando que es la inteligencia, que es la razón la que salva a los hombres y a los pueblos» [19].

En su artículo ya citado «Sobre la carta de un maestro» —González Garbín— confiesa: «No nos damos bien siempre cuenta de lo que es esa labor oscura y tenaz, de lo que es la obra de la palabra viva vertida un día y otro día en la intimidad del afecto que crea el trato, mirándose maestro y discípulo a los ojos, sintiéndose mutuamente la respiración cálida.» [20]

Con estos fragmentos encarrila Unamuno la acción del maestro en la única vía razonable, porque es vía viva y no muerta, de educación, en la postura socrática. El maestro aporta al encuentro con su discípulo la magia de la palabra administrada con pasión. La palabra magistral es una punta de lanza que despierta al alumno dormido sus aptitudes latentes. Le sacude en todo su ser y sugiere actitudes, desembroza caminos y empuja a la acción personal.

---

17 14 de abril de 1932; VII, 1050.

18 *Discurso en la inauguración del curso 1934-35 en la Universidad de Salamanca,* el 29 de septiembre de 1934; VII, 1077.

19 *El Liberal.* Madrid, 3 de octubre de 1923; X, 563.

20 IV, 922.

III. LA INTERACCION MAESTRO-ALUMNO

El maestro no administra dosis de ciencia hecha, sino que la hace junto con el discípulo. El maestro no crea a imagen y semejanza suya, no multiplica su yo en cada uno de los discípulos, sino que ayuda a que cada uno se cree a sí mismo, como hacía Sócrates. No se impone como modelo a imitar, sino que posibilita que cada uno agote sus caminos sabiendo elegir bien sin equivocarse. Explica su cosmovisión, establece su axiología; pero los alumnos le obligan a una perenne revisión, a un continuo juicio crítico. Una objeción, una observación, una sugerencia del alumno enriquecen de manera sensible el pensamiento del maestro.

En el diálogo maestro-alumno aparece un conjunto de relaciones que es preciso tener en cuenta. Existe el diálogo del maestro con cada discípulo, el diálogo del maestro con la clase, con la materia transmitida y el diálogo del maestro consigo mismo. Parecidos diálogos se dan en los discípulos. El conjunto de estas relaciones favorecen, impiden o entorpecen la educación; pero ésta es sustancialmente una actividad personal en la que cada discípulo asume su propia función responsable, si es que desea conseguir la madurez del maestro y dejar de ser discípulo. El maestro es distinto; requiere ser el eterno discípulo porque si bien el maestro da más que recibe, la parte que recibe no es desdeñable. El discípulo comunica al maestro mediante el diálogo, además de valiosas observaciones, sus intereses, sus gustos, sus juicios, íntimamente enlazados con la época y con las necesidades generacionales. El inevitable abismo que se abre entre generaciones distintas puede salvarse mediante el diálogo abierto entre el maestro y el alumno.

Se podría objetar que Unamuno abogaba en la teoría por el diálogo, y en la práctica monologaba sin cesar. Aunque es cierta la objeción, no lo es menos que existen diálogos sin palabras, con simples gestos, que obligan al maestro a rectificar, repetir o explicar más detenidamente su pensamiento. Y este tipo de diálogo era posible en clases cuyo número de alumnos rara vez sobrepasaba la decena. Por otra parte, no siempre tiene el alumno qué agregar a la palabra del maestro.

Anteriormente he aludido a la cosmovisión del maestro. A juicio de Unamuno, el maestro debe tender siempre a la educación integral de sus alumnos, no a ceñirse exclusivamente a la materia que le está encargada. Así lo hacía en su clase y así deseaba que lo hiciera el maestro. Esta necesidad se ve mucho más clara en el maestro que explica todas las asignaturas a los mismos alumnos. «A los niños —dice—

no se debe enseñarles sólo para que sepan ganarse la vida y valerse en ésta con lo que aprendan en la escuela; hay que enseñarles también para que adquieran una concepción unitaria y total del universo, para que puedan hacerse una filosofía.» [21] No reducirse a explicar una o varias materias, instruyendo tan sólo, sino educar el espíritu, el gusto, transmitir el amor al trabajo, a las virtudes, humanizar con sentido trascendente.

La virtud principal del maestro, *sine qua non,* según Unamuno, es el amor a los niños.

«Oración, según los más entendidos maestros de ella, no es tanto recogerse a ciertas horas en lugares apartados para pronunciar estas o aquellas palabras, o recorrer con el ánimo ciertos propósitos y sentimientos, cuanto es hacerlo todo de una cierta manera, poniendo un alma de confianza y unción de amor en todo, hacerlo todo por Dios. Quien al emprender una obra, por oscura que sea, pasando por sobre el salario que con ella se gana, pone el seso y el ahínco en su valor eterno, en el beneficio duradero de esa obra, en que es semilla echada al Infinito, ése ora al obrarla, y sólo así se gana el descanso y se cosecha la paz que no acaba.

Y para nada hace falta más amor que para llenar nuestra misión, maestros de la niñez. Ved que se os entrega y confía lo más precioso del linaje.» [22]

Líneas más abajo agrega: «Desconfío siempre de aquéllos a quienes los niños molestan o la presencia de éstos no les impone comedimiento y moderación, ni se reportan de impurezas ante sus ojos puros; de los que despachan a los pequeñuelos con un "vete, que esto no te importa", como si debiera decirse algo que no deba oír un niño, y desconfío de todos los que no llevan los recuerdos de su niñez a flor de alma. Tengo presente de continuo las palabras del Divino Maestro al hacer que dejasen a los niños acercarse a él: "De veras os digo que si no os volviéreis y fuéreis como niños, no entraréis en el reino de los cielos, y quien recibiere a un niño en Mi nombre, me recibe a Mi, y cualquiera que escandalizare a uno de estos pequeñuelos que creen en Mi, mejor le fuera que, colgándose al cuello una piedra de molino, se echase a lo hondo de la mar." (Mt. XVIII, 8,6.)" [23]

---

[21] «La plaga del normalismo», *La Nación,* Buenos Aires, 8 de junio de 1915; VIII, 502.

[22] *Discurso pronunciado en la entrega de premios del Concurso Pedagógico de Orense, junio de 1903,* VII, 534.

[23] *Ibídem,* 536.

IV. DOS EJEMPLOS OPUESTOS: EL MAESTRO DE VILLASOLA Y «EL MAESTRO DE CARRASQUEDA»

Dos cuentos escribió Unamuno en los que el protagonista es el maestro; uno, *El diamante de Villasola,* escrito en 1898, y otro, *El maestro de Carrasqueda,* en 1903. El primero utiliza los niños como conejillos de Indias, como materia prima de sus ensayos y experiencias pedagógicas; la pedagogía es un fin en sí misma, y los niños un medio «para *hacer* pedagogía» [24]. Cuando el maestro descubre en un muchacho una inteligencia superior a la normal, se entrega especialmente a él, despreciando el resto de los vulgares alumnos. El maestro, en su trabajo de lapidario, según la alegoría unamuniana, comenzó a tallar su diamante de acuerdo con la «hermosa forma poliédrica, las múltiples facetas, los ejes» que tenía planeados. Acabada la obra, el muchacho comienza a exhibirse en el casino del pueblo primero, y seguidamente en la corte. Después de deslumbrar a unos y a otros, acaba perdiendo su brillo con las aristas rotas y reflejando siempre la luz de los demás. El cuento acaba con el desencanto del maestro, como en *Amor y Pedagogía*: «Lo que no se le ha ocurrido al lapidario de Villasola es que sea más hacedero sacar luz del calor potencial almacenado en los negros carbones (en los alumnos mediocres), que arrancar calor vivífico de la luz meramente reflejada y de préstamo del diamante.» [25]

Por el contrario, el maestro de Carrasqueda es el modelo a imitar propuesto por Unamuno. Es el maestro que se entrega a su misión sin reserva alguna y vierte su espíritu día a día en los habitantes todos de Carrasqueda hasta el último aliento. «Cuando aquellos niños se hicieron hombres y padres, don Casiano les hacía leer los domingos, comentándoles lo que leían, y les mondó los cuerpos y mentes, y les enseñó a cubrir el estiércol y a aprovecharlo, y, sobre todo, a conservar en el fondo del corazón una niñez perpetua.» [26] También tiene su alumno predilecto que llega a ocupar los primeros puestos en la nación. «Yo te haré hombre —le decía—; tú déjate querer.» Y el chico no sólo se dejaba, se hacía querer. Y fue el maestro traspasándole las ambiciones y altos anhelos, que, sin saber cómo, iban adormeciéndosele en el corazón.» [27]

---

[24] «El diamante de Villasola», *Madrid Cómico,* 9 de abril de 1898; II, 718.
[25] *Ibídem,* II, 721.
[26] «El maestro de Carrasqueda», *La Lectura,* Madrid, julio 1903; IX, 184.
[27] *Ibídem,* IX, 184.

V. UNAMUNO Y LOS MAESTROS DEL DISTRITO UNIVERSITARIO SALMANTINO

Un capítulo poco conocido es la burocracia administrativa de Unamuno durante su rectorado en lo que respecta a los maestros.

A principios del siglo había en Salamanca cuatro Facultades —Filosofía y Letras, Ciencias, Derecho y Medicina—, con unos dos mil alumnos, y formaban parte del Distrito Universitario los Institutos de Salamanca, Avila, Cáceres y Zamora, más cuatro escuelas normales de maestras, una de maestros y un total de mil escuelas [28].

Sólo referencias sueltas puedo aportar en este aspecto, puesto que en la Universidad de Salamanca no he podido hallar nada que se refiera a expedientes, nombramientos o ceses de maestros llevados a cabo durante el rectorado de Unamuno. A través de las obras de éste aparecen aquí y allá testimonios dispersos, a los que añadiré otros que he podido recoger. El más interesante es una carta dirigida al *Magisterio Español,* de Madrid, en 1905, fiel reflejo de la actividad burocrática de los rectores de entonces [29]. Dice así:

«Señor director del Magisterio Español:

Muy señor mío y compañero: La reforma que usted propone se ensayó con el Reglamento de Provisión de Escuelas de 11 de diciembre de 1896, y no se consigüió sino cargar sobre los rectorados su enorme trabajo, ya que hay en cada Universidad más que un solo oficial y un escribiente, y éstos mal pagados, para el negociado de primera enseñanza, donde a diario entran asuntos y chinchorrerías. La provisión de escuelas no es posible despachar con mayor actividad.

El concurso único de septiembre pasado está aquí casi despachado; y si no lo está del todo es por causa de las reclamaciones presentadas por los mismos estudiantes, todas ellas sin fundamento alguno, pero que es preciso estudiar y resolver. El negociado aguardó a tener los expedientes presentados en cada una de las provincias del distrito, y entonces hizo la clasificación. Aspirante hubo a quien le correspondió escuela en dos o más provincias, y se le escribió preguntándole cuál prefería. Es el mejor procedimiento, mas apenas seguirlo, porque al desechar a ese aspirante de una provincia, la escuela recae en otro que

[28] Carta de Unamuno a Carlos Vaz Ferreira. Salamanca, 29 de mayo de 1907: *Correspondencia entre Unamuno y Vaz Ferreira.* Homenaje de la Cámara de Representantes de la República Oriental de Uruguay. Montevideo, 1963.

[29] José Luis Sastre, *Un siglo de periodismo* (1867-1967), Ed. Magisterio Español, S. A. Madrid, 1967, pág. 63-66.

puede estar propuesto para otra en otra provincia, y vuelta a las consultas.

Sólo a fuerza de trabajo y paciencia consiguió el negociado publicar las propuestas a primeros de diciembre, y hoy están expedidos los nombramientos. ¿Reforma de la tramitación? La más racional es la que usted propone, si el rectorado ha de hacer la clasificación de los aspirantes, la adjudicación de escuelas y los nombramientos. Pero en tal caso es poco el personal afecto a ese servicio, y no sé por qué no escasea en Madrid y sí en los demás distritos.

Pero la dificultad mayor, hay que decirlo muy claro, es el maestro aspirante. Con él no hay reforma posible.

Maestro hay que ha solicitado aquí una sola escuela, me molió a recomendaciones (manía de que no se curan, aun sabiendo que en cosas de concurso es todo inútil), y después de propuesto, porque le correspondió en ley, no tomó posesión y se quedó tan fresco en su escuela anterior. ¿Por qué solicitó? Porque sí. Como respondió otro en otra ocasión.

Acuden al concurso maestros que acaban de salir de la Normal, solicitando escuelas de 625. Revuelven Roma con Santiago, buscando recomendaciones de diputados, senadores y hasta ministros, a las que hay que contestar con la misma contestación siempre. Y todo queda en que figuran en los últimos lugares sin que pueda corresponderle escuela ni a cien leguas. ¿Qué idea tienen del concurso? ¿Van por si pega? No sé de dónde sale tanto aspirante.

En el último concurso se han provisto en esta provincia unas veintitantas escuelas, y ha habido unos trescientos cincuenta aspirantes.

Antes se decía que ese andar danzando los maestros de una escuela a otra era porque no les pagaban; ahora ya no hay eso y sigue el trasiego. "Es que buscan el ascenso", se dijo luego. Y ahora que no hay escuela de menos de 500 pesetas, sigue la cosa. Se publica el Real Decreto de 31 de julio de 1904 obligando a tomar posesión de la escuela que se les diese, y con esa cortapisa cesa la danza.

Dentro de tener prevención contra los maestros, soy de los que más los respeto y quieren; pero mi norma es la verdad. Y la verdad es que son pedigüeños, quejillosos, leguleyos y enredadores. Saben más de legislación de primera enseñanza que de pedagogía o aritmética. Hay no pocos que se complacen en variar de escuela sin más fin que acumular años de servicios, sin servir. Los hay que van huyendo de un pueblo en que la Junta Local los obliga a asistir y no les consiente licencias (otro abuso), y conozco maestro que en cuatro años ha servido más de diez escuelas.

Y hay que ver las reclamaciones que formulan desprovistas de sentido ordinario y valiéndose de zancadillas y sutilezas de fiel de fechos.

Las hay que indigna tener que conocer de ellas. Es la manía leguleyesca y la necia cantinela de que no se administra justicia.

Se ha formado, respecto al maestro y a los desdenes y desatenciones de que es objeto, una falsa leyenda, de que se aprovechan muchos de ellos. En general, no tienen hoy motivo de queja, y las más de las veces que se quejan se quejan de vicio. En resolución, que si es en los rectorados donde han de hacerse los concursos, la reforma mejor es exigir cierto número de años de servicios. Acaso sería mejor dar a los pueblos más atribuciones y que propusieran ellos.

Sé que se intentó algo de esto y dio mal resultado; pero me parece que no fue por culpa de los Ayuntamientos. La mayoría de éstos eligieron buenos maestros; pero como los nombramientos se encomendaron a los gobernadores, éstos, en colaboración con el inevitable diputado, estropearon la obra de los pueblos. Los Ayuntamientos nombran sus médicos, y aunque alguna vez se meta el caciquismo, procuran tenerlo bueno. En interinidades acostumbro atener antes que a nada el deseo de los pueblos, y no da mal resultado. Mucho le diría de eso de las provisiones interinas, que es el hueso del oficio de rector. Hay que hacer los nombramientos a tontas y a locas, sin conocer a los interesados, por recomendaciones, y expuesto a que el mismo personaje político que recomienda a un maestro escriba luego que le dicen del pueblo que es una calamidad.

Esto me ha sucedido con un recomendado de un señor que fue ministro de los de primera. Y luego eche usted después el comunicarlo al interesado, a la Junta de Instrucción Pública, a la Subsecretaría, a la Ordenación de Pagos, previos cien requisitos de comunicaciones de entrada y salida, de título administrativo, etcétera, y todo para que la interinidad les dure tres o cuatro meses. Entre nuestro sistema de papeles, la pedigüeñería magistral y el juego de recomendaciones, es un lío. Y ello no tendrá arreglo mientras no se unifiquen los sueldos y asciendem los maestros como ascendemos los catedráticos, sin tener que movernos de un sitio y por los años de servicios. Porque, ¿me quiere usted decir en qué es superior la enseñanza que se da aquí o en Madrid a la que se da en la última aldea? Puesto que las atenciones de primera enseñanza han pasado al Estado, conviene completar la obra. El principio regenerador de la enseñanza no es más que uno, y es de que la enseñanza es función del Estado. Y el Estado debe pagar lo mismo al que educa niños en Valverdín o en Carrascalejo que al que los educa en Madrid o en Barcelona, sin más consideración, si es caso, que la mayor o menor carestía de la vida, lo cual establece diferencias mucho menores que las de sueldo hoy. El coste de la vida tiende a nivelarse.

Y basta por hoy.

Queda suyo affmo. s. s.

Salamanca, 5-III-1905.»

La conferencia *Lo que ha de ser un rector en España* no es más que un balance justificación de la gestión administrativa de Unamuno. Si bien se fija especialmente en su actitud con los problemas universitarios, no deja de aludir directamente a los del magisterio, con los que tuvo que enfrentarse y a los que se vio obligado a resolver. «Si de algo se me puede culpar —dice— es de haber acaso exagerado mi estatismo, mi respeto escrupuloso a la ley, mi noción de lo que debe ser el estricto cumplimiento del deber profesional. Los que se crean que yo he sido un rector durmiente, distraído en otras funciones o en quehaceres literarios personales, atento sólo a firmar expedientes y a dejar correr las cosas, se equivocan (...).»

«Llevé con un rigor que, puedo decirlo muy alto, no se ha llevado en ninguna otra Universidad española, el hacer que cada cual cumpliera siquiera con lo más externo de su deber. Negaba peticiones abusivas de licencia, informaba en verdad y justicia las que por mi conducto se dirigían al ministro, diciendo alguna vez no ser cierta, a pesar del certificado médico, la dolencia que se alegaba.» [30]

«Yo inicié para los maestros de primera enseñanza el suprimir un artificioso expediente en los evidentes casos de abandono de destino, sistemas que luego adoptó celoso el Ministerio.» [31]

«Y he defendido desde mi puesto a una celosa e intachable maestra de escuela, fiel cumplidora de su deber, a la que se trataba de removerla con especiosos y mal amañados pretextos, no más que por ser cristiana protestante, en cuya confesión fue educada desde niña. Y tuve que defender otra vez la legalísima apertura de una escuela, también cristiana protestante, con el apoyo del entonces ministro, señor Rodríguez Sampedro.» [32]

Al final de este violento discurso dice: «Al volver de un reciente viaje a la ciudad de Salamanca el actual director general de Primera Enseñanza, y de una oficina o negociado de chismes y comadrerías, dícenme que dijo que volvería a visitar mis ruinas. ¡Mis ruinas!» [33] Creo que ni Unamuno ni ningún rector de entonces tuviese tiempo para

---

[30] *Lo que ha de ser un Rector en España*, VII, 864-865.

[31] *Ibídem*, VII, 866.

[32] *Ibídem*, VII, 870.

[33] *Ibídem*, VII, 882.

preocuparse de cada una de las escuelas de su Distrito, ni para remozarlas ni para destruirlas. Al menos, mientras no se pueda disponer de la documentación necesaria, no es posible emitir un juicio objetivo que valore la función burocrática de Unamuno durante su rectorado.

UNAMUNO Y EL MUNDO INFANTIL

I. VISION POETICA DE LA INFANCIA

«Oh soledad aymada, ma compayona un día
lo jorn de ma infantessa que no tingué demà;
d'encà que trist anyoro ta dolça companyía
com font escorreguda ma vena s'estronca.»

(Mossen Jacinto Verdaguer, Soledat [1])

Al leer un día en clase «estos versos maravillosos, casi milagrosos, de intimidad y de expresividad, brotados de nuestro gran poeta mosén Cinto Verdaguer» [2], Unamuno comenzó a llorar, recordando el «día único» de su infancia. «Es que el niño —dice— en su soledad creadora, mientras se está haciendo su mundo, soñándolo, entre otros niños, no vive ni sueña atado a lugar y a tiempo. Vive en infinidad y en eternidad. Su vida no es tópica ni crónica. Ni topométrica ni cronométrica. Ignora la medida del espacio y la del tiempo. Ni el reloj ni el calendario rigen para él.» [3] Lo cual es una verdad a medias, puesto que el niño comienza mucho antes a percibir los límites del espacio que le rodea que a medir el tiempo, si bien también es cierto que mediante su poderosa imaginación aprende pronto a romper las barreras que el espacio le impone.

También poéticamente intenta Unamuno distinguir entre santo, héroe y niño. El santo es el que vive siempre siendo niño, es el eterno niño, fiel a la palabra de Cristo «si no os volvéis y hacéis como niños, no entraréis en el reino de los cielos», tal como a Unamuno le gustaba

---

[1] Reproducido por Unamuno en «La soledad de la niñez», *Caras y Caretas,* Buenos Aires, 15 de julio de 1922; V, 1088.

[2] «El día de la Infancia», *Ahora,* Madrid, 12 de junio de 1936; XI, 1104.

[3] *Ibidem,* XI, 1104-1105.

traducir el versículo de San Mateo. El héroe no tiene infancia; ha nacido adulto «para conquistar los reinos de la tierra» [4]; es el caso de don Quijote, que nació adulto en la mente de Cervantes. Al santo puede añadírsele el genio, el cual se aproxima, en cierto modo, al tipo infantil y es un niño grande [5].

La niñez es «el santuario del misterio. Ante un niño se abren los caminos de la vida en el crucero de donde irradian y se separan ellos; al tomar uno cualquiera, renuncia a los demás todos y nunca podrá desandar lo andado; su reino es el porvenir, único reino de libertad. Así es que el alma reflexiva se sume en más hondo pesar ante el cadáver de un niño que junto al de un héroe que cumplió sus hazañas» [6].

Como mejor describe Unamuno a la niñez es a través de la poesía. He aquí un poema publicado en 1908 [7]:

Mira ese niño;
¡cuántos siglos sobre él... generaciones!
Su cabecita rubia
sostiene el peso
de vidas por millones.
¡Qué antiguo es ese niño!
¡Cuántos han muerto para que él naciera!
¡En él cuaja la historia;
en él acaban tantas largas guerras!...
El es la gloria
de esa incontable muchedumbre oscura
de vidas enterradas.
¡Es la flor de la selva!
Encarna, sin saberlo,
Ramayanas, Ilíadas, Odiseas,
Pentateucos, Eneidas, Kalevalas,
invasiones de pueblos,
cruzadas y además revoluciones.
Toda la humanidad de que brotara
en esa cabecita se condensa;
estás ante el misterio.

4 «La niñez de Don Quijote», V, 790.
5 *Conferencia en Orense*, junio de 1903; VII, 536.
6 *Ibídem*, VII, 537.
7 *La Lectura*, Madrid, octubre de 1908; XIV, 774.

Mira ese niño:
¡él es el evangelio!

La misma idea aparece en *Levana,* la «obra maestra de la poesía educativa», de Juan Pablo Richter. La idea de Richter es que el niño repite la historia de todo el mundo, pensamiento en el que también insistían los evolucionistas positivistas.

II. LOS DERECHOS DEL NIÑO

Si el niño es el ayer, con mucho más fundamento es el mañana. Unamuno tiene el indudable acierto de ser uno de los primeros paidólatras, en un siglo —del XIX al XX— que se caracteriza, entre otras cosas, por ser el siglo de los niños. Con este título escribió Ellen Key su obra famosa, quizá el punto de partida de la preocupación por defender los derechos del niño. Durante la primera mitad del siglo actual se suceden ininterrumpidamente los congresos y ligas defensores de los derechos del niño, como las dos de Ginebra en 1920 y 1942, y se redacta la famosa "Carta de la Infancia", de Londres. El 20 de noviembre de 1959 la Asamblea General de las Naciones Unidas aprobó por unanimidad la Declaración de los Derechos del Niño, en la que, en diez principios cuidadosamente redactados, se consignan los derechos y libertades de los que todo niño debe disfrutar.

En uno de los artículos citados anteriormente [8] observa Unamuno el poco espacio que el niño ocupa en la literatura española en contraste con otras —la inglesa, por ejemplo—. «Venid al último clásico castellano —que lo era—, a Galdós, y ved que, en contraste con Dickens, tantas veces su modelo, apenas si aparecen —y cuando lo hacen es esfumados— los niños en su obra. En la que no hay recuerdos de su propia niñez ni de la Gran Canaria. Parece como si los hubiese olvidado.» ¿La causa? Sin pretender profundizar en el problema, quizá se deba a la creencia tradicional de que la infancia es una etapa inútil que hay que quemar cuanto antes para llegar a la madurez.

[8] «La niñez del Quijote», V, 790.

III. NECESIDAD DE UNA VERDADERA PAIDOLATRIA

Como buen profesor de humanidades, Unamuno cita la conocida sentencia de Juvenal *maxima debetur puero reverentia*[9]; pero no se reduce a repetir a los clásicos, sino que propugna un verdadero culto al niño: «Es menester despertar y avivar el culto a la infancia y el respeto al niño, ese respeto a que se les falta cuando se les toma de medio para satisfacer vanidades paternas o de juguete para divertirse con ellos.»[10] En 1906 —tres después del año de la cita anterior— repite con más extensión la misma idea, ahora en Málaga[11]: «El culto al niño es uno de los cultos más descuidados entre nosotros y uno de los más necesitados. El niño es el misterio; de cada uno de nosotros, los que hemos llegado a cierta edad, se sabe lo que se puede esperar; tenemos una fisonomía marcada, una dirección dada y por lo común impuesta por los demás. Pero un niño lo mismo puede llegar a ser un santo que un criminal, lo mismo un hombre inútil que un bienhechor. El culto al niño es el culto al porvenir, culto que tiene que cimentarse en un inteligente cultivo del pasado.»

En esta misma conferencia habla de la falta de amor a los niños, y se pregunta: «Hablamos de los derechos de los padres. ¿Y quien proteje a los hijos contra los padres?»[12]; ¿quién defiende a los hijos de los padres que, en vez de servirles, se aprovechan de ellos y los educan en un sentido o en otro de acuerdo con sus ambiciones?[13].

IV. LA NIÑEZ, ETAPA NECESARIA

Otra de las grandes intuiciones de Unamuno es haber visto con claridad la infancia como etapa necesaria del hombre. En los primeros años cuaja el carácter y la personalidad futuras[14]. No sólo en esto radica la importancia de la infancia, sino que es necesaria «una niñez larga, una niñez honda, una niñez intensa»[15] antes de llegar a la madurez, porque «los hombres de más intensa vida íntima, y, por tanto,

---

[9] «La originalidad de la niñez», V, 1151.
[10] *Conferencia en Orense,* junio de 1903, VII, 537.
[11] *Conferencia en el teatro Cervantes* de Málaga, 21 de agosto de 1906; VII, 686.
[12] *Ibídem,* 692.
[13] *Ibídem,* 691.
[14] *Conferencia en Orense,* junio de 1903; VII, 535.
[15] «La soledad de la niñez», V, 1089.

de más sólida y eficaz acción pública, de mayor valor histórico, han sido hombres de niñez larga y no niños precoces; han sido hombres cuya inocencia infantil se prolongó por largos años. Son en su espíritu como en el cuerpo del elefante, que tiene una larga crianza» [16]. Sin caer en exageraciones, basta señalar que la niñez es una etapa trascendental y necesaria en la vida del hombre, etapa que no hay por qué pasar sobre ascuas, ni tampoco alargar, sino permitir su desarrollo natural; la precocidad, en vez de una ventaja, ofrece un sin fin de inconvenientes. El niño prodigio ni es niño ni es hombre; «remeda a los mayores y esto es una monstruosidad» [17].

Uno de los valores de la niñez más interesantes es la genialidad, que no es otra cosa que la originalidad, a juicio de Unamuno. «En los niños habla, mucho más que en los mayores, el espíritu genial del linaje humano, el genio de la humanidad. En cuanto el niño aprende la lección y sabe recitarla ha perdido su genialidad. Que la recobra cuando olvida la lección aprendida.» [18]. Líneas más abajo agrega: «La genialidad no es más que la infantilidad, la niñez del espíritu. La cual, a su vez, no es más que la originalidad.» Es preciso respetar esta originalidad y defenderla contra los padres y los educadores. «Carlos, cuando era niño —me decía un amigo—, era tonto, pero un tonto graciosísimo; se le ocurrían las más diversas tonterías; ahora no se le puede oír porque no hace sino repetir las tonterías de los demás." Y le respondí: «Es que ha pasado por el pedagogo, y el pedagogo no sabe apreciar el mérito y el valor de la tontería original, y en cambio siente respeto por las tonterías de repetición.» [19]

Respecto a la originalidad, pide Unamuno de los educadores respeto a la individualidad, al sentido propio contra el común. A la vez, pide que se eduque la imaginación y la voluntad [20].

El buen educador de niños será aquel que haya sido realmente niño, aquel que lleva a flor de piel su propia infancia, aquel que sabe hacerse niño como desea el evangelio, aquel, en una palabra, que tiene un corazón infantil, sencillo y sin malicia. Unamuno repite muy a menudo que hay que volverse niño; se convierte en una verdadera obsesión el poder dar marcha atrás al reloj de la vida para situarse fuera del tiempo y del espacio, gobernado por la fantasía y ayudado por la seguridad que su espíritu religioso le ofrecía en la niñez.

---

[16] *Ibídem.*

[17] «La originalidad de la niñez», V, 1151.

[18] *Ibídem,* 1149-1150.

[19] *Ibídem,* 1150-1151.

[20] *Conferencia en Orense,* VII, 537-538.

> *«Vuelvo a ti, mi niñez, como volvía*
> *a tierra a recobrar fuerzas Anteo,*
> *cuando en tus brazos yazgo, en mí me veo;*
> *es mi asilo mejor tu compañía.*
> *De mi vida en la senda eres la guía*
> *que me apartas de todo devaneo,*
> *purificas en mí todo deseo,*
> *eres el manantial de la alegría.»* [21]

Estos dos cuartetos pertenecen a un soneto escrito cuando Unamuno tenía treinta y siete años. No cabe pensar, por tanto, que esta vuelta a la infancia se deba a una crisis senil, sino como una tendencia aparecida en plena madurez. Veintisiete años más tarde, en otro poema, escribe:

> *«Si pudiera recogerme del camino*
> *y hacerme uno de entre tantos como he sido*
> *si pudiera al cabo darte, Señor mío,*
> *el que en mí pusiste cuando yo era niño.»* [22]

Esta obsesión intenta comunicarla a los demás. Su frase favorita es que el niño que todos llevamos dentro impedirá corromperse al adulto [23].

V. DEFENSA DEL NIÑO EN LOS PRELUDIOS DE LA GUERRA CIVIL

En circunstancias históricas dramáticas —en víspera de la última guerra civil española— sale Unamuno en defensa de los niños españoles. Una en el día de Reyes de 1935, y otra en el mes de junio de 1936. La primera es una alocución a los niños de España en nombre del presidente de la República. El tono de la alocución es dolorido, casi trágico: «Venimos a que nos perdonéis —dice a los niños—. A que nos perdonéis muchos pecados contra vosotros y, sobre todo, el de que

21 «Niñez», 1901; XIII, 470.

22 *Cancionero (Diario Poético),* poema 107, 10 de abril de 1928; XV, 101.

23 Literalmente: «Yo he repetido muchas veces que el niño que llevamos dentro es el justo por el que nos justificamos.» («La soledad de la niñez», V, 1089.)

no siempre os dejemos jugar en paz.» [24] «Sois vosotros los que tenéis que enseñarnos a jugar. A jugar sin preocuparnos de ganar o perder el juego, sino a jugar bien. Bien y en paz.

Os hemos dado mal ejemplo, muy mal ejemplo, y estamos avergonzados de ello. No sé si también arrepentidos. Nos figuramos que nuestros juegos son más serios que los vuestros porque en los nuestros se matan los jugadores. Hay muchos de nosotros que quieren enseñaros nuestros juegos. ¡Decidles que no! Que si os divierte despanzurrar un muñeco para ver lo que lleva dentro, os da rabia y asco el que se le mate a un hombre, a un hermano; el que un padre mate a otro padre por lo que lleva, o no lleva, dentro. Que si os divierte leer cuentos —cuentos con bonitas estampas—, os dan rabia y asco los cuentos con que nos insultamos unos a otros vuestros padres y abuelos. Decidles que las escuelas de España deben ser las verdaderas Casas del Pueblo y que no queréis que entren en ellas nuestros malditos juegos de guerra civil.» Finalmente, pide que los niños exijan a los mayores que renuncien a sus «juguetes de destrucción», que enseñen a los mayores «a vivir en paz de trabajo y en la plaza pública» [25].

La alocución, más que a los niños, va dirigida a los adultos. Una vez más su predicación es en el desierto. El odio desatado seguirá su camino de destrucción y de violencia durante muchos años. Los niños serán las víctimas inocentes.

La violencia sube de tono en el artículo «El día de la infancia» [26], cuando ve la atmósfera envenenada en que se están educando los niños, los futuros padres del mañana. Como padre y como abuelo —escribe— «veo con espanto el espectáculo inhumano de esos pobres niños —¡niños en el día único!—, a quienes padres, y lo que es peor, madres, desalmados les obligan a mantener enhiesto el brazo derecho con el puño cerrado y a proferir estribillos de odio y de muerte, y no de amor. O a que oigan acaso eso del «amor libre», que no es tal amor. Delante de unos niños —acaso hijos suyos— decía una de esas desalmadas que mientras supiesen ellas, las de su ganadería, quienes eran los padres de sus crías, no habría progreso en España (...). Se ha visto adiestrar a niños, a pobres niños, ataviados con guiñapos rojos, en la caza del hombre. Nosotros, los adultos, los ya envenenados, los enloquecidos, que nos entreguemos a nuestras repugnantes luchas... ¿Pero educar en ellas a los niños? (...) ¡Y pensar que estos niños envenenados se harán hombres, se engendrarán hombres, y lo que será de éstos y de su co-

---

[24] *Alocución a los niños de España en el día de Reyes* (6 de enero de 1935), en nombre del presidente de la República Española, VII, 1095.

[25] *Ibídem,* VII, 1096-1097.

[26] Publicado en *Ahora,* Madrid, 12 de junio de 1936; XI, 1105.

munidad! ¡Niños y... niñas! Porque entre esos pobres niños, en la edad en que no se acusa ni marca espiritualmente el sexo, hay niñas. Niñas que serán un día madres.» [27]

[27] *Ibídem,* XI, 1106-1107.

LA ESCUELA, CELULA SOCIAL

I. LA ESCUELA, «BOSQUEJO DE SOCIEDAD CIVIL»

En la tercera parte de este trabajo, titulada «El problema de España», señalé el problema de la escuela española, del analfabetismo, de los maestros, etc. Los presupuestos dedicados a la educación española eran insuficientes; los programas, perfectos en cierto modo, no se cumplían; los edificios escolares, en su mayoría, estaban en lamentable estado; las vocaciones al magisterio eran escasas; la educación e instrucción de adultos estaba semiabandonada; el material escolar inexistente o anticuado...

Unamuno prescinde prácticamente de casi toda esta problemática —caballo de batalla de Costa, Cossío y, en general, de los pedagogos profesionales— y se fija casi exclusivamente en el poder socializador de la escuela en la educación infantil. Esta orientación desligada de los más acuciantes problemas escolares del momento histórico en que vivió Unamuno, da a su visión de la escuela un matiz intemporal y, por tanto, de plena vigencia actual. En éste, como en todos los puntos que afectan al fenómeno de la educación, Unamuno aporta sus ideas personales, sus intuiciones parciales, siempre interesantes, en sus discursos y en las hojas volanderas de los periódicos, pero sin estudiar a fondo los problemas, sin ofrecer una panorámica completa.

Pensaba que, por mala que fuese la escuela, era preferible enviar a ella a los niños que instruirlos en casa mediante un maestro particular. Los «niños de estufa» no aprenden nunca lo que es la vida, dice en *Recuerdos de niñez y de mocedad*[1].

No supervalora Unamuno el poder educador de la escuela ni tampoco minimiza su función, sino que centra el problema, a mi juicio, en su centro adecuado, puesto que el niño se educa en la sociedad toda,

[1] I, 243.

en la macrosociedad tanto como en la pequeña sociedad escolar. Aunque se intente aislar a la escuela de la sociedad que la engloba, es inevitable que su influencia atraviese las paredes del recinto escolar e implante sus reales en cada una de las aulas [2]. Esta influencia para bien o para mal es real y hay que contar con ella. Es más fácil que la sociedad ahogue el trabajo de la escuela que no que ésta influya y transforme la sociedad. Los agentes activos y constantes que interrelacionan ambas sociedades son los niños que transmiten a la escuela las costumbres, hábitos, actitudes y valores familiares. En caso de conflicto entre la educación escolar y familiar aparecerá el desconcierto infantil, en menoscabo siempre de la acción educadora de la escuela. Por ello los regeneracionistas, con Costa a la cabeza, pretendían convertir a la patria en una inmensa escuela donde todos sus habitantes pudiesen instruirse, educarse y reformarse. Había que romper los muros de la escuela y convertir a todos en maestros y discípulos a la vez, puesto que todos podían enseñar algo y aprender mucho de los demás.

Unamuno recoge la frase de Costa convertida ya en tópico y retruca diciendo que hay que hacer de la escuela una patria en pequeño. «Tendamos a hacer de la escuela un bosquejo de sociedad civil de patria, y de ésta, una extensión de la escuela; mas aprovechando, como en aquélla, sus naturales tendencias y no forzándola a entrar por caminos que no sean propios. Pues lo mismo para uno que para otro magisterio, para dirigir o gobernar una comunidad escolar de niños, como para adoctrinar a la escuela que es patria, necesítase, ante todo y sobre todo, conocerlas. La enseñanza es un continuo aprendizaje.» [3]

La escuela, por tanto, ha de convertirse en sociedad civil en pequeño y la otra sociedad, la grande, hay que convertirla en escuela, pero ambas, de acuerdo con sus naturales tendencias, sin forzar su espontánea organización. Respecto al primer punto Unamuno estudia la sociedad infantil escolar formada libremente, con su organización, leyes, costumbres, etc., a espaldas del maestro, y con matices originales que la diferencian de la sociedad adulta. En alas del recuerdo arriba a su niñez y ve una sociedad escolar que, si bien es un remedo sencillo de la adulta, presenta caracteres específicos, e incluso originales. «Había su derecho consuetudinario y no escrito, es claro, y recuerdo muy bien sus mandatos y fórmulas, porque al modo de lo que en el Derecho romano acontecía, era en nuestro derecho infantil dominante el formularismo [4], el cual regía los trueques, los contratos y cambalaches, con sus juramentos litúrgicos que sellaban solemnemente el contrato.»

[2] Cfr. VII, 541.
[3] *Discurso en Orense,* 1903; VII, 544.
[4] *Ibídem,* 538; también en *Recuerdos de niñez...* I, 273-275.

En *Recuerdos de niñez y de mocedad* hay material suficiente para iniciar un estudio profundo de la sociología infantil. No es exagerado afirmar que en este punto Unamuno se adelantó a su época. A base de sus recuerdos personales estudia la literatura infantil transmitida de niños a niños, el comercio a base de los *santos, figuras* o *vistas,* el código de honor infantil en las peleas, el sentimiento religioso, etc., aparte de otros temas de indudable interés. En un punto concreto me detendré: en los líderes infantiles.

En esta obra de recuerdos infantiles aparecen varios líderes o caudillos que dejaron honda huella en la comunidad infantil: Cárcamo, el mayor del colegio, cuya protección buscaban todos los niños y Luis y Guillermo —nombres supuestos— los dos gallitos del barrio que dirimen su rivalidad en una solemne pelea al aire libre, en presencia de sus respectivos partidarios [5].

Piensa Unamuno que es «entre los niños donde hay que estudiar cómo brota el caudillaje, pues el cacicazgo es el modo natural de organizarse toda sociedad infantil, sea de niños o de adultos. Hay que ver el benéfico influjo que ejerce el gallito de la calle, el mandón, en especial sobre aquellos que, rindiéndole pleito homenaje, se ponen bajo su amparo» [6].

II. FUNCION MODERADORA DEL MAESTRO

El maestro debe ser el moderador, no el rey absoluto, de la comunidad infantil. A juicio de Unamuno, sólo en casos extremos debe intervenir en cuestiones puramente infantiles, dado que, los niños solventan mejor entre sí sus propios problemas sin la intervención adulta. «Juzgo toda intervención, tras de inoportuna, en el fondo injusta.» [7] En otro lugar, escribe [8]: «En el choque de las pasiones infantiles es donde se fraguan los caracteres, y por eso cuando veo que los mocosuelos se están dando de mojicones, lejos de acudir a separarlos, me digo: "Así, así es como se harán; es el aprendizaje de la lucha por la vida." Porque los otros, los niños a quienes no les ha roto alguna vez las narices otro niño, rara vez aprenden que hay algo frente a su voluntad.»

---

[5] I, 275-278.
[6] *Discurso en Orense,* VII, 539-540.
[7] *Ibídem,* VII, 541.
[8] *Recuerdos de niñez...* I, 243.

¿Es acertada la actitud unamuniana? Es curioso observar que la figura despótica y absolutista del maestro ha estado vigente en sociedades cuya fórmula de gobierno ha sido igualmente despótica, pero cuando ha comenzado a soplar el espíritu democrático, la figura del maestro como centro se ha tambaleado y ha dejado su lugar al niño. Juzgar la actitud de Unamuno en sentido favorable o desfavorable depende del tipo de sociedad en que se viva o en el que se aspire a vivir. No creo que la función del maestro sea la de un «metomeentodo». Los niños tienen un acúsado sentido de la justicia y sus querellas personales las resuelven mejor por sí mismos que con la ayuda ajena. Por otra parte, la Sociometría ha demostrado el valor de la espontánea formación de los grupos infantiles dentro de la escuela.

Creo que es un error intentar ahogar el caudillaje espontáneo que surge entre los niños; éstos necesitan un líder lo más semejante a ellos mismos con una serie de cualidades que aglutina y da forma al grupo o a los grupos. La valentía, la habilidad, la capacidad de solucionar los problemas, la facilidad para organizar y señalar objetivos comunes, la personalidad para imponerse y gobernar a los miembros... no dejan de beneficiar a los que de grado o de fuerza se ponen bajo su tutela. Todo educador sabe que si quiere conservar su prestigio sobre los grupos ha de tratar con tacto especial a sus líderes.

III. NECESIDAD DEL ESTUDIO DE LA SOCIOLOGIA INFANTIL

No deja de ser un acierto de Unamuno señalar —y en 1903— la necesidad de estudiar en las Escuelas Normales, además de otras materias, «una verdadera pedagogía social» [9] que prepare a los maestros en la conducción de lo que hoy llamamos dinámica de grupos, para poder después en la escuela observar y «empujar el progreso de esa incipiente sociedad sin quebrantarla con instrucciones de soberano, obrando no ya sobre el conjunto de ellos como sobre mero agregado, sino sobre la comunidad orgánica que forman» [10].

A la vez que los alumnos de magisterio elaboran sus biografías pedagógicas durante el período de prácticas, sugiere Unamuno que podrían hacer también verdaderos estudios de sociología infantil.

Además de considerar a la escuela como un medio insustituible de educación cívica, desearía también que fuese un medio para superar

[9] *Discurso en Orense,* VII, 540.
[10] *Ibídem,* VII, 540.

los abismos existentes entre las diferentes clases sociales. Desearía que a la misma escuela acudieran tanto los hijos de los obreros como los de los patronos, escuela a donde concurriesen los vecinos todos, desde el más alto al más bajo. «En mi vida olvidaré —dice— el tono, entre de recelo y de temor, con que, siendo yo niño, hablábamos de los chicos de las escuelas de balde.» [11]

Aparte del aspecto socializante de la escuela, ¿cómo ve, aunque sea en líneas generales, su función educadora y transmisora de conocimientos Unamuno? Es posible que, aun teniendo presente el concepto que tiene de lo que debe ser una sana pedagogía y de la misión del maestro entregado apasionadamente a engendrar con amor hombres íntegros y completos, la idea de la escuela quede un tanto desvaída. La imprecisión desaparecerá a medida que avance este trabajo y llegue a exponer la función de la Universidad. Si ésta es considerada como un taller y no un bazar de ideas, se deduce lógicamente que la escuela ha de ser algo parecido a pequeña escala, puesto que si el hábito de pensar no se adquiere antes de llegar a la Universidad, quizás sea tarde dejarlo para entonces. No es que la escuela se convierta en un laboratorio donde se reinvente la ciencia como querían Rousseau y sus seguidores, sino que en ella, en la escuela, los niños deben aprender a pensar y a investigar con la ayuda del maestro. Un nuevo fragmento puede iluminar la visión unamuniana de la tarea escolar: «Traed a la memoria la escuela en que se os enseñó a leer, escribir y contar y la recordaréis como una jaula, en medio de la campiña aireada y soleada no pocas veces. ¿Os sacaron a ésta a aprender en medio del campo, por visión directa, lo que el campo a nuestro estudio ofrece? Y si por acaso os educásteis en vuestros primeros años en alguna ciudad, ¿os llevaron a ver las obras de arte o de industria que ella guardara? (...) Y así un publicista hoy muy leído, Kropotkin, ha podido escribir "que el niño reputado como perezoso en la escuela es a menudo aquel que comprende mal lo que le enseñan mal", añadiendo esta severísima sentencia: "Vuestra escuela se convierte en una Universidad de la pereza como vuestra prisión en una Universidad del crimen." Podéis tachar esta acerbísima sentencia de exagerada, en hora buena, pero es lo cierto que en vez de satisfacer las preguntas que espontáneamente brotan del niño, las ingenuas cuestiones que, como silvestres flores que se abren, la vida misma a la mente le presenta, suscítansele otras en que nunca hubo pensado, interrogaciones a que suele desembocar una investigación mal planteada, cuestiones ociosas, de puro ejercicio escolástico a menudo.» [12]

---

[11] *Discurso en la apertura del curso 1903-1904 e inauguración del nuevo local de la Escuela Superior de Industrias de Béjar,* VII, 605.

[12] *Discurso de apertura de curso de 1900 a 1901 en la Universidad de Salamanca,* VII, 497.

Puntos de indudable valor aparecen con este fragmento transcrito. Todos ellos aluden a la escuela activa, al aire libre, en contacto directo, intuivo con el medio ambiente, tal como venían predicando los hombres de la Institución Libre de Enseñanza. Cossío repetía la frase de Rousseau de que la mejor escuela es debajo de una encina; «el león de Graus» afirmaba que había que romper los muros de la escuela y henchirla de aires de campo y de ciudad. Enseñanza intuitiva, activa, espontánea, libre, dialogada, de acuerdo con los intereses infantiles, sin fórmulas rutinarias escolásticas, dada por un maestro socrático enamorado de los niños y de su tarea docente, que intenta sugerir, sacudir el torpor de los alumnos, a la vez que pretende formar hombres completos, sin descuidar la educación del entendimiento, de la voluntad, del sentimiento, de la imaginación, dándoles una cosmovisión e invitándoles al mismo tiempo, a hacerse a sí mismos, responsabilizándoles de su papel y de su libertad en ambiente escolar profundamente socializador. ¿Cuál de estas cualidades ha perdido vigencia en la actualidad? Creo que ninguna.

LA EDUCACION FAMILIAR

I. DESPREOCUPACION PATERNA POR LA EDUCACION

El pensamiento unamuniano es claro: «la escuela del niño es la sociedad toda» [1]; el niño se educa en el hogar y en la escuela tanto como en la calle; el niño no vive aislado y percibe las influencias buenas o malas del ambiente que le rodea, que es toda la sociedad. «¡Ay del país en que haya que aislarle de ella (de la sociedad) para que no se corrompa y haya que guardarle de la calle!, ¡ay del huerto en que se haga menester una estufa para criar allí los tiernos brotes y trasplantarlos luego!» [2]

Opina que una de las causas más claras de la corrupción social española es la despreocupación de los padres en la educación de sus hijos. Unos no pueden hacerse cargo de ellos porque necesitan ganar el sustento fuera del hogar. Los otros, los que no necesitan trabajar, «los desatienden también para holgar a sus anchas en pasatiempos, devaneos y distracciones y entregan a sus hijos en manos mercenarias o los envían «a algún encopetado colegio para que no estorben en casa y dejen en paz a sus padres. Fijaos en esto bien, ¡que *dejen en paz a sus padres!* A así los decartan, y al descartarlos, arruinan el hogar, que no es un hogar fuerte si a diario no lo fortifica aliento de niños» [3].

A nadie sino a los padres obliga con mayor fuerza la educación de los hijos, no sólo por haberlos engendrado sino «por haberlos engendrado tales como son, pues son como son, en gran parte, por ser hijos míos y no de otro» [4]. La herencia, por tanto, es la base fundamental de los deberes paternos, a juicio de Unamuno.

---

1 *Discurso en Orense,* VII, 542.
2 *Ibídem.*
3 *Ibídem.*
4 *La educación,* prólogo a la obra de Bunge; III, 517.

Fiel a su misión «mesiánica» y a su papel de predicador laico, en éste como en tantos otros aspectos, subraya los defectos de la educación o ineducación familiar, fijándose en los casos extremos y más negativos para responsabilizar a los padres en punto de tan vital importancia. El peor defecto es el egoísmo de los padres que en vez de servir a sus hijos se sirven de ellos para conseguir sus caprichos o aspiraciones: «por egoísmo los educan y los inclinan en uno u otro sentido» [5], les obligan a estudiar una carrera determinada o les empujan sin vocación al seminario. En su cuento *La beca,* describe un caso de gonofagía en que los padres exigen a su hijo que estudie de día y de noche para poder vivir de la beca y de la carrera que no ejercerá nunca porque los estudios acaban devorando su enteca salud.

En otro lugar [6] exclama: «He de deciros que cada vez que oigo en España censurar eso que se supone corriente en Francia, de limitar los nacimientos, contesto: tan multhusianos somos como ellos; peores aún; ellos limitan los nacimientos, nosotros no limitamos las muertes. Son dos modos de resolver el problema: ¿cuál peor?

Francamente, en un país donde ocurre esto, lo que hace falta principalmente no es cultura, sino amor; en un país así, la cultura, en el sentido ordinario de ilustración, de ciencia y de saber, no es lo que más se necesita, porque lo que hace falta es amor (...) Hablamos de los derechos de los padres. ¿Y quién protege a los hijos contra los padres?

Lo que aquí falta es amor, amor. Y así los padres no saben rendirse a una vida de sacrificio, de sacrificio de las generaciones, que son las que han de venir.»

¿Cómo han de educar los padres a sus hijos? En líneas generales, de acuerdo con los principios expuestos al hablar de la misión del maestro: Con respeto, con amor, con auténtico espíritu de servicio; alentándoles en sus proyectos, en sus intereses; estudiando previamente su carácter; con el ejemplo, como educó don Primitivo a Tula y a Rosa. He aquí el diálogo entre ambas hermanas [7]:

«—Fue nuestro padre —le dijo a su hermana— y jamás le oímos una palabra más alta que la otra.

—¡Claro! —exclamó Rosa—; como que siempre nos dejó hacer nuestra santísima voluntad.

—Porque sabía, Rosa, que su sola presencia santificaba nuestra voluntad. Fue nuestro padre; él nos educó. Y para educarnos le bastó la trasparencia de su vida, tan sencilla, tan clara...»

---

5 *Conferencia en Málaga,* 1906; VII, 691.

6 *Ibídem,* VII, 692.

7 *La tía Tula,* cap. V; IX, 546.

Una de las obligaciones que tiene el padre en la educación de sus hijos es pensar con qué dificultades se ha encontrado en la vida por su modo de ser y «evitar que aquellos mismos daños o modo de ser análogo le lleven al hijo hacia los mismos males o desengaños de que él sufriera, por lo que es menester darles a los hijos personalidad y quitarles hipocresía, esta hipocresía que a todos nos mina el alma en estas ciudades corroídas por la anemia espiritual, en donde los hombres tienen dispersas sus facultades, y que son causa de que sean sólo hombres de nombre u hombres de doble o de triple o de cuádruple personalidad: es decir, de ninguna» [8].

Convertir a los hijos en hombres es el objetivo de la educación familiar; como medio, el amor; como palanca, la libertad responsable. El padre observa a sus hijos sin que éstos se den cuenta, sin meter la nariz en asuntos exclusivamente infantiles, dialoga con ellos, juega con ellos y responde a sus problemas; se siente a gusto en el bullicio del hogar, en medio de la *guerra* que dan en casa. El recuerdo de su propia infancia le facilita la comprensión de sus propios hijos. El principio regulador de las relaciones paternofiliales es la libertad razonable.

No obstante, Unamuno observa que las relaciones entre los padres y los hijos son «un verdadero misterio» [9] en el sentido de que no hay manera de rellenar el abismo de años que separan a unos y a otros para que las relaciones se entablen en un plano de igualdad, es decir, de amistad. «Veinticinco años de por medio impiden toda amistad. La amistad es, además, complicidad, y el padre no puede ser cómplice de sus hijos.» [10] Lleva razón Unamuno. Por mucha intimidad y confianza no es posible llegar a la igualdad que requiere la verdadera amistad.

II. COLABORACION DE LA FAMILIA Y DE LA ESCUELA

Un objetivo fundamental señala Unamuno a los padres en el terreno de la educación: la preocupación por los problemas de la enseñanza. Es totalmente necesario crear Ligas de padres que formen una verdadera opinión pública pedagógica, inexistente entonces en España [11]. Los padres son los más responsable y los más indicados para airear los pro-

---

[8] *Conferencia en Málaga,* 1906; VII, 688.

[9] «En mi viejo cuarto», *La Nación,* Buenos Aires, 1909; X, 191.

[10] *Ibídem,* X, 191.

[11] 1917. *Conferencia en la Real Academia de Jurisprudencia y Legislación,* de Madrid; VII, 938-940.

blemas de la enseñanza: absentismo, denuncia de deficiencias, «de incompetencia del profesor», etc. «Los padres, en algún tiempo, sabían asociarse para redimir a los hijos de quintas, para que en lugar de costarles seis mil reales, si podía ser, les costara tres mil; pero para asuntos relativos a la enseñanza, ni se asocian, ni parece que les importa. No hay sentido de los intereses intelectuales, desgraciadamente, y el profesorado se ha convertido en el sacerdocio escéptico de una religión oficial que no tiene creyentes.»

Todo el mundo sabe que la escuela necesita la colaboración de las familias para lograr que la educación sea obra de cooperación. Hoy día no se concibe la escuela cerrada a cal y canto donde el maestro campa por sus respetos como único responsable de lo que puertas a dentro ocurre. Abrir de par en par las puertas de la escuela quizás supone una actitud de humildad por parte del maestro; supone la posibilidad de que la acción magistral sea criticada por quienes no sabrían educar ni instruir mejor de lo que él lo hace, pero también comporta —y esto es siempre positivo— una concienciación de los padres en el terreno de sus deberes que no terminan cuando los delegan en otros mejor preparados teóricamente. Es indiscutible que la educación deben llevarla a cabo los padres y los maestros de consuno; que no es admisible el divorcio ni la indiferencia entre unos y otros, puesto que, en caso de existir, el trabajo de unos pueden deshacerlo los otros. Por otra parte, el maestro nunca puede negarse a que la sociedad que le ha encomendado tan importante misión, conozca de cerca la eficacia y orientación de su trabajo; el maestro puede exigir a la sociedad los condicionamientos necesarios para realizar su tarea a plena satisfacción, pero también la sociedad puede retirar su confianza a aquél que no se haga acreedor de ella. Unamuno tuvo el acierto de intuir, aunque fuese de modo confuso, toda esta panorámica al afirmar la necesidad de crear ligas de padres promotoras de la educación. No acertó al pensar que llegaría un momento en que los padres sustituirían a los maestros en la educación e instrucción de sus hijos, al menos, en la etapa primaria.

III. LA UTOPIA DE LA SUSTITUCION DEL MAESTRO POR LOS PADRES

En el discurso pronunciado en Orense con motivo de la entrega de premios del Concurso Pedagógico, dice: «Aún apenas ha soplado la reforma pedagógica, la que suprima el medianero entre la humanidad y el hombre, el sacerdote ungido para transmitir el legado de la cultura, sino que cada padre haga de su hogar así como un templo, así también una escuela, y él mismo dé a comulgar a Dios y dé a comulgar a sus hijos el legado de la cultura humana. Y mientras así no pueda ser, no cabe hablar del derecho de los padres a proveer a su antojo a la educación de sus hijos por medianero a quien le entregan movidos de ignorancia y de prejuicios.» [12]

No deja de ser una hermosa utopía querer convertir al padre en sacerdote, pedagogo y guerrero —tal era el deseo de Unamuno para suprimir a estos tres profesionales—, los cuales gozaban por igual de sus antipatías. El sueño no era realizable en su tiempo, en cuanto que los padres debían ganarse la vida fuera del hogar y las madres españolas eran ignorantes, supersticiosas, llenas de prejuicios, y educadas más para monjas o para novias que para madres, según opinión de Unamuno. Tampoco parece realizable hoy día. La madre, más culta que entonces, también tiene que salir fuera de casa y ayudar al marido, y si su situación le permite permanecer en casa, todavía no tiene la preparación adecuada, ni quiere adquirirla, para hacerse cargo de la educación e instrucción de sus hijos. Aunque la tuviera, la necesidad de integrarse socialmente, hace insustituible la escuela para los niños. Otra cosa es que los padres se crucen de brazos y crean cumplido su deber escolarizando a sus hijos y dejando completamente la educación en manos ajenas.

En los Juegos Florales de Almería, el 27 de agosto de 1903, se queja de que sea la mujer quien reine en España. Cree que ello no sería un mal si la mujer española estuviese educada de otro modo. El culpable es el hombre, puesto que, por tener paz, no intenta educar a la mujer que se le entrega mal educada y abandona la educación de las hijas en manos de la madre. Esta observación de por sí importante palidece ante el concepto de unidad que debe reinar entre ambos esposos. Dice Unamuno a la mujer española representada en la mujer almeriense: «Para la mujer no debe haber otro guía espiritual que el que la sostiene y lleva por los senderos de la vida, quien le da el pan del cuerpo debe también darle el del alma y ser gloria de ella la libertad de él.» [13] No es que asigne al hombre la parte del león, como a simple vista podría parecer. Al término de este discurso, añade, después de referir la historia de Sansón y Dalila: «No espero yo así de la mujer española de mañana, sino que sienta que su único modo de reinar bien estriba en la íntima convivencia espiritual con el hombre, en comunión de libertad, de igualdad y de fraternidad con él, en fe, esperanza y amor mutuos. Así, y sólo así, llegarán a perfección ambos.» [14]

---

[12] VII, 543-544.

[13] *Discurso en Almería,* 27 de agosto de 1903; VII, 586.

[14] *Ibídem,* VII, 588.

Creo que este pasaje es importante y se habría de recordar al tratar de la mujer vista por Unamuno. Algunos comentaristas prescinden de él, empeñados en fijarse únicamente en aquellos textos en que Unamuno señala la función maternal de la esposa respecto al marido.

FEMINISMO Y EDUCACION

I. LOS PRIMEROS TITUBEOS FEMINISTAS EN ESPAÑA

Hacia 1868 comenzó a hablarse tímidamente en España de la educación femenina. Sin embargo, y a pesar del impulso dado por Fernando de Castro «ese fuego de paja se extinguió pronto en las esferas oficiales. Ninguna necesidad política, ni económica, ni aun social obligaba a la sociedad a abordar, de grado o por fuerza, el problema de la educación femenina. Los acontecimientos no ejercían en favor de la emancipación de la mujer una presión comparable a la que favorecía la educación del ciudadano» [1]. A pesar del poco o ningún apoyo oficial en pro de la mujer, Fernando de Castro inauguró el 21 de febrero de 1869, en la Universidad de Madrid, una serie de conferencias dominicales y fundó una Escuela de Institutrices. En su tarea contó con la ayuda de Giner de los Ríos, Azcárate, Echegaray, Moret, Labra, Pi y Margall, Becerro de Bengoa y otros. Al año siguiente fundó la Asociación para la Enseñanza de la Mujer que agrupó a los dos organismos. Le sucedió Ruiz Quevedo, en 1874, en la presidencia, cargo que desempeñó hasta su muerte, en 1898 [2]; ambos presidentes contaron con la colaboración entusiasta de los hombres de la Institución Libre de Enseñanza.

Los Congresos Pedagógicos de 1882 y 1892 continuaron abriendo brecha en la refractaria opinión pública española. Concepción Arenal será la abanderada del movimiento feminista español a través de artículos, conferencias, congresos y obras serenamente pensadas.

Cuando el siglo XIX está a punto de extinguirse, el tema del feminismo llega a convertirse, dentro y fuera de España, en el tema de moda. «Apenas si hay publicación periódica, de las innumerables que ven la luz pública en Europa y en América, que no dedique muchas

---

[1] Y. Turin, *La educación y la escuela en España de 1874 a 1902*, ob. cit. página 58.

[2] Cfr. obra de Y. Turin, págs. 230 y siguientes.

de sus páginas, ya a discutir los problemas que el *feminismo* plantea, ya a consignar los grandes progresos que este movimiento social realiza en todos los pueblos cultos» [3]. Mientras, en un principio, Francia y Alemania se manifiestan indiferentes, Inglaterra, Estados Unidos y Australia marchan a la cabeza del movimiento.

Dos clases de feminismo distingue Adolfo Posada en su obra *Feminismo:* el feminismo radical y el radicalismo feminista. El primero se manifiesta partidario de una formación de la mujer igual a la del hombre, de la coeducación en todos los grados de la enseñanza, de la desaparición de todos los obstáculos legales y no legales que se oponen a la libre manifestación de las aptitudes de la mujer; aboga por la igualdad de derechos civiles y políticos de la vida social, tanto privada como pública y desea el libre ejercicio de todas las profesiones, sin tener en cuenta el sexo. El radicalismo feminista se caracteriza por sus soluciones violentas; supresión del matrimonio, defensa de la poligamia, supresión de la metafísica y de la prostitución reglamentada... [4].

En España —a juicio del mismo autor [5]— no existe «un feminismo arriesgado, de iniciativas valientes y con organización nacional, como el de los Estados Unidos; los escritores y los políticos de España no se han apasionado por el feminismo como los de Francia, ni aquí han surgido las numerosas asociaciones feministas, o cuando menos, asociaciones para levantar la posición social de la mujer, que hemos visto organizadas en Francia, ni la opinión general se ha revelado entre nosotros con la fuerza, a favor de la mujer, que en Inglaterra». La masa general permanece indiferente o burlona.

No es ésta la ocasión para investigar las causas de esta atonía feminista española de fin de siglo. Sin duda habría que buscarlas en el contexto cultural y social y en la inexistente industrialización del país como señala Y. Turin.

II. ANTIPATIA DE UNAMUNO HACIA ESTE MOVIMIENTO

¿Qué piensa Unamuno acerca del feminismo y de la educación femenina?

Habrá que buscar las causas de la postura de Unamuno frente a la mujer en la huella que en él dejó la prematura muerte del padre y el

[3] Adolfo Posada, *Feminismo;* Madrid, Librería de Fernando Fe, 1899, pág. 16.
[4] *Ibídem,* págs. 20-29.
[5] Ob. cit., pág. 195.

carácter recio de su abuela Benita, cabeza del matriarcado Unamuno hasta su muerte, cuando don Miguel tenía dieciséis años. Continuadora de su obra y, en cierto modo, de su recio temple, fue su madre doña Salomé que proyectó su influencia incluso hasta Salamanca, donde su hijo se había instalado con su familia. Creo que hablar de la visión femenina de Unamuno debe arrancar de aquí, del ambiente femenino que vivió desde su nacimiento hasta la completa cristalización de su personalidad.

En el prólogo al libro de Bunge, *La educación* [6], escribe Unamuno: «Trata el autor en el capítulo VII de la educación de la mujer; pero yo no sé qué sino me persigue, que nadie ha logrado aún interesarme por eso del feminismo, ni logro verlo como problema sustantivo y propio, y no como corolario de otros problemas (...). Podrá parecer ello muy superficial y grosero, pero para mí todo el feminismo tiene que arrancar del principio de que la mujer gesta, pare y lacta, está organizada para gestar, parir y lactar, y el hombre no. Y el gestar, parir y lactar llevan consigo la predominancia de la vida vegetativa y del sistema linfático, y con ellos, del sentido común y práctico. Hasta cuando tiene menos inteligencia, tiene más sentido común que el hombre.»

Al año siguiente —1903— escribe [7]: «los feministas de profesión me apestan; los que se pican de conocer los escondrijos y recovecos de la psicología femenina me parecen insoportables tenorios. Raro es el pintor de mujeres que me agrada. La sexualidad les estropea la vida y el corazón, y ni ven bien ni sienten mejor».

Ambos fragmentos se explican y complementan. Sería falso deducir que Unamuno es enemigo de la educación femenina; de lo que no hay duda es de su poca simpatía por el feminismo como movimiento, más acaudillado por hombres que por mujeres. Al decir «ni logro verlo como problema sustantivo y propio y no como corolario de otros problemas» creo que lleva razón, si se tiene en cuenta que la promoción de la mujer no es posible sin una serie de condicionamientos económicos, sociales, políticos y culturales que le sirvan de base. Intentar promover a la mujer sin estas estructuras básicas, creo que es empezar a construir la casa por el tejado. ¿Cómo es posible desterrar la ignorancia de la mujer si previamente no ha surgido esta necesidad, si los hombres no se han percatado de su importancia? ¿Es posible admitirlas en todas las profesiones si los puestos de trabajo son escasos incluso para los hombres? ¿Es posible preocuparse de su escolarización si antes no se ha logrado la de los niños?, etc.

---

[6] Enero de 1902; III, 517.
[7] «La mujer gaditana», *La Lectura,* Madrid, 1903; V, 303.

Tampoco creo que la postura de Unamuno sea equivocada al centrar el feminismo en la constitución anatómica de la mujer, que es lo único que la diferencia del hombre, pero que influye decisivamente en su psicología y en su personalidad. No es que la suponga ni inferior o superior al hombre sino diferente. Creo que el planteamiento de la cuestión es correcto, e incluso razonable, si se evitan, sobre todo, los textos en que Unamuno se deja llevar de cierto radicalismo que entorpece la visión desapasionada del tema.

III. EL LENGUAJE RECIO Y DURO DE UNAMUNO RESPECTO A LA MUJER

Hay textos en que Unamuno zahiere a la mujer con la misma acritud que al hombre; y otros, en que apunta al tipo de mujer ideal, no muy distinta a la mujer vasca que él conoció. Conviene detenerse en unos y otros. Se manifiesta enemigo declarado de la retórica al uso del halago prodigado a la mujer sin ton ni son por poetas y oradores. Deseaba una mujer nueva con la misma vehemencia que deseaba un hombre nuevo. El método empleado en ambos casos es el mismo: subrayar los defectos y apuntar al ideal. En su artículo «A la señora Mab» [8], dice: «(Observará usted, señora, que como me dirijo a mujeres, procuro hablarles en el sentido más escueto, más viril y menos acaramelado que me es posible. Es mi manera de demostrarles mi respeto. La mayor parte de las llamadas galanterías me parecen expresiones de desdén. Es algo así como hablar a los niños a media lengua, procurando imitar su balbuceo.)»

En otro lugar [9] explica su actitud: «Paso por poco galante. Donde quiera que he dirigido la palabra a un público en que hubiera mujeres, he tenido para éstas palabras de ruda verdad, muy otras que las palabras de aduladora galantería con que de ordinario se las lisonjea. Alguna vez he dicho que nada me parece peor que el papel de ídolos que a las mujeres hacen representar muchos, teniéndolas atadas y presas al altar y sahumándolas con el barato incienso de fáciles requiebros.» [10]

---

[8] *La Nación,* Buenos Aires, 4 de enero de 1908; IV, 721.

[9] «Nuestras mujeres», *La Nación,* Buenos Aires, 23 de marzo de 1907; IV, 703.

[10] En el capítulo VI de la segunda parte de la *Vida de Don Quijote y Sancho,* dice, dirigiéndose a la mujer española: «No me perdonaría nunca el no haberte dicho que sólo te queremos de veras te queremos mujer fuerte, los que te hablamos recio y duro, no los que te amarran, como ídolo, a un altar y te tienen allí presa, atufándote con el incienso de fáciles requiebros, ni los que te aduermen el espíritu brezándotelo con ñoñas canciones de una piedad de alfeñique.» (IV, 225-226.)

Uno de los más graves defectos que Unamuno señala en la mujer en su «supuesta religiosidad» [11], basada en la rutina, en la apariencia social y en el sentimiento. Apoyándose en Leslie Stephen señala la desfavorable influencia que la mujer ha ejercido en la figura de Cristo tal como entonces se presentaba en los púlpitos y en los devocionarios tanto como en el arte religioso. «Y el resultado es que el Cristo así presentado no logra atraer a los hombres del tipo masculino, si es que no les repele, aquellos hombres para quienes la acción es más y el sentimiento menos de lo que es para el tipo femenino.» [12]

En este mismo artículo ridiculiza lo que él llama «deporte de la beneficencia». Por el afán de señalar abusos, reales, quizás, condena en bloque todas las obras de carácter benéfico-social mantenidas por la Iglesia. Con ello peca de injusto al no ser capaz de ver nada positivo en la caridad femenina.

IV. LOS DEFECTOS DE LA MUJER ESPAÑOLA SON CORRELATIVOS A LOS DEL HOMBRE

Sin embargo, vuelve a la sensatez cuando afirma que «la mezquindad de espíritu, es en nuestras mujeres, las españolas, el correlativo de la falta de elevadas y nobles ambiciones en los hombres» [13], es decir, que los defectos de las mujeres son correlativos a los de los hombres. «¡No he de caer en la injusticia de sostener que nuestra mujer, la mujer española, es inferior a nuestro hombre, no! Tal para cual. A la depresión del espíritu masculino corresponde la depresión del femenino. Tenía razón sor Juana Inés de la Cruz, la mejicana, cuando decía a los hombres:

queredlas cual las hacéis
o hacedlas cual las buscáis» [14].

Es frecuente encontrar en las páginas de la historia hombres cuya talla no hubiera sido posible sin la grandeza de sus mujeres. Pensar quién hace a quién, si es la mujer o es el hombre, es quizás desenfocar la cuestión, puesto que ambos se enriquecen o se empobrecen con el contacto diario. El uno puede ser para el otro una ayuda o un obstácu-

[11] «Nuestras mujeres», *La Nación,* Buenos Aires, 23 de marzo de 1907; IV, 706.
[12] Citado por Unamuno. *Ibídem,* IV, 705.
[13] *Ibídem,* 708.
[14] *Ibídem,* IV, 708.

lo, una palanca hacia la acción y el éxito, o un obstáculo perenne. Los defectos de la mujer se deben, en gran parte, al hombre que no exige de ella superación, al hombre que no aprovecha el deseo innato de agradar de la mujer; los defectos del hombre se deben también en gran parte, a la mujer que no utiliza sus dotes femeninas adecuadamente. Ambos se pueden educar mutuamente apoyados en el infalible pedagogo del amor. «Queredlas cual las hacéis...» no es aplicable exclusivamente a los hombres, sino que también es aplicable a las mujeres y puede decirse también con toda justicia queredlos cual los hacéis o hacedlos cual los buscáis.

«A más de un Sansón le ha recortado, no la cabellera, sino las alas, su propia mujer, su mujer fiel y cariñosa, una esposa modelo de fidelidad y de sumisión y de cariño y de todas esas que llamamos virtudes domésticas. Y en cambio más de una Dalila ha sido fuente de energía y de ambición y de altos anhelos para algún Sansón.» [15] Si la mujer es un niño grande —escribe— si lee literatura infantil, si tiene gustos infantiles, se debe a la educación infantil que recibe [16], se debe a que los padres descargan la educación de sus hijas en sus esposas educadas también infantilmente.

«¿Qué debe leer una muchacha?», me preguntaba una vez un amigo, y le contesté lo que contesto a los que me preguntan qué debe leer un niño: «¡Lo mismo que leen sus padres!»

Y sigue afirmando: «Cuando un padre esconde un libro para que no lo lean sus hijas, de cada diez veces, las nueve insulta con ello a sus hijas, no al autor del libro. Y la otra vez se rebaja a sí mismo leyendo libros semejantes.» [17]

Ante tan rotunda afirmación no cabe estar de acuerdo. No siempre que se esconde un libro de las miradas de los hijos se insulta con ello a los hijos ni se rebaja uno a sí mismo. Es posible que cierto tipo de libros rebaje al lector, pero dejar toda clase de libros en manos de niños es como permitir que coman cualquier clase de alimentos, aunque les perjudique al estómago.

V. EDUCACION SEMEJANTE A LA DEL VARON

Aunque pueda parecer paradójico, Unamuno apunta a una educación femenina muy semejante, si no igual, a la del varón. Una mujer

[15] *Ibídem,* 708.
[16] *Ibídem,* 709.
[17] *Ibídem,* 709.

tiene derecho a leer lo que lee el hombre y éste es el deseo de Unamuno, puesto que ello viene exigido por la propia dignidad humana que pide y exige el máximo desarrollo. Este es el motivo por el que se rebela contra la educación femenina a base de las labores consideradas tradicionalmente como exclusivas de la mujer. «La enseñanza del bordado —dice— [18], por otra parte, es un símbolo de la esclavitud de la mujer, esclavizada a eso que con una frase degradante llamamos «labores de su sexo». Se busca, distrayéndoles con esas futesas, mantenerles en cierta perpetua minoridad intelectual. Es ello una vergüenza y una forma de aquello de que a la mujer le basta con saber guisar y remendar los calzones del marido.

En el fondo, parece que se trata de impedir el desarrollo de la dignidad humana, de todo lo más elevado y más noble. Y esto no sólo en la educación de la mujer, sino también en la del hombre, y muy en especial en la del maestro.»

Creo que este texto tiene la suficiente importancia como para no dejarlo pasar por alto sin comentario. En él se pone en entredicho la educación tradicional de la mujer española y se rompen lanzas por su emancipación. Culpa de ello al egoísmo del hombre y esgrime con toda justicia el argumento de la dignidad humana conculcada con una educación esclavizadora tendente a perpetuar la minoridad intelectual y social de la mujer. ¿Qué educación hay que dar a la mujer? Toda aquella a la que por su dignidad humana tiene derecho.

VI. DOS MODELOS: SANTA TERESA Y DULCINEA

Dos son los tipos de mujer ideal que presenta Unamuno: Santa Teresa de Jesús y Dulcinea; a ellos puede agregársele un tercero: la mujer vasca. En la *Vida de Don Quijote y Sancho* [19] apostrofa a la mujer española en la sobrina de Don Quijote, Antonia Quijana, en tono pesimista. «¡Y pensar que esta rapaza —dice— de Antonia Quijana es la que domina y lleva hoy a los hombres en España! Sí, es esta atrevida rapaza, esta gallinita de corral, alicorta y picoteadora, es ésta la que apaga todo heroísmo naciente.» [20] «Os digo que no espero surja de entre vosotras ni una nueva Dulcinea que lance a un nuevo Don

[18] *Conferencia en la Sociedad de Ciencias,* de Málaga, el 23 de agosto de 1906; VII, 724.

[19] Cap. VI de la 2.ª parte; IV, 222-226.

[20] *Ibídem,* IV, 222.

Quijote a la conquista de la fama, ni otra Teresa de Jesús, dama andante del amor que de tan hondamente humano se sale de lo humano todo. Ni encenderéis un amor como el de Aldonza Lorenzo, sin de ello percatarse, encendió en el corazón de Alonso el Bueno, ni lo encenderéis en el vuestro como aquel amor de Teresa de Jesús que hizo le atravesase el corazón un serafín con un dardo.» [21]

«Ese tu espíritu, tu almita, que acaso fue soñadora otraño, te la alicortaron y encamijaron en un terrible potro, te la han brezado, desde que lanzó su primer medroso vagido, te la han brezado con el viejo estribillo,

duerme, niño chiquito,
que viene el Coco,
a llevarse a los niños
que duermen poco.

(...) Mira, mi Antonia, que el Coco viene y se lleva y se traga a los dormidos, no a los despiertos.» [22]

Frente al espíritu dormido, infantil de la mujer, desea un espíritu despierto, maduro; frente a la mezquindad y ramplonería del sentido común, frente al «corto alcance de corazón como de cabeza» [23], frente a «la ramplonería de la cabeza» y «la ramplonería del corazón» [24], propone Unamuno el amor de Dulcinea «que lance a un nuevo Quijote a la conquista de la fama» [25] y la «heroica locura» de Santa Teresa que a la busca del «amor sustancial», «anheló gloria eterna y engolfarse en Jesús, ideal del hombre» [26].

VII. CANTO A LA MUJER VASCA

Del discurso que Unamuno pronunció en los Juegos Florales de Bilbao, el 26 de agosto de 1901, reproduzco un nuevo fragmento que completa la visión de la mujer, ideas que aparecen diseminadas a través de su extensa obra. Al final del discurso entona un canto de alabanzas a la mujer vasca representada por la reina de los Juegos (...).

[21] *Ibídem,* 224.
[22] *Ibídem,* 225.
[23] *Ibídem,* 223.
[24] *Ibídem.*
[25] *Ibídem,* 224.
[26] *Ibídem.*

«Preside este acto una mujer. Una mujer, perenne recordatorio del sosiego del hogar, del castillo en que se recobran bríos y restauran fuerzas para la lucha inacabable, símbolo del espíritu conservador que templa y regula el torbellino del progreso, tierra del hombre Anteo, verdadero principio de continuidad en los pueblos todos, vaso de su íntimo carácter, fuente constante de vida y de consuelo.

Y a la par que es la mujer el relicario de la raza, el último y más cerrado depósito de su pegujar, el arca de sus tradiciones, es también la que mejor enlaza a los diversos pueblos, siguiendo la suerte de su hombre, por muy extranjero que al tomarla lo fuese, pues vive ella en la fuente de nuestro linaje. Es la sabina que se deja robar por el romano. Levanta hogar, la única patria chica estable, sobre las patrias todas, y une la familia natural a la gran familia humana, sobrenatural, guiada por su sentido de la realidad concreta, libre de elucubraciones y de eso que llamamos *opiniones,* que son cosa de hombres. De sus ojos fluye hálito para el combate por la vida, y para las heridas que en ésta se cobran, hay en el reclinatorio de sus brazos bálsamo. Aquí marchó siempre en los caminos de la vida a la vera de su hombre, con su mano en el hombro de éste, apenas dejando adivinar, si apoyándose o empujándole con dulzura.» [27]

[27] Discursos en los Juegos Florales de Bilbao, 26 de agosto de 1901; VI, 306.

EL ESTADO DOCENTE Y LA INSTRUCCION RELIGIOSA

I. ACTITUD SECULARIZADORA DE GIL Y ZARATE

Durante el siglo XIX adquieren nuevo vigor y se matizan mejor las tesis de la Ilustración respecto a la enseñanza: gratuidad, universalidad, centralización, libertad, inspección, uniformidad, etc. Antonio Gil y Zárate, en su obra *De la instrucción pública en España,* después de una serie de consideraciones, resume su pensamiento diciendo:

«La consecuencia de todo lo dicho hasta ahora es:

— Que la Iglesia, después de haber sido soberana en los dominios de la inteligencia, ha perdido esta soberanía, la cual se ha trasladado a la sociedad civil, como más ilustrada y progresiva.

— Que la Iglesia, después de haber sido también soberana en el orden político, ha perdido igualmente esta soberanía, teniendo que renunciar a sus dorados sueños de teocracia universal, y que la sociedad civil, recobrados sus derechos, se gobierna sola a su vez, no recibiendo sino de sí propia las leyes que han de regirla.

— Que sólo puede haber progreso intelectual donde existe la libertad y la discusión; y que excluidas la libertad y la discusión de la sociedad eclesiástica, se han refugiado al seno de la sociedad civil, donde existen ahora todos los elementos de saber, progreso y civilización.

— Que sólo donde reside la soberanía, reside también el derecho de educar, es decir, de formar hombres apropiados a los usos que necesita el soberano.

— Que cuando la sociedad eclesiástica era la soberana en todo, fue y debió ser también la enseñante.

— Que perdida la soberanía, la sociedad eclesiástica no puede ni debe ser ya la enseñante.

— Que trasladada la soberanía a la sociedad civil, a esta sociedad corresponde sólo dirigir la enseñanza, sin que se mezcle en ella ninguna otra sociedad, corporación, clase o instituto que no tenga ni el mismo pensamiento, ni la misma tendencia, ni los mismos intereses, ni las mismas necesidades que la sociedad civil (...).

— Que la sociedad civil moderna, cuando entrega la enseñanza al clero, abdica de su poder y sus derechos, y al hacer una cosa contraria a lo que exigen los principios, sus necesidades e intereses y con una imprevisión funesta, prepara su ruina o, por lo menos, permitiendo que se formen hombres como no deben ser, abre la puerta a choques terribles y a revoluciones sangrientas que la desquician, y ponen también a la misma sociedad eclesiástica en peligro.» [1]

Con diversas alternativas la idea secularizadora va abriéndose camino durante la segunda mitad del XIX, sin que pueda convertirse en realidad, tanto por la falta de presupuesto como por la resistencia que opone la Iglesia española. A pesar del anticlericalismo reinante, a principios del siglo XX los centros privados, sobre todo, de las congregaciones religiosas, ven aumentar cada año el número de sus alumnos, mientras los estatales permanecen semidesiertos [2].

II. EL ESTADO, «ORGANO DE CULTURA»

Unamuno fue partidario del Estado docente y contrario a la educación eclesiástica. Es más, se confiesa completamente de acuerdo con Bunge cuando afirma que «no es posible organizar el Estado sino por medio de la educación; no es posible organizar la educación sino por medio del Estado» [3]. Seis años después —1908— reafirma la misma idea pero añadiéndole un nuevo matiz: la necesidad de una cultura estatal *contra* la cultura eclesiástica. Y digo eclesiástica para distinguirla de la cultura religiosa, por lo que Unamuno lucha durante todo el XX, cuando se intenta implantar la escuela laica. «El Estado —y éste deber ser el núcleo del liberalismo restaurado— debe ser un órgano de cultura, sobre todo frente a la Iglesia. La lucha por la cultura, el Kulturkampf, se impone.» (...) «Es en el orden de la ciencia y de su enseñanza donde la lucha entre el Estado y la Iglesia es más viva. La obra capital del Estado debe ser una obra de cultura, de difusión de la ciencia, que todos lleguemos a ser como dioses conocedores del bien y del mal, y dejad a la Iglesia la tarea de pretender hacer la felicidad

---

[1] Gil y Zárate, *De la instrucción pública en España,* imp. del Colegio de Sordomudos, Madrid, 1855; t. I, págs. 138-139.

[2] Cfr. Y. Turin, ob. cit., págs. 93-97.

[3] *La Educación,* prólogo a la obra de Bunge, del mismo título (1902): III, 518.

de los pueblos.» [4] Es decir, una cultura secular sin la orientación ni tutela de la Iglesia cuyos derechos a influir en la sociedad le son negados categóricamente por el rector de Salamanca.

III. SUBESTIMACION DE LA ENSEÑANZA DE LAS ORDENES RELIGIOSAS

El anticlericalismo le lleva a afirmar también que la única enseñanza buena es la estatal y que la impartida por las órdenes religiosas es peor y va a remolque de la estatal: «En orden a la enseñanza, puede decirse que lo único que hay en España, lo único que merece el nombre de enseñanza, aun siendo muy mala, es la que da el Estado, es decir, la que damos sus servidores.» [5] Poco después, en la misma conferencia, agrega: «Y tened en cuenta que hoy mismo, si hay asociaciones religiosas católicas dedicadas a la enseñanza, es frente al Estado y merced a éste. Preparan a sus alumnos para que se les apruebe en aquellos conocimientos que de ellos exige el Estado, y si éste no los exigiera no se los enseñarían. Estoy completamente convencido de que, en el fondo, se tiende a mantener la ignorancia; he oído hacer el panegírico de la santa ignorancia y celebrar al ignorante, suponiéndole feliz.» [6]

En la citada conferencia de Bilbao, después de volver a reiterar la superioridad de la enseñanza estatal, arremete contra las órdenes religiosas en los siguientes términos: «La otra, la de las Ordenes llamadas religiosas, es peor, mucho peor. Y hasta esta misma, si es algo, es por hallarse sometida a la oficial y por ella intervenida, es por tener que enseñar con sujeción, a los planes oficiales del Estado y en competencia con éste. Si tal intervención y tal competencia desaparecieran, esas Ordenes no enseñarían nada, fieles a aquello de: "eso no me lo preguntéis a mí, que soy ignorante..." Buena prueba de ello es que la peor enseñanza de las que en España se dan es la que da la Iglesia sin la intervención ni inspección del Estado, su enseñanza interna, la que se da en los seminarios, de donde salen los curas sin saber latín ni teología.» [7]

---

[4] Conferencia dada en la Sociedad «El Sitio», el día 5 de septiembre de 1908; VII, 767-769.

[5] Conferencia en el teatro Cervantes de Málaga, el 21 de agosto de 1906; VII, 684.

[6] *Ibídem,* 685.

[7] Conferencia en Bilbao, 5 de septiembre de 1908; VII, 769.

Conviene puntualizar estos textos antes de proseguir. En primer lugar, es tendencioso afirmar que la enseñanza de las Ordenes religiosas fuese peor que la estatal. Habría que sustituir la comparación por una igualdad: tanto la enseñanza estatal como la religiosa adolecían de graves defectos. Incluso manteniendo la comparación la balanza se inclina a favor de las órdenes religiosas en el número de alumnos, calidad de los edificios, dedicación del profesorado, disciplina, material escolar, etc. Por otra parte, los testimonios que afirman la superioridad de la enseñanza privada, a principios de siglo, sobre la estatal, son numerosos [8].

El hecho de que la enseñanza de la Iglesia debiera atenerse a las directrices y programas del Estado, además de ser una imposición estatal justificada, se debe también a las necesidades y exigencias sociales de cada época, a las que la Iglesia se ha venido adaptando a través de los siglos en su función educadora. La ósmosis existente entre las diversas instituciones sociales de una misma nación establece estrechas conexiones en el campo de la cultura. Si el nivel general es bajo, de postración, todas las instituciones sufren las consecuencias. Las minorías, en vez de verse impulsadas a empresas de mayores vuelos, se ven obligadas a recortar sus alas y a quemar parte de sus energías en luchar contra el ambiente adverso, o a dedicarse a empresas que no les corresponderían, a no ser que vivan herméticamente aisladas y, por tanto, sin ninguna proyección social. Este es el caso de España a principios de siglo. No salían de los institutos ni de las universidades los alumnos sabiendo más latín o griego que los sacerdotes de los seminarios.

IV. LA VERDADERA POLITICA PEDAGOGICA MINISTERIAL

Depuesto Unamuno de su cargo de rector, no rectifica su fe en la función del Estado docente, a pesar de las críticas que le dirige, a propósito de una serie de deficiencias administrativas denunciadas en su conferencia *Lo que ha de ser un Rector en España,* en el Ateneo de Madrid [9]. «A pesar de éstas y otras lamentabilísimas irregularidades, tuve siempre, lo repito, una profunda fe en el Estado y en su acción. He sido y soy partidario del Estado docente.

[8] Cfr. Y Turin, ob. cit., págs. 93 y siguientes.
[9] 25 de noviembre de 1914; VII, 852 y siguientes.

Sé que si el Estado abandonara la docencia caería ésta en manos de instituciones que la ejercerían peor aún que él la ejerce.» [10] Y sigue repitiendo una vez más que la única enseñanza que en España merece tal nombre es la estatal. Esta fe no le impide comenzar una serie de campañas contra los responsables de la política educativa y contra el penelopismo ministerial, empeñado en hacer y deshacer caprichosamente sin someterse a una línea recta de conducta por encima de todo partidismo estéril.

«Estado docente, ¡sí! —dice en su conferencia del Ateneo madrileño— [11]. Y acaso intentando enseñar, y, claro está, para poder enseñar, aprender; intentando aprender para enseñar es como se ha de hacer entre nosotros, y para España, el Estado. La política ha de ser, ante todo y sobre todo, pedagogía, demagogia más bien, aunque esta voz haya sido injustamente mancillada. Mas las desgraciadas banderías electoras que nos desgobiernan carecen de política pedagógica o de pedagogía política, es decir, carecen de política por carecer de ideales a falta de ideas.»

Tres años después, en otra conferencia [12], explica lo que entiende por «política pedagógica», «una política atenta a robustecer, a dar una orientación en la enseñanza, que no consiste sólo en construir escuelas y otras cosas así, que, aunque parezcan muy sólidas, son bastante de bamboya. No; pero en cambio de no haber una política pedagógica, hay una intrusión de esto que llaman política, en la enseñanza y en la pedagogía». Seguidamente expone una serie de casos vividos por él mismo que demuestran la instrusión de la política en la educación: estudiantes transhumantes que se trasladan de universidad en universidad gracias a «sus buenas aldabas» o a certificados falsos, deposiciones de directores de escuelas por votar en contra de los candidatos gubernamentales, un telegrama del conde de Romanones mandando que niegue licencia a don Luis Maldonado para impedirle que prepare su elección de diputado a Cortes, concesión de cargos docentes por «compensaciones» políticas, intrusión injustificada del ministro de Instrucción Pública en los claustros... [13].

«El remedio es una legislación más moderna, más adaptada a las necesidades actuales, al mismo tiempo más amplia, no casuística, y que a la vez que limita una cierta irresponsabilidad que tenemos todos, que tiene su majestad el Catedrático, también cortapise las atribuciones indiscrecionales y arbitrarias del poder ministerial, robusteciendo la

[10] VII, 874.

[11] VII, 879.

[12] Conferencia pronunciada en la sesión pública del 3 de enero de 1917, en la Real Academia de Jurisprudencia y Legislación de Madrid; VII, 931.

[13] *Ibídem,* VII, págs. 931-935.

autoridad del Catedrático y de su inmediata autoridad académica, y dándoles una verdadera responsabilidad, y sobre todo, vuelvo a insistir porque esto es una cosa que nunca me cansaré de repetir, la inspección.» [14]

No deja de ser interesante el objetivo a donde apunta Unamuno para evitar el sinfín de decretos y contradecretos, circulares y reales órdenes que hacían de la legislación de la enseñanza una intrincada jungla capaz de ahuyentar al más paciente investigador. Las consecuencias eran «una verdadera anarquía, una confusión, y hay, sobre todo en la dirección ministerial, un penelopismo, un tejer y destejer lamentable, porque está todo entregado al capricho individual.

No sé por qué —pues yo de esta especie de secretos técnicos de la política, gracias a Dios, no sé nada—, el Ministerio de Instrucción Pública, según me dicen, se considera como un Ministerio de entrada (no sé bien qué es eso de entrada), para hacer méritos y pasar luego a otro de más categoría. Allí no se legisla, en realidad se baraja la legislación, y es peor cuando se legisla» [15].

Además de barajarse la legislación, también es cierto que los partidos turnantes se barajaban los ministerios, incluido el de Instrucción Pública. Los políticos nombrados para este cargo no importaba que no fuesen profesionales de la enseñanza y aun supuesta su buena fe, pasaban por el Ministerio como meteoros, sin que apenas les diese tiempo a plantear una verdadera política educativa que ofreciese un mínimo de continuidad y de eficacia.

V. «ESTADO MAYOR DE LA ENSEÑANZA»

Una solución presentada por don Miguel y que creo que todavía sigue siendo válida en nuestros días es la creación de «una especie de Estado Mayor de la Enseñanza, nombrado o elegido por sufragio del profesorado de todos los grados, al cual se le encomendará, independientemente de este trasiego de ministros que van y vienen, el preparar o presentar —si es que no se le daba confianza— una ley de Instrucción Pública donde se tuvieran en cuenta todas las experiencias de la práctica docente. Claro que esta especie de Estado Mayor no podría ser —no hace falta decirlo— el actual Consejo de Instrucción Pública, que es en gran parte, no sé si en todo, una hechura también ministe-

---

[14] *Ibídem,* VII, 935-936.
[15] *Ibídem,* VII, 929-930.

rial. No; tendría que ser otra cosa. Pero esto es muy difícil con este trasiego —como digo— de profesionales de la arbitrariedad» [16].

Este «Estado Mayor de la Enseñanza» elegido democráticamente por todos los profesionales de ella encaja perfectamente en la imagen que Unamuno tiene del Estado, el cual, no puede existir, según su opinión, donde no hay democracia. «Siempre me preocupó la falta de Estado —dice—. Y no hay Estado porque no hay democracia. Sin democracia no cabe Estado digno de ese nombre. Y no hay democracia donde no hay conciencia pública, ni hay conciencia pública donde no hay ideas.» [17] Podría pensarse que Unamuno arremete contra el Estado dolido de su deposición rectoral, pero en años posteriores, sigue fiel a su mismo principio democrático liberal. En 1933 escribe en el diario *Ahora* [18] en términos que recuerdan a los anarquistas españoles de principios de siglo: «¿Y qué es el Estado? ¿Es la sociedad? ¿Es la comunidad? ¿Es el pueblo? El Estado, dejándonos de camelos jurídicos, ha venido a significar la facción, el fajo, de los que usufructúan, o usurpan el poder público. El Estado ni siembra ni siega; entroja lo que recaudan sus listeros de segadores.»

La puesta en marcha de un Estado Mayor de la Enseñanza creo que comportaría numerosas ventajas:

1.ª Representación de todos los estamentos docentes que aportasen su experiencia a todos los niveles.

2.ª Esta misma experiencia les haría mejores conocedores de los problemas docentes y de sus soluciones.

3.ª La implantación de las reformas aconsejadas serían más fáciles de llevar a la práctica. El resto de los profesionales las aceptarían de mejor grado que si fuesen elaboradas e impuestas por los políticos.

4.ª Este Estado Mayor podría asegurar la continuidad de la política educativa al permanecer al margen de los cambios políticos. Se evitaría que la vida de una reforma de la enseñanza esté supeditada a la vida política del ministro que la implantó.

5.ª Sería más fácil suprimir las barreras existentes entre los distintos niveles de la enseñanza y ésta sería una pirámide perfecta, es decir, sería posible la coordinación.

Podrían señalarse más ventajas, como la colaboración conjunta entre todos los dedicados a la enseñanza, necesaria para el mutuo conocimiento y para desterrar todo complejo de inferioridad o de superioridad entre unos y otros, etc., pero también puede pensarse que la creación de este organismo es perfectamente inútil puesto que sus

---

[16] *Ibídem,* VII, 937-938.

[17] *Lo que ha de ser un Rector en España* (1914), VII, 880-881.

[18] Madrid, 12 de julio de 1933; XVI, 917-918.

funciones son las del Ministro de Educación. Unamuno piensa en él como solución a los problemas que entonces tenía planteados la enseñanza del país.

VI. ENSEÑANZA LAICA, PERO RELIGIOSA

Unamuno adopta una actitud original y paradójica, en cierto modo, dentro de su pensamiento liberal y anticlerical, en lo referente al estudio de la religión. En un ambiente hostil a la formación religiosa, en un ambiente secularizador de la enseñanza, escribe: «Mi posición en eso de la enseñanza laica es bien clara, bien definida y bien comprensible, me parece. Pero nuestros radicales de ambos extremos, tanto de la derecha como de la izquierda, se empeñan en hacer como que no la entienden. Abogo porque la enseñanza pública nacional sea laica, es decir, dada por laicos, no por eclesiásticos, pero que no puede ni debe prescindirse en ella de la enseñanza de la religión. De la religión ¿eh?, y de la religión cristiana; pero no específicamente de la doctrina católica apostólica romana.

Mi fórmula puede condensarse así: "lengua sí, gramática no; religión sí, catecismo no"; (...) creo que el niño debe aprender en la escuela pública aquellos principios religiosos que rigen los sentimientos de la casi totalidad de sus conciudadanos hasta de aquellos que se creen más desprendidos de tales principios.» [19]

Doce años antes de escribir este texto —en 1902— en el prólogo a *La Educación,* del escritor argentino Bunge [20], escribió: «Preguntáronme no ha mucho qué opinaba respecto a la enseñanza de la religión, y respondí que era partidario de ella por espíritu liberal.»

Se mostró partidario de que existiesen cátedras de religión provistas por el Estado y obligatorias para todos los alumnos, fuesen o no creyentes, no para formar cristianos —por supuesto que católicos no— sino por una necesidad cultural, para que los españoles se conociesen mejor y pudieran comprender la esencia de la cultura española íntimamente ligada al cristianismo. «Conviene que todo español conozca bien la religión de su propio país, profésela o no la profese, y ganaríamos un poco con que todos nuestros ortodoxos supiesen un poco más de teología.» [21]

---

[19] «La honda inquietud única», *La Nación,* Buenos Aires, 2 de marzo de 1914; XVI, 832.

[20] III, 511.

[21] Conferencia pronunciada el 3 de enero de 1917 en Madrid; VII, 930.

Ahora bien, piensa que estas cátedras serían distintas a las ya existentes en las que «se amplía un poco el catecismo de la escuela y nada más»[22]; serían cátedras en que se estudiase teología a base del Evangelio y del libre examen protestante. Esta actitud unamuniana se asemeja a la sostenida por los hombres de la Institución Libre de Enseñanza, partidarios también de la formación religiosa pero no confesional. Sin embargo, al final de su vida, reconoce que el laicismo, aunque se predique no confesional no deja de serlo y la enseñanza laica se convierte necesariamente en sectaria también: «Lo de laico es un término completamente indefinido, aunque parezca otra cosa. ¿No confesional?, se dirá. Pero el laicismo que aquí se predica es confesional. Ni puede ser de otro modo, pues a una confesión no se la combate sino con otra confesión. ¡Enseñanza neutral! ¿Neutral? Si uno tiene que confiar la crianza de un hijo a una nodriza, ¡trabajo le mando si va a buscar una con leche neutral, esterilizada o pasteurizada! La leche de la nodriza —como la de la madre— lleva el dejo de los humores de ella. Y así, un maestro o maestra cualquiera, si es persona que tiene sus creencias y sus increencias, su confesión, su visión y su sentimiento del mundo. Ahora, ¡si ha de limitarse a administrar el biberón pedagógico y metodológico...! Que tampoco es neutral.»[23]

---

22 *Ibídem,* VII, 930.
23 «Schura Waldajewa», *Ahora,* Madrid, 11 de mayo de 1936; XVI, 947.

LENGUAS PENINSULARES Y ESTUDIO DE LA GRAMATICA

I. DISCURSO EN LOS JUEGOS FLORALES DE BILBAO, EN 1901

En la primera parte del tomo VI de las *Obras Completas* de Unamuno [1] aparecen reunidos por M. García Blanco los trabajos dedicados a la raza vasca y al vascuence. La actitud de Unamuno frente al vascuence es tajante: «se extingue sin que haya fuerza humana que pueda impedir su extinción; muerte por ley de vida. No nos apesadumbre que desaparezca su cuerpo, pues es para que mejor sobreviva su alma» (...) «Tenemos que olvidarlo e irrumpir en el castellano» (...) «Enterrémosle santamente, con dignos funerales, embalsamado en ciencia; leguemos a los estudiosos tan interesante reliquia.» [2]

Estas tremendas palabras dichas por un vasco ante un auditorio vasco, en gran parte, separatista, producen los efectos de una bomba. El orador fue interrumpido varias veces, y los silbidos y los aplausos abundaron por igual. Unamuno no se arredró, esperó que se hiciese el silencio y continuó impertérrito hasta leer la última cuartilla [3].

En escritos posteriores vuelve a decir que «el vascuence desaparece rápidamente y, además, que a nosotros los vascos nos conviene que desaparezca. Para la moderna lucha por la cultura necesitamos una lengua de cultura, y el cusquera no lo es. Es un instrumento complicado y embarazoso; su caudal léxico en uso corriente es, como no puede menos de ser, muy limitado» [4].

---

[1] Afrodisio Aguado, S. A. Madrid, 1958, págs. 53-349.

[2] Discurso de los Juegos Florales celebrados en Bilbao el día 26 de agosto de 1901; VI, 298-300.

[3] Cfr. testimonios recogidos por García Blanco de la prensa de la época; VI, páginas 38-42.

[4] «Más sobre la lengua vasca», *La Nación*, Buenos Aires, 26 de octubre de 1907; VI, 319.

El pueblo vasco necesita desarrollar su personalidad y su carácter y para ello necesita «que llegue a expresarse, es decir, a pensar en una lengua histórica y de cultura, que no lo ha sido ni lo es, ni menos puede llegar a serlo el vascuence» [5].

II. EL PROBLEMA LINGÜISTICO EN GALICIA Y CATALUÑA

Respecto al gallego, encuentra cierta semejanza con el vasco. «En Galicia —dice— tampoco hay, digan lo que quieran cuatro exaltados, cuestión del gallego. El gallego mismo que cultivan, sobre todo en el género festivo algunos escritores gallegos no pasa de ser algo artificial. Es como esos trajes regionales que cuando van desapareciendo o cuando han desaparecido, los visten los señoritos en carnavales. En Galicia no volverá a ser el gallego la lengua corriente de las clases medias e intruidas de las ciudades.» [6] Y cuando los poetas escriben en gallego —Curros Enríquez— lo hacen pensando en castellano e introduciendo términos portugueses o castellanos.

El problema lingüístico sólo existe en Cataluña «y querer transferirlo a otras regiones es algo así como si quisieran predicar en Chile los derechos del araucano, en el Perú los del quechua o en Paraguay los del guaraní» [7].

En 1889, de paso para Italia, recaló Unamuno brevemente en Barcelona. García Blanco cree que no fue entonces cuando trabó amistad con los hombres de letras catalanes [8].

Este célebre unamunista se equivoca al creer que el artículo más antiguo de Unamuno publicado en la prensa barcelonesa es «Sobre el uso de la lengua catalana», aparecido en el *Diario Moderno,* en abril o mayo de 1896. Unos meses antes, la revista *Ciencia Social* había dado a la luz los interesantes ensayos «La dignidad humana» y «La crisis del patriotismo», en enero y marzo respectivamente del mismo año. A esta misma revista envió Unamuno dos ensayos más: «La juventud intelectual española» y «Civilización y cultura». Siguió colaborando asiduamente en *Las Noticias* durante los años 1899, 1900, 1901 y 1902.

---

[5] «El megaterio redivivo», *Nuevo Mundo,* Madrid, 1 de marzo de 1918; VI, 339.

[6] «Vascuence, gallego y catalán», *La Publicidad,* Barcelona, 24 de enero de 1917; VI, 756-757.

[7] *Ibídem,* VI, 757.

[8] García Blanco, «Epílogo» al tomo VI de las *Obras completas,* pág. 1004.

A principios de siglo comenzó a enviar sus artículos al diario republicano *La Publicidad,* el cual leía en Salamanca y con el que, en líneas generales, estaba de acuerdo [9]. Con alguna que otra laguna, Unamuno publicó artículos en este diario barcelonés durante veinte años.

Un artículo titulado «Sobre el uso de la lengua catalana», dedicado a Clarín y que vio la luz en el *Diario Moderno* de Barcelona [10], después de señalar la «indisolubilidad entre el pensamiento y el lenguaje», afirma: «Todo castellano de espíritu abierto e inteligencia sesuda y franca debe desear que los catalanes escriban en catalán, porque produciéndose más como ellos son, nos darán más, y obligándonos a esfuerzos para entenderlos, nos arrancarán a las solicitaciones de la pereza mental y del exclusivismo.» La razón la añade seguidamente: «Si el catalán escribe en castellano, perderá algo de su alma propia, y eso que pierda es precisamente lo que más nos interesa conocer a los no catalanes, porque es lo activo en él y durmiente en nosotros.» [11] Cada uno debe escribir lo que siente en la lengua en que lo siente. Con esta idea termina el artículo, nótese bien, aparecido en 1896. La misma idea respecto al portugués: «Todo español culto debe hacer el pequeño esfuerzo necesario para poder leer portugués.» [12]

III. LA INTERCOMUNICACION LINGÜISTICA

Para facilitar el entendimiento mutuo entre los hablantes de las tres principales lenguas peninsulares Maragall y Unamuno pensaban editar una revista llamada *Iberia* escrita en castellano, portugués y catalán. «El proyecto —dice el segundo— [13] era entonces poco practicable, pero me halagaba. Halagábame el llegar a tener un órgano de aproximación espiritual entre los pueblos ibéricos de distintas lenguas. Aproximarse espiritualmente es conocerse cada vez mejor. Y mi sueño y ahínco ha sido que nos conozcamos, aunque sea para disentir. Sé que conociéndonos mejor en nuestras diferencias respectivas y mutuas, llegaremos también mejor a conocer nuestro común espíritu ibérico,

---

[9] «*La Publicidad* es, mi querido amigo, uno de los pocos, de los poquísimos diarios a cuya lectura he permanecido fiel.» (Carta de Unamuno a Emilio Junoy. *La Publicidad,* Barcelona, 1 de enero de 1911.)

[10] Abril o mayo de 1896; VI, págs. 687-688.

[11] *Ibídem;* VI, 689.

[12] «Español-Portugués», *El Día Gráfico,* Barcelona, 29 de agosto de 1914; VI, 723.

[13] «Iberia», *Iberia,* Barcelona, 10 de abril de 1915; VI, 737.

lo que nos une frente a la diferencia común con los demás pueblos hermanos en humanidad.»

Su conferencia pronunciada en Valladolid, el 8 de mayo de 1915, cuyo título es *Lo que puede aprender Castilla de los poetas catalanes,* es un canto a la literatura catalana y al entendimiento mutuo entre ambas regiones. En ella se afirma: «La lengua es la sangre del espíritu. En nada se percibe mejor el alma de un pueblo que en su lengua. La lengua es el modo de expresarse, y expresarse es conocerse, y conocerse es amarse. Los que no se comprenden entre sí no se conocen y, por tanto, no se aman. Y si Castilla y Cataluña han de conocerse y amarse, como deben, han de empezar por tratar de entenderse y comprenderse, estudiándose mutuamente.» [14].

Don Miguel desea el conocimiento entre las diversas regiones de España; desea romper los prejuicios mutuos que proceden de la ignorancia, los intereses mezquinos y egoístas; desea, sobre todo, la unidad en la pluralidad, que cada uno dé a los demás lo mejor de sí mismo sin cálculo ni medida; respeta la diversidad de lenguas pero se irrita cuando cualquiera de ellas se convierte en excluyente u hostil a las demás, aunque sólo sea a una de ellas, y cuando el fomento de la lengua se convierte en bandera política que atente a la unidad nacional. «Aquí, en España, cada región debe esforzarse por expansionar el espíritu que tenga, por dárselo a las demás, por dar a éstas el ideal de vida civil pública que tuviere, y si no le tiene, acaso no lo adquiera sino buscándolo para darlo; por sellar a las demás regiones con su sello. El deber patriótico, y aún más que patriótico, humano, de Castilla, es tratar de castellanizar a España y aun al mundo; de Galicia, galleguizarla; andalucizarla, el de Andalucía; vasconizarla, el de Vasconia, y el de Cataluña, Catalanizarla.» [15] No es permaneciendo encerradas en sí mismas como las regiones españolas desarrollan su cultura y descubren su personalidad —piensa— sino tratando de imponerse a los demás. «Si mi hermano camina, ciego, a un abismo, mi deber es desviarle de su senda, aun a la fuerza.» [16]

IV. «SU MAJESTAD LA LENGUA ESPAÑOLA»

Al pensar en el futuro de las lenguas hispánicas cree que un día se fusionarán y formarán una sola, una especie de sobrecastellano, una

[14] VII, 886-887.

[15] «Su majestad la lengua española», *Faro,* Madrid, 1 de noviembre de 1908; VI, 500-501.

[16] *Ibídem,* 500.

lengua nueva formada con elementos castellanos, catalanes y gallegos, que será hablada por todos los españoles [17]. Cada lengua aportará al acervo común sus vocablos, sus giros peculiares, como ocurrió con el castellano enriquecido con elementos leoneses y aragoneses. Mientras esto no ocurra, el castellano debe ser la lengua oficial y su estudio será obligatorio para todos los españoles. En «Su Majestad la Lengua Española» [18], título de por sí elocuente, dice: «En esta cuestión de la lengua nacional hay que ser inflexibles. Cobren toda la autonomía municipal y provincial que quieran, puertos francos, libertades y privilegios y fueros de toda clase; pero todo lo oficial, en español, en español las leyes, en español los contratos que obliguen, en español cuanto tenga fuerza legal civil, en español, tobre todo y ante todo, la enseñanza pública en todos sus grados.

La Iglesia puede y debe adoctrinar a cada uno en su lengua materna, pues que trata de salvarle el alma, y para eso no hace falta cultura; pero el Estado, que es y debe ser ante todo un órgano de cultura, debe imponer la lengua de cultura. Y de cultura moderna no hay más que una lengua en España: la lengua nacional, la española.» En el mismo artículo había escrito: «La única lengua nacional de España es la lengua española; la única lengua, lengua intrínsecamente española y además, lengua internacional, lengua mundial.» [19]

El porqué de esta supremacía del castellano sobre las demás lenguas se debe a una razón histórica: «No cabe confederación alguna sólida, duradera y sana, sea cual fuere la comunidad de intereses entre los pueblos que tratan de federarse, sino a base de unidad de lengua oficial. Donde no hay unidad de lengua oficial surge al punto el "meteco". Y la situación del "meteco", del forastero, se hace en ese caso peor que la del "bárbaro", peor que la del extranjero.» [20]

Unamuno se mantuvo siempre fiel a este principio de supremacía y obligatoriedad del castellano como lengua oficial. Pueden verse sus dos discursos en las Cortes en 1931 y 1931 [21] que cierran de modo solemne sus campañas en este sentido. Creo que no existe contradicción

---

[17] «Yo espero —y lo dije en ocasión para mí solemne, y desde otra tribuna pública— que la venidera lengua secular de nuestra España máxima, de nuestra Iberia, se haga de la refundición —mejor que federación— de nuestros romances.» (Discurso en la apertura del curso 1934-35, en la Universidad de Salamanca; VII, 1086.)

[18] *Faro,* Madrid, 1 de noviembre de 1908; VI, 502.

[19] *Ibídem;* VI, 499.

[20] «Unidad de lengua. Le península escandinava», *La Publicidad,* Barcelona, 31 de enero de 1919; VI, 772-773.

[21] Discurso en las Cortes Constituyentes de la República el día 22 de octubre de 1931 (VII, 1012-1018) y Discurso en las Cortes de la República el día 23 de junio de 1932 (VII, 1055-1062).

entre los textos aducidos en los que se desea que cada uno escriba en la lengua materna y pide a los castellanos un esfuerzo para leer el catalán y el portugués, y su intransigencia ante la obligatoriedad de enseñar en castellano en todos los niveles de enseñanza. Es necesario que todos los ciudadanos conozcan y se expresen en una misma lengua, pero lo que escapa a Unamuno son los problemas psicológicos que lleva aparejados el bilingüismo, sobre todo, en los primeros pasos de la enseñanza.

V. LENGUA Y NO GRAMATICA

¿Cómo debe enseñarse el castellano? Es otra cuestión que entra de lleno en el campo de la didáctica a la que responde nuestro autor. El castellano puede enseñarse a base de abundante vocabulario, mediante la observación de la manera de hablar del pueblo, y con el estudio comparado de las lenguas romances. Incluso el estudio del latín y del francés lo hace girar Unamuno en función del castellano. Ahora bien, el estudio de la lengua debe hacerse con un mínimo de gramática. «Lengua y no gramática», es su tesis.

La antipatía hacia la Gramática data de sus años de bachiller en el Instituto Vizcaíno. Al tratar esta etapa reproduje el poema «La relatividad del Pluscuamperfecto», que es una burla de la gramática, tanto castellana como latina. Después, en las clases de Griego con su maestro universitario Lázaro Bardón que prohibía consultar la gramática, se ratificó en su postura antigramaticista. El espíritu adogmático de Unamuno, su preocupación por las lenguas y dialectos peninsulares que contradicen a cada paso las normas de las gramáticas oficiales y el hecho de que la Institución Libre de Enseñanza la suprimiese en sus planes de enseñanza corroboraron y apoyaron sus campañas, contra esta asignatura. He aquí un texto que prueba la similitud de la Institución y Unamuno respecto a este tema. Al hablar de la enseñanza del francés se afirma en el *Boletín de la Institución* [22]: «Traducciones, redacciones y conversaciones, todo con carácter absolutamente práctico y dando muy poca importancia a la gramática. Las reglas deben aprenderse a medida que van apareciendo los casos.»

El ataque sistemático de Unamuno a la Gramática data de 1905, en cuyo 11 de agosto pronunció una conferencia en Bilbao, con mo-

---

[22] *BILE,* 1889, pág. 177. Citado por Y. Turin, *La educación y la escuela...,* ob. cit., pág. 219.

tivo de la exposición escolar celebrada entonces, conferencia que lleva por título «Enseñanza de la Gramática»[23]. En ella habla Unamuno tanto de la enseñanza de la Gramática como de la del Lenguaje. Sin grandes preámbulos se dirige al corazón del tema: «A la pregunta de «¿cómo se aprende a hablar?», no hay otra contestación que «cada uno sabe cómo él lo ha aprendido; de esa misma manera»[24]. Y sigue historiando el origen de las gramáticas: «La primera Gramática de que la Historia nos da cuenta fue hecha en la India, y cuando la lengua sánscrita era ya una lengua muerta, una lengua litúrgica»; (...) «las primeras gramáticas las hicieron los pedadogos griegos para preparar a los romanos al estudio de la lengua griega, de una lengua extraña. Y (...) Nebrija (...) la escribió para preparar a los jóvenes al estudio del latín»[25]. Es decir, que a ningún pueblo se le ocurrió escribir una Gramática para aprender el idioma propio sino para aprender una lengua extraña, viva o muerta. La Gramática «enseña tanto a hablar como la fisiología a respirar»[26].

En otro ensayo —«Sobre la lengua española»—[27] dice: «La gramática que se enseña y a que se contraen los que nos la predican, porque de lo que no se enseña casi nadie habla, una disciplina meramente clasificativa y descriptiva, es algo notariesco o inventarial; redúcese a poner motes, rara vez adecuados, a las formas del lenguaje, llamando, por ejemplo, pluscuamperfecto al *había amado* y a describir en qué casos se las emplea. Suponer que eso sirva para maldita la cosa de provecho, si en ello queda, es como suponer que quien sepa llamar *melolontha vulgaris* al abejorro sanjuanero, sabe de éste más que quien lo conozca por nombre popular, o no lo conozca por nombre alguno específico. Fuera de esto, no es la gramática más que el último abrigo de la ideología escolástica, con sus enmarañadas y abstrusas definiciones del sustantivo, del adjetivo, del adverbio y demás categorías, no ya del lenguaje mismo, sino de la lógica aristotélica; una casuística más en que se preceptúan aplicaciones que no ha menester encasillarlas quien lea a los que bien escriban u oiga a los que bien hablen.»[28]

Este texto es suficiente para conocer lo que pensaba Unamuno sobre la Gramática. Los muy numerosos que pueden encontrarse en sus obras aportan pocas ideas nuevas y repiten con las mismas o parecidas palabras los mismos conceptos. De esta condenación no queda

[23] VII, 632-653. El texto fue publicado en *BILE,* 31 de diciembre de 1906, páginas 353-362.
[24] *Ibídem;* VI, 632-633.
[25] *Ibídem;* VI, 633.
[26] *Ibídem;* VI, 634.
[27] *Nuestro Tiempo,* Madrid, noviembre de 1901; III, 490-502.
[28] *Ibídem;* III, págs. 491-492.

excluida la Gramática de la Real Academia de la Lengua ni las normas dictadas en su Diccionario [29]. En el lenguaje escrito Unamuno se manifiesta, como en tantas cosas, liberal en el más amplio sentido del término.

El lenguaje es un instrumento de comunicación al servicio del pensamiento; si éste no cabe en el vestido de la lengua oficial hay que romperlo y hacerse uno propio. «La anarquía en el lenguaje es la menos de temer, que ya procurarán los hombres entenderse, por la cuenta que les tiene, y el que se empeñe en lo contrario, en su pecado llevará la penitencia.» [30] Lo que importan no son las normas, sino tener qué decir y decirlo cada uno «a la buena de Dios, cada cual como mejor se las componga, salga lo que saliere, cada uno con su cadaunada, y luego..., ello dirá (...) Escribe como te dé la real gana, y si dices algo de gusto o de provecho y te lo entienden y con ello no cansas, bien escrito está como esté; pero si no dices cosa que lo valga o aburres, por castizo que se te repute, escribes muy mal, y no sirve darle vueltas, que es tiempo perdido» [31].

Unamuno no sólo no manifiesta ningún escrúpulo sino que predica la necesidad de transformar el castellano a base de neologismos, arcaísmos, palabras aprendidas de labios del pueblo, barbarismos, etc., pensando que «lo que ayer fue neologismo será arcaísmo mañana, y viceversa» [32].

---

[29] Cfr. Conferencia citada «La enseñanza de la Gramática»; VII, 636-639.
[30] «Sobre la Lengua Española», ob. cit.; III, 493.
[31] *Ibídem,* 498.
[32] *Ibídem,* 501.

LA ENSEÑANZA DEL LATIN EN ESPAÑA

I. EQUIVOCADA ORIENTACION DE SU ESTUDIO

A finales del siglo XIX las campañas contra el estudio del latín en la enseñanza secundaria surgieron en Francia y Alemania. Hasta entonces, por incomprensible que parezca, nadie se había planteado la pregunta ¿por qué se estudia el latín? Anteriormente había desaparecido de los planes de estudio propuestos por los educadores positivistas. Unamuno cree que el *por qué* del latín es una cuestión importantísima, puesto que de ella deriva su *para qué* [1], «el modo de enseñarlo y su dosis» [2].

Opina que en España se aprende el latín a la fuerza, porque es una de las asignaturas obligatorias del bachillerato, o se aprende «espontáneamente para hacer oposiciones a cátedras, es decir, para enseñarlo» [3]. «Los más de los hombres sinceros declaran que creen perdido, o poco menos, el tiempo que les hicieron dedicar al latín, y si hay algunos que lo aprovecharon, son garbanzos de a libra que no deben entrar en cuenta.» [4]

Sale al paso de los argumentos esgrimidos en pro del latín y los considera poco convincentes. Al argumento de que con él se proporciona a los niños una cultura clásica opone la realidad de los hechos: los niños no comprenden a los clásicos ni son capaces de leerlos de corrido. Es más, «las literaturas modernas, superiores a las clásicas, sustituyen, y hasta con ventaja, a la educación que se pretende dar con los clásicos latinos» [5]. A los que «creen que la mayor utilidad

[1] «La enseñanza del latín en España», *La España Moderna*, Madrid, octubre de 1894; III, 309. Id. en «La cuestión del latín», *La Nación*, Buenos Aires, 23 de septiembre de 1907; VI, 706.

[2] *Ibidem;* III, 307.

[3] *Ibidem;* III, 310.

[4] *Ibidem;* III, 310-311.

[5] *Ibidem;* III, 311.

científica del latín aplicado al castellano es la de hallar las etimologías de los vocablos de éste» [6] y «que sin ellas apenas hay definición posible» [7], responde Unamuno que «la verdadera *etimología* consiste en estudiar el proceso de significación de un vocablo, su semántica, la evolución de su sentido» [8]. En otro artículo [9], argumenta: «Considérase el latín por muchos como una disciplina de cultura general, por la razón de que nuestra civilización tiene sus raíces en la grecorromana y de sus instituciones se han derivado nuestras instituciones. Mas a esto cabe responder que cuanto de las instituciones y de la literatura y la filosofía grecorromanas es vivo entre nosotros, se halla incorporado a nuestras instituciones y a nuestras literaturas y filosofías.»

No son válidos estos argumentos a juicio de Unamuno. En su dialéctica parte del principio de que es necesario cambiar el método de enseñanza, puesto que *«dado el tiempo a que está necesariamente reducido el estudio del latín* [10] *y el amenguamento relativo de su importancia en virtud del desarrollo de las demás disciplinas, no cabe enseñarlo como hasta aquí* NI PARA EL MISMO FIN, si es que fin claro y definido había» [11].

II. APORTACION UNAMUNIANA: EL LATIN AL SERVICIO DE LA LENGUA

Para don Miguel el fin del estudio del latín será conocer científicamente el castellano y, por extensión, las demás lenguas neolatinas. Esto supone la enseñanza de la filología, la cual «sirve para vigorizar la mente de los jóvenes y contribuye a dotarles de uno de los dones más raros, del *sentido científico,* pero tal instrucción hay que darla para que sea provechosa en concreto y en vivo, sobre *hechos inmediatos,* aplicada al idioma propio, al español en nuestra patria» [12]. Líneas más abajo expone con más detención las ventajas de «la ense-

[6] *Ibídem;* III, 316.
[7] *Ibídem;* III, 316.
[8] *Ibídem;* III, 316.
[9] «La cuestión del latín», *La Nación,* Buenos Aires, 23 de septiembre de 1907; VI, 706.
[10] Dos años en el bachiller cuando Unamuno escribe este artículo.
[11] «La enseñanza del latín en España», ensayo citado; III, 312. Subrayados del autor.
[12] *Ibídem;* III, 314.

ñanza científica del proceso formativo del castellano» [13]. Son las siguientes:

1. «Sería un curso de verdadera lógica inductiva aplicada. A partir de hechos fácil e inmediatamente asequibles, de la lengua misma que habla, se ejercitaría al alumno en el saludable rigor del método inductivo. Así se despertaría, si es que dormía en él el *sentido científico.*» [14]

2. «Iría a la vez aprendiendo el alumno a sujetarse a los hechos, a los hechos vivos, a buscar en ellos mismos su razón de ser, a comprender que la ciencia exige saber observar, tener paciencia y esperar a que las cosas se expliquen a sí mismas, sin forzarlas; a penetrarse sobre todo de esta verdad tan desconocida: que la ley no es cosa distinta del hecho.» [15]

3. «Los principios de evolución orgánica, la lucha por la vida, la adaptación al medio, la selección, la desaparición de los intermedios, la correlación de partes, la inestabilidad de lo homogéneo, etc., todo ello se ve en la lingüística con menos trabajo que en la botánica o en la zoología, porque se dispone más a mano de elementos más manejables.» [16]

4. «Es un medio de dar a nuestra lengua literaria precisión, fecundidad y libertad.» [17] Al final del ensayo reitera la misma idea: «Enderezando el estudio del latín, y no del latín clásico sólo, al conocimiento histórico del castellano, pero con juicio y ciencia, se prepararía a las generaciones futuras para que hicieran un uso más racional y seguro de su lengua, que adquiriría así mayor precisión, fecundidad y libertad.» [18]

5. «No sólo es fácilmente asequible a la inteligencia de los alumnos de segunda enseñanza el procedimiento lingüístico, sino que sirve a la vez para ayudar a su memoria. No hay, en efecto, más mnemotecnia verdadera y viva que la asociación espontánea y natural de las ideas sobre la base de la asociación de las cosas (...) Es mucho más fácil aprenderse cinco leyes fonéticas y ver en cada caso su entrecruzamiento, que aprender veinticinco reglas en que se formulan combinaciones binarias o ternarias de aquellas leyes.» [19]

De llevar a la práctica este método de enseñanza del latín, las dificultades son mayores para el profesor que para el alumno. El profesor debe ser un buen filólogo, conocedor de los avances de esta ciencia,

---

[13] *Ibídem;* III, 317.
[14] *Ibídem;* III, 317.
[15] *Ibídem;* III, 318.
[16] *Ibídem;* III, 319.
[17] *Ibídem;* III, 319.
[18] *Ibídem;* III, 328.
[19] *Ibídem;* III, 327-328.

un buen latinista, un buen conocedor del latín medieval y un hábil experto, tanto en los dialectos populares como en las obras literarias primitivas. Ahora bien, no cree que con este nuevo método aprendan los alumnos más que con el antiguo y lleguen a comprender mejor a los autores clásicos. De lo que sí está convencido es de que aprenderán algo más útil: conocer la propia lengua, lo cual creo que vale más. Creo también por mi parte que el estudio del latín en la Enseñanza Media debe enforcarse hacia este fin. Pretender que los alumnos sean capaces de gustar la cultura clásica es una utopía; ni los propios universitarios de letras son capaces de leer con soltura a Cicerón.

Años más tarde —1907— duda Unamuno de la necesidad del estudio del latín en el bachillerato: «Yo no creo que el latín deba ser hoy un conocimiento exigible a todo bachiller, algo que deba entrar en aquel mínimo que se debe pedir a todo hombre que aspire a pasar por culto, pero sí creo que todos los encargados de enseñar la lengua castellana deben saberlo y que estaría muy bien que lo supiesen cuantos aspiren a manejarla literariamente.» [20] Estas palabras pertenecen a un artículo dirigido al público hispanoamericano; no me parece que Unamuno las repitiese ante un público español, donde la tradición del estudio del latín ha gozado de numerosos partidarios.

La idea de enfocar el estudio del latín para conocer mejor el castellano es muy antigua en Unamuno; desde luego, anterior a su actividad de escritor y conferenciante. En su Casa Museo de Salamanca se conserva un cuadernillo en octavo con pastas de hule negro en el que redactó un programa dividido en dos cursos para el estudio del latín. En su primera página pone «Bilbao. Antes de 1894», con letra distinta a la de Unamuno. Creo que se trata del programa de latín que Unamuno seguía en el Instituto Vizcaíno, del que fue profesor en el curso 1890-91. Presumiblemente lo escribió poco antes de comenzar el curso, puesto que no es definitivo. Frecuentemente aparecen llamadas, rectificaciones, adiciones, supresiones. Al final del mismo aparece una serie de notas, citas biblográficas y explicaciones. Este mismo desorden de las notas finales demuestra que el programa era de exclusivo uso personal.

[20] Artículo citado; VI, 708.

MISION DE LA UNIVERSIDAD ESPAÑOLA

I. LOS MALES DE LA VIEJA UNIVERSIDAD

Numerosos trabajos dedicó Unamuno a la Universidad española. Quizá el más antiguo y sustancioso sea su ensayo «De la enseñanza superior en España», aparecido en la *Revista Nueva,* en los meses que van de agosto a octubre de 1899. Le siguen en importancia la ponencia presentada a la II Asamblea Universitaria, celebrada en la primera semana de enero de 1905, en Barcelona, y las conferencias «Lo que ha de ser un rector en España» y «Autonomía docente», pronunciadas respectivamente el 25 de noviembre de 1914 y el 3 de enero de 1917, ambas en Madrid. A estos trabajos se pueden añadir los discursos en la Universidad de Salamanca y numerosos artículos y alusiones en su extensa obra escrita. A lo escrito en «De la enseñanza superior...» añadió pocas ideas nuevas y apenas si modificó nada de lo en él expuesto; no parece sino que en treinta y siete años que vivió después de haber publicado este ensayo, la Universidad experimentase cambio alguno sustancial. Conviene, por tanto, detenerse en este ensayo de fin de siglo, teniendo en cuenta que la problemática universitaria que Unamuno presenta no puede ser más pesimista, en consonancia con el ambiente regeneracionista de la época.

«La Universidad es, ante todo —nos dice Unamuno de entrada—, una oficina del Estado, con su correspondiente expedienteo didáctico, porque la cátedra no es más que un expediente.

No hay claustros universitarios; no hay más que una oficina, un *centro docente* (tal es el mote) en que nos reunimos al azar unos cuantos funcionarios, que vamos a despachar, desde nuestra plataforma —los que a ella se encaramen—, el expediente diario de nuestra lección. Antes de entrar en clase se echa el cigarro, charlando del suceso del día durante un cuarto de hora que de cortesía llaman. Luego se entra en clase, circunscriben algunos su cabeza en el borlado prisma hexagonal de seda negra —¡geométrico símbolo de la enseñanza oficial!—, se endilga la lección, y ya es domingo para el resto del día, como dice uno del oficio. Se han ganado los garbanzos.» [1]

Los alumnos, por su parte, acuden a las Facultades para obtener su título académico, aun teniendo en cuenta que el título no da la ciencia, pero es mejor aquél que ésta en la vida social.

La Universidad española no ha existido como corporación, como organismo, sino como mecanismo; ha crecido, no por su dinamismo interno, sino por yuxtaposición. El «feroz individualismo hispánico», la propia organización universitaria y «el espíritu de dogmatismo intransigente y sectario» [2] han impedido que haya habido escuelas españolas ni ciencia española, a pesar de que Menéndez y Pelayo se haya esforzado en demostrar lo contrario.

En la descripción implacable de vicios de la vieja Universidad española destaca la figura del catedrático como uno de los principales responsables.

En 1889 se había quejado Giner de los Ríos de la frecuente irregularidad de asistencia a clase de los catedráticos. «Acaso los hay —escribía— que no van a clase sino por excepción; otros dan sus enseñanzas en sus casas; otros entran en cátedra algunos minutos, etcétera, etc. El ejercicio del foro, de la medicina, y, sobre todo, de la política; la falta de vocación; el corto número de alumnos, en algunas ocasiones; la pereza, en casi todas, y la debilidad del sentimiento del deber, hoy en nuestro país (y no más en esta clase que en las otras, repetimos) son causas de semejante abandono. Cooperan también a él, sin duda, las condiciones anómalas del profesorado y la miserable retribución de sus servicios, que les obliga a menudo a buscar un suplemento en otras funciones.» [3]

El absentismo y desinterés del profesorado eran comunes, si creemos el testimonio de hombres tan dispares como Giner y Unamuno, a pesar de los diez años que median entre ambos testimonios. Este último alardeaba de ser uno de los profesores que menos había faltado a clase. No lo hubiera dicho en tantas ocasiones, de no ser un mal endémico de la Universidad. A ello habrá que añadir la incultura e ignorancia de los vencedores de los «torneos de charlatanería», que son las oposiciones, a juicio de Unamuno. Los más de los catedráticos «me parecen —afirma— caballos de noria. Pónelos su dueño a que saquen agua, y ello, con sus ojos vendados, dan vueltas y más vueltas,

---

[1] Unamuno, *De la enseñanza superior en España,* III, 67-68.

[2] Unamuno, *De la enseñanza superior...,* III, 68.

[3] F. Giner de los Ríos, «Sobre los deberes del profesorado», *Obras completas,* vol. II, Madrid, 1916, Espasa-Calpe.

y *cumplen con su obligación,* sin dárseles un ardite del fin que aquella agua haya de tener. «Tú ganarás tres mil pesetas por explicar latín.» Y él, dale que le das, a dar vueltas a la noria, con los ojos vendados. Enseña latín, sin preocuparse de la utilidad o inutilidad social que el latín puede tener, fuera de proporcionar un título» [4].

Esta grave ofensa dirigida a todos los catedráticos ocasionó a Unamuno no pequeños disgustos por parte de sus compañeros de Claustro. A principios de 1903 aparecieron en *El Adelanto* de Salamanca unos artículos firmados por Julio Monzón en los que se hacía extensible a los catedráticos de la Universidad de Salamanca lo de «caballos de noria». Los decanos de las distintas Facultades pidieron reunión de Claustro para pedir explicaciones al rector Unamuno. Este se defendió con la lectura de una nota que pensaba enviar al citado diario haciendo hincapié en que hacía casi cuatro años que escribió tal cosa en una revista madrileña refiriéndose a los catedráticos españoles en general. El Claustro se dio por satisfecho, a pesar de que la ofensa iba más dirigida a los de Salamanca que al resto de catedráticos españoles. Obviamente, Unamuno conocía mejor que ninguna otra la Universidad de Fray Luis de León y a ella se refería concretamente. Más de diez años después, en su discurso «Lo que ha de ser un rector en España», reafirma su opinión y recuerda haber dicho que en aquella Universidad «no había ni mayor ni menor proporción de burros que en otra cualquiera, pero que los de allí daban vueltas a la noria» [5].

Otras preocupaciones de los catedráticos son el libro de texto —sería mejor «que adquiriese el Estado otros tantos fonógrafos cargados de lecciones y se les diese cuerda para una hora»— [6] el escalafón y las vacaciones.

Ni existen publicaciones ni verdadera investigación en la Universidad. Es «una expendeduría de específicos, de ordinario, averiados» [7].

Por otra parte, vive de espaldas a la sociedad española y europea. Recíprocamente tampoco existe la Universidad española para España ni para Europa. En épocas de grave depresión —a raíz de su deposición de rector— afirma rotundamente que la Universidad no existe ni para sí misma.

---

[4] Unamuno, *De la enseñanza...*, III, 71.
[5] Unamuno, VII, 866.
[6] Unamuno, *De la enseñanza...*, III, 74.
[7] Unamuno, *De la enseñanza...*, III, 112.

II. FE EN LA REFORMA UNIVERSITARIA

Sin embargo, y a pesar de todos los males señalados con la objetividad del médico que observa antes de diagnosticar, a pesar de su aparente inanición, Unamuno cree que estos males tienen remedio. Es mejor esta Universidad muerta o en letargo que nada. Los jóvenes que han frecuentado sus aulas, aunque hayan tenido como punto de mira la obtención de un título oficial, penetran «en campos del pensamiento en que jamás se les hubiera ocurrido espontáneamente penetrar, y en ellos se les despiertan aficiones y aptitudes que en otro caso habrían quedado dormidas. Rara vez es, en la propia educación, espontáneo y libre el primer impulso, sino efecto sugestivo. Santo y bueno que se le canten las excelencias del autodidactismo y de la autoeducación; pero es indudable que se distingue a la legua el autodidacto, que se hizo a sí mismo rodando por las aulas y reaccionando tal vez contra lo que en ellas le hacían aprender, de aquel otro que fuera de todo público instituto se ha formado» [8]. Sin duda que, al redactar este texto, Unamuno pensaba en sí mismo, el cual se había formado autodidácticamente, reaccionando contra lo que en las aulas, sobre todo, de metafísica, se le explicaba.

No llegó Unamuno a la postura radical de algunos regeneracionistas de la época, por ejemplo, Costa y Posada, que pretendían cerrar una buena parte de las diez universidades que entonces había en España, por considerar que eran demasiadas para producir los profesionales que la sociedad necesitaba [9]. De no haber creído en la posibilidad de la reforma universitaria no hubiera luchado con la pluma y con los hechos para reanimar lo que todos creían un cadáver. Acertado o no en su gestión como rector, como catedrático, como escritor y como conferenciante, de muchas cosas puede acusársele, menos de falto de buena fe.

Como Giner de los Ríos, admite que la verdadera reforma no puede llegar por una nueva ley, si no se reforman primeramente los que enseñan. «¿Reforma, revolución en la enseñanza? Donde habría que hacerla es en las cabezas de los que enseñan, o por lo menos en las de los que han de enseñar. Soy de los muchos que creen que cualquier plan es bueno; todo depende de quien lo aplique» [10].

---

[8] Unamuno, *Ibidem,* 116.

[9] Cfr. Joaquín Costa, *Biblioteca Costa,* vol. X, capítulo III: «Anhelos de resurgimiento pedagógico» (1899), Madrid, 1916, págs. 349-350. Adolfo Posada, *Reconstitución y europeización de España,* Madrid, 1900.

[10] Unamuno, *De la enseñanza superior...,* III, 85.

Una de las reformas más importantes, a juicio de Unamuno, es transformar las cátedras en seminarios, en laboratorios y centros de verdadera investigación como los de las universidades alemanas. En vez de partir de conclusiones adquiridas, «parece lo natural que se estableciesen primero los datos, los hechos, el complejo de conocimientos inmediatos y directos que a la experiencia debemos, y que se fuese investigando a partir de ellos, reduciéndolos a hechos más generales, relacionándolos unos con otros hasta llegar a una conclusión... o no llegar a ella, porque harto hace el que abre un trecho de camino, aunque no llegue a descansadero alguno»[11].

No cabe misión más ambiciosa para la Universidad que la señalada por Unamuno:

«Aquí hay que hacer la unidad honda, la espiritual, la comunión más bien. Mientras no comulguemos en un ideal lo bastante amplio para que en él quepamos todos los españoles, no habrá patria española. La vieja resulta ya un poco estrecha; hay que ensancharla, pero ensancharla por dentro, en espíritu y en verdad. Alma de tolerancia; mente hospitalaria; culto a la verdad, sintiéndola viva, proteica y multiforme; comprensión a las más opuestas concepciones, abierta; odio al formalismo; atención al pueblo; heroísmo de trabajo; sumersión en la realidad concreta, fija la vista en la más alta idealidad abstracta... Si no nos da todo esto la Universidad, habrá que darla garrote vil y aventar luego sus cenizas.»[12]

¡A cuántas universidades no habría que haber dado garrote vil, según estas palabras! Utópico es pensar en una Universidad libre de toda presión exterior y al servicio a la vez de la sociedad que la alimenta y orienta. No obstante, siempre será un objetivo por el que merece la pena luchar, aun a sabiendas de que no es posible verlo realizado en su totalidad. Sí es posible, por ejemplo, hacer que la Universidad lleve a cabo el «conócete a ti mismo» colectivo, el conocer mejor al pueblo. «Las cátedras de literatura —prosigue— podían organizar la cosecha de cantares y cuentos y consejos populares, en vez de contar la biografía de Calderón; las de Economía, llevar a cabo trabajos como los de Mr. Le Play y su escuela, recoger la vida económica ambiente; las de Derecho, impulsar la obra ingente que ha emprendido don Joaquín Costa, la de recoger el derecho consuetudinario; las de Geología, Botánica, Zoología, etc., harto tienen con nuestro suelo, y flora y fauna... Hay que descubrir España a los españoles; sólo así podrá haber lo que llamamos ciencia española, que mejor sería decir ciencia en España.»[13]

---

[11] *Ibídem,* 77.
[12] *Ibídem,* 117-118.
[13] *Ibídem,* 96.

Las tareas que Unamuno asigna a la Universidad española son las mismas que sobre sus hombros echaron los hombres de la Institución Libre de Enseñanza y otros numerosos investigadores, en su mayoría universitarios, que no se redujeron a lamentar la postración ambiental, y se pusieron a trabajar de firme de acuerdo con los métodos científicos modernos. Unamuno, por su parte investigó especialmente el problema de los dialectos y lenguas españolas. Recogió miles de palabras de los campos salmantinos y concibió el proyecto de escribir un tratado de filología. Cuando supo que Menéndez Pidal estaba empeñado en la misma tarea le cedió su material acumulado. En su cátedra de Filología comparada del Latín y del Castellano usaba la magnífica obra de Pidal, *Manual de Gramática Histórica de la Lengua Castellana.*

Uno de los puntos de vista más unamunianos y que se convierten en verdadera obsesión al tratar la reforma de la Universidad es la inspección técnica de los catedráticos, como la había en la primera enseñanza. Su «majestad el catedrático» hace lo que le parece bien porque se parte de la base de que, por el hecho de serlo, es competente [14]. Cuenta que en una ocasión se le quejaron los estudiantes de la incompetencia de un profesor. Solicitó del Ministerio una inspección técnica y fue peor el remedio que la enfermedad. El inspector nombrado al efecto, consejero de Instrucción Pública, estaba más necesitado de inspección que el profesor recusado [15]. Y dado que la Administración no organizaba un cuerpo eficiente de inspectores para la Universidad, Unamuno encomendaba esta delicada misión a los propios universitarios; les aconsejaba frecuentemente que no soportasen que se les enseñase «química anterior a Lavoisier, astronomía ptolemaica, lógica del siglo VIII, ética con infierno, historia de España con Tubal y Tarsis», etc. [16]. Olvidaba haber escrito un lustro antes que nunca se habían sublevado los estudiantes porque no se les enseñaba o porque se les enseñaba mal. «En cambio he visto —decía entonces— sublevados muchas veces porque se les obliga a estudiar de veras.» [17]

Del 2 al 7 de enero de 1905 se celebró en Barcelona la II Asamblea Universitaria, dentro del ambiente reformista de la enseñanza de la época, a la que Unamuno envió una ponencia.

Días antes de la apertura trascendió al público el contenido de las ponencias. La de don Miguel produjo el escándalo, la discordia entre los asambleístas y la retirada de muchos de los inscritos. Se le pidió a

---

[14] Cfr. *Lo que ha de ser un Rector en España.*
[15] Unamuno, *ibídem,* VII, 868.
[16] *Ibídem,* 869.
[17] «Se acabó el curso», *La Nación,* Buenos Aires, 7 de agosto de 1908; X, 184.

su autor que retirase alguno de los puntos de su trabajo, pero en vano. Desde Salamanca —no acudió a Barcelona— se atuvo a lo escrito y no transigió. El motivo de la disputa fue la petición de que se derogasen los artículos 295 y 296 de la ley Moyano, entonces vigente, y el artículo 2.° del Concordato de 1851, referentes a la inspección de los obispos sobre la enseñanza, «para impedir se den doctrinas opuestas a la fe católica ortodoxa, y su derecho a delatar los libros de texto en que tales doctrinas se vierten» [18].

La terquedad e intransigencia de Unamuno sirvió de publicidad a la Asamblea que, a pesar del escándalo, pasó sin pena ni gloria. El cardenal Casañas envió una carta al rector de la Universidad de Barcelona declinando la invitación que se le había hecho y excusando su inasistencia, al no poder autorizar con su presencia un acto en el que se negaría «uno de los fundamentales dogmas de nuestra santa religión, relativo al derecho y deber que le incumbe sobre la enseñanza, por disposición de Jesucristo definido como de fe en el Concilio Vaticano» [19].

Tras la tensión de los primeros días la Asamblea desarrolló sus tareas marcadamente reformistas con escaso público y menor interés.

Pocas son las novedades que Unamuno aportaba a la Asamblea. Más bien se reduce a insistir en sus conocidos puntos de vista sobre la Universidad española. Entre las innovaciones, solicita que la Asamblea estudie el modo de proponer al Gobierno que, si bien no era posible dotar a cada Universidad de los necesarios medios económicos para sus publicaciones científicas, al menos, que patrocine y subvencione una revista universitaria española, dirigida por una comisión de profesores, en la que se publiquen los trabajos del profesorado. Consciente, por otra parte, del creciente poder de la prensa y de su impacto en la sociedad —verdadera universidad popular llama Unamuno a la prensa— pide que los catedráticos sean también publicistas. Ellos debieran ser «algo así como el estado mayor del ejército de los publicistas» [20].

III. LA ANHELADA AUTONOMIA UNIVERSITARIA

Los modernas universidades españolas se organizaron de acuerdo con la ley Moyano de 1857. Ni de hecho ni de derecho gozaban de

[18] Unamuno, *La enseñanza universitaria.* Ponencia presentada a la II Asamblea Universitaria, Barcelona, enero de 1905; VII, 621.

[19] *Diario de Barcelona,* 3 de enero de 1905.

[20] Unamuno, *Ponencia...,* VII, 619.

autonomía alguna. El deseo de autonomía universitaria es tan antiguo como el de su reforma. Desde la revolución de 1868 se había planteado frecuentemente la cuestión. En la última década de siglo universidades tan distintas como las de Madrid, Oviedo, Salamanca y Barcelona se ocupan del tema dentro del marco de la reforma universitaria en general. «Muy pronto hubo unanimidad acerca de los puntos siguientes: necesidad de una descentralización que conduzca a una verdadera autonomía universitaria; concesión de una autonomía que se extienda a los terrenos administrativo, financiero e intelectual; reorganización de conjunto, de modo que permite utilizar lo mejor posible los medios limitados y evitar el empobrecimiento por la dispersión.» [21].

Creado el ambiente favorable, el ministro de Instrucción Pública Antonio García Alix se dirigió a los claustros universitarios pidiéndoles su opinión sobre tema tan importante como la autonomía. Don Enrique Gil Robles leyó la respuesta por él elaborada de la Universidad de Salamanca en el primer claustro presidido por Unamuno como rector [22]. El informe fue aprobado por unanimidad y se encargó al rector su envío al ministro.

Dada la inestabilidad de los ministros de la época, García Alix no pudo llevar adelante el proyecto, pero su sucesor, Romanones, hizo suya la idea y el propio García Alix se encargó de defenderlo ante las Cámaras. El proyecto fue aprobado a principios de 1902, sin más consecuencias.

Nuevamente fue debatido por Santamaría de Paredes, tanto en el Senado como en el Congreso de Diputados, pasó a dictamen de la Comisión mixta, fue aprobado, pero quedó pendiente de la votación definitiva del Senado «por causas ajenas al proyecto mismo» [23].

La actitud de Unamuno ante la autonomía universitaria puede calificarse de cautelosa y prudente. Cree que la autonomía total sería contraproducente y perjudicial para las propias universidades. Partiendo de la Universidad de Salamanca como mejor conocida, afirma que, «cuando tenía autonomía, aquello era también un verdadero desbarajuste, y cómo las cátedras eran trampolines, no para subir a una diputación, sino que entonces eran más bien trampolines para llegar a un obispado» [24].

Numerosos y graves serían, a su juicio, los males que se derivarían de la plena autonomía:

---

[21] Y. Turin, *La educación y la escuela...*, ob. cit., págs. 314-315.

[22] 4 de noviembre de 1900.

[23] Unamuno, *Autonomía docente.* Conferencia pronunciadas en Madrid, 1917; VII, págs. 921-922.

[24] Unamuno, *ibídem,* VII, 920.

1.° Nepotismo. «Serían auxiliares, y acaso numerarios luego, los hijos, sobrinos y yernos de los que hoy lo somos.» [25]

2.° Indigenismo, ya existente en algunas universidades.

3.° La intervención de los claustros «desgraciadamente casi siempre, es de resultados funestísimos» [26]. Cuando los claustros debían informar sobre la capacidad de algún profesor para jubilarlos, informaban indefectiblemente de manera favorable acerca de ella. En otra ocasión, debían informar las facultades sobre la concesión de ciertos premios. «El espectáculo fue lamentable; se echaron sobre ellos a rebatiña. En unos sitios acordaron turnar, y en otros, dar a los más necesitados.» [27].

Ante semejantes abusos Unamuno se mostró siempre reacio a la autonomía universitaria porque desconfiaba también de quienes deberían desempeñarla con escaso control estatal.

No obstante, la campaña en pro de la autonomía siguió su curso. El ministro de Instrucción Pública César Silió logró promulgar un Real Decreto, el 21 de mayo de 1919, concediendo a las universidades la suspirada autonomía. La Administración publicaría las oportunas normas para que las universidades estableciesen sus propios planes de enseñanza, nombrasen sus autoridades académicas, etc., e incluso pudiesen acceder a la independencia económica respecto al Estado [28].

A la vez que se avivaba la polémica a favor y en contra llovían al Ministerio los estatutos redactados nuevamente por las distintas universidades que no querían perder la oportunidad. Un Real Decreto de 9 de septiembre de 1921 los aprobaba y otro de 31 de julio de 1922 «suspendía *sine die* la entrada en vigor de la autonomía universitaria. Llevaba la firma de Montejo, que en aquel momento ocupaba la cartera de Instrucción Pública en el Gabinete que presidía don José Sánchez Guerra. Parece ser que, al margen de las presiones que la izquierda había venido ejerciendo durante los últimos años, la razón que había impulsado al Gobierno a dar marcha atrás era el temor de exacerbar el problema regionalista catalán» [29].

Siguió discutiéndose el mismo problema durante la Dictadura. En mayo de 1928 el ministro de Instrucción Pública Callejo presentó su proyecto de reforma de la enseñanza. Se volvió a replantear por enésima vez caída la Dictadura y durante la República. El 22 de

---

[25] Unamuno, *ibídem,* VII, 924.

[26] Unamuno, *ibídem,* VII, 924.

[27] Unamuno, *ibídem,* VII, 924-925.

[28] Gonzalo Redondo, *Las empresas políticas de Ortega y Gasset,* II, págs. 146-158. Rialp, Madrid, 1970.

[29] Gonzalo Redondo, ob. cit., pág. 149.

agosto de 1932, cuando se debatía en las Cortes de la República el Estatuto Catalán, Unamuno pronunció un discurso sin retroceder un palmo de su postura anterior. En él afirmó:

«Se habla de autonomía, y yo todavía no sé qué es. Yo, a la autonomía universitaria y a los patronatos les tengo verdadero terror.» [30]

[30] Unamuno, *Discurso en las Cortes de la República,* 12 de agosto de 1932; VII, 1069.

MAESTRO DE JUVENTUD UNIVERSITARIA

I. LA JUVENTUD INTELECTUAL ESPAÑOLA

En los primeros meses de 1904 publicó Gómez Carrillo en *La Nación* de Buenos Aires y en el *Mercure de France* unos artículos sobre Unamuno y la juventud intelectual española. Acusaba al pensador vasco de que no estimaba a la juventud. El vasco se defiende con su ensayo «Almas de jóvenes», en el que dice:

«Lo que hay es que yo, como muchos otros, manifiesto con cierta dureza mis cariños, y gusto de fustigar a los que quiero. Para los irredimibles, para los que no tienen sino arrastrar una oscura vida o una muerte más oscura aún, para éstos no cabe sino el apóstrofe del florentino: no hablemos de ellos, sino mira y pasa.» [1]

No estaba acertado Gómez Carrillo en su acusación. La realidad era muy distinta y precisamente los que le conocían mejor le acusaban de lo contrario. «Se me ha acusado —escribe a su amigo Mugica— de que busco a los jóvenes que quieren trabajar, me pongo en relación con ellos, les animo y escribo largas cartas.» [2] Uno de sus acusadores era Ortega y Gasset que, en las mismas fechas, le echaba en cara haber aprendido de los jesuitas «el secreto de preocuparse individualmente de los que se le acercan, sabiduría de confesor y de cortesana *(parce mihi)*» [3]. Es obvio agregar que, si bien Unamuno tiene siempre presente a la juventud en sus conferencias, discursos, artículos, ensayos, cartas y en su trato docente diario, no intentó nunca agruparlos en

[1] Unamuno, «Almas jóvenes», *Nuestro Tiempo,* Madrid, mayo de 1904, páginas 252-262; III, 718. La carta de Unamuno a Gómez Carrillo se publicó en febrero de 1904 en *Mercure de France,* págs. 554-560.

[2] Salamanca, 26 de febrero de 1905; C. I., 339.

[3] Carta de Ortega a Unamuno publicada por éste en «Almas de jóvenes»; III, 729.

escuela filosófica literaria o religiosa y, mucho menos, en facción política. Nunca intentó convertirse en líder de jóvenes porque nunca tuvo un programa definido y claro que ofrecer y porque luchó siempre contra toda clase de dogmas y contra cualquier encasillamiento, aunque fuese de dirigente de grupo. Su temperamento solitario y anárquico le empujaba más a francotirador que a caudillo. En las primeras cartas a Clarín pedía la unión de los jóvenes alrededor de un hombre consagrado por la fama. «Hay que juntarlos», decía, con Menéndez y Pelayo, «hay que juntarlos», repite nueve años más tarde en la carta a Gómez Carrillo. En una década no había surgido el hombre que los jóvenes esperaban y Unamuno no quiso o no fue capaz de serlo. «La mayor parte de los jóvenes —confiesa— levantan los hombros ante mí a causa de esto.» [4] Aun así, quiso y se preocupó de los jóvenes inquietos e intelectuales de su tiempo, pero sin hipotecar su pensamiento e independencia en un programa determinado que le marcara sus ideas y su conducta.

¿Cómo ve a la juventud de su tiempo? Desde luego, con cristales ahumados, como veía la mayoría de publicistas los problemas de España. No hay juventud, aunque haya jóvenes, afirma sin ambages Unamuno. Cánovas del Castillo aseguraba que los jóvenes prometen algo hasta los treinta años en que se hacen unos badulaques. Los jóvenes no merecen la atención de los adultos y los viejos valores consagrados no ceden su puesto a los jóvenes. «Nuestra sociedad es la vieja y castiza familia patriarcal extendida. Vivimos en plena *presbitocracia* (*vetustocracia* se la ha llamado), bajo el senado de los *sachems*, sufriendo la imposición de viejos incapacitados de comprender el espíritu joven y que mormojean: "no empujar muchachos".» [5]

Cuando Unamuno escribía estas líneas era todavía de los jóvenes que luchaban por conseguir su lugar en el estrecho firmamento de la fama. Muy pocos años después cambia el enfoque del problema generacional y culpa a los propios jóvenes de vejez por no ser capaces de abrirse paso por sí mismos como él lo hizo; porque no tenían fe y porque sin esperanza de futuro vivían anclados en un mundo pasado de esclavitud.

«¡Vedlos! —exclama—. En seguida se encasillan y se alistan, y se ponen etiqueta y mote, y rezan un credo cualquiera, y acatan a uno de los santones; casi todos son reaccionarios, aun los que menos lo parecen, hasta los que más combaten a la reacción. No hay juventud

[4] Carta de Unamuno a Gómez Carrillo, *Mercure de France*, febrero de 1904; página 559.

[5] Unamuno, *En torno al casticismo* (1895); III, 289.

constituyente, toda ella es constituida, lo que quiere decir que no hay juventud propiamente tal.» [6]

Los jóvenes que lo son de verdad, no sólo por la edad, son osados, se atreven a todo y no se preocupan de lo que de ellos piensen los consagrados y mucho menos se quejan de los viejos, porque «la queja es la mayor muestra de vejez» [7].

Con dos alegorías describe don Miguel el ambiente intelectual de Madrid y de España, en general: el «Sahara madrileño» y la «charca nacional». Refiriéndose a Madrid, dice:

«Hay juventud carlista, conservadora ortodoxa y conservadora heterodoxa, fusionista, republicana de varios colores y colorines, meramente literaria, es decir, meramente cómica, artística, científica, erudita..., toda clase de juventud y ninguna joven. Crecen en ella a la par, como derivados concomitantes y paralelos del paludismo espiritual, la ideofobia y la logorrea, el horror a las ideas y la diarrea de palabras.» [8] A esta juventud añade «los bohemizantes, el detritus del romanticismo melenudo, los borrachos que cultivan el arcaico convencionalismo de tronar contra los convencionalismos siendo convencionales hasta el tuétano» y «la oscura legión de jóvenes modestos y graves, de sólidos conocimientos, de hábitos de abnegada investigación libresca, la legioncilla laboriosa y formal de los ratas de biblioteca o de revistas, que compulsan con toda conciencia la fe de bautismo de algún olvidado ingenio de nuestros pasados siglos, de alguna lumbrera apagada de la ciencia española o el último trabajo *formal* que viene de fuera» [9].

¿Se refería Unamuno a los jóvenes institucionistas al hablar de esta «oscura legión»? El balance no es halagüeño ni peca de excesivo pesimismo, si se tiene en cuenta que era la edad dorada del género chico, de la revista cómica y de la zarzuela.

II. PAUTAS A SEGUIR

Para no quedar en un negativismo estéril pensaba que lo más urgente y necesario para la juventud intelectual española era producir en ella una violenta sacudida «en las más íntimas y entrañables palpitaciones de su ser. Ni reforma ni revolución bastan. Necesita la con-

[6] Unamuno, «¡Pistis y no Gnosis!», *Revista Política Ibero Americana*, Madrid, 30 de enero de 1897; IV, 1022.

[7] Unamuno, «Contra los jóvenes», *El Correo*, Valencia, 3 de marzo de 1900; V, 805-808.

[8] Unamuno, «La juventud "intelectual" española»; III, 467.

[9] Unamuno, *ibídem*, III, 469.

ciencia colectiva de nuestro pueblo una crisis que produzca lo que en psicología patológica se llama cambio de personalidad; un derrumbarse el viejo "yo" para que se alce sobre sus ruinas y nutrido de ellas el "yo" nuevo, sobre la base de continuidad de las funciones sociales meramente fisiológicas»[10].

La misma idea le acuciaba al redactar su famoso prólogo a la *Vida de Don Quijote y Sancho.* El problema, tanto para él como para sus coetáneos, era hallar la fórmula que produjese un cambio radical en la personalidad hispánica. Podemos comprender, no obstante, la tremenda fe para creer en la posibilidad del cambio, la fe y esperanza en un futuro mejor, en una España no terrestre, sino celeste, como le gustaba decir, en la que soñaba toda su generación, pero no podemos atribuirle el mérito de encontrar una salida al callejón en que España se encontraba. Por ello dirige su mirada esperanzada a la juventud. A pesar del ambiente chato y del «agarbanzamiento agudo» era preciso delegar la tarea en la juventud, si no se quería llegar al suicidio colectivo. «Es en los jóvenes —escribe— en quienes ha de poner la patria sus esperanzas más corroboradoras. Mal pueden, en efecto, darle nueva vida los que en la antigua fraguaron su espíritu. A vosotros los jóvenes toca disipar la plúmbea nube de desaliento que a tantos cela la ruta del porvenir. Sois vosotros los que tenéis que descubrirnos a España y marcarla luego un fin, que no lo es ella misma.»[11]

En primer lugar, los jóvenes necesitan prepararse para la acción, reconcentrarse para irradiar, llenarse para rebasar luego, pero sin perder el manantial, sin agotarse, evitando consumir la mayor parte de la vida en prepararse. La idea aparece bellamente expresada en la siguiente parábola:

«Llegaron a segar un campo dos segadores. El uno, ansioso de segar mucho, empezó a cortar sin cuidarse de afilar la guadaña y al poco rato, mellada y embotado el filo, derribaba la yerba, mas sin cortarla. El otro, deseoso de segar bien, se pasó casi toda la mañana en afilar su instrumento, y al caer la tarde ni éste ni aquél habían ganado su jornal. Así hay quien sólo se cuida de obrar sin afilar ni pulir su voluntad y su arrojo, y quien se pasa la vida en afile y pulimento, y en prepararse a vivir, le llaga la muerte. Hay, pues, que segar y pulir la guadaña, obrar y prepararse para la obra. Sin vida interior no la hay exterior.»[12]

---

[10] Unamuno, *Ibídem,* III, 462.

[11] Unamuno, *Discurso* leído en la solemne apertura de curso académico de 1900 a 1901, en la Universidad de Salamanca; VII, 493.

[12] Unamuno, *Vida de Don Quijote y Sancho;* IV, 175-176. Id. en «No hipotequéis el pensamiento», *Alma Escolar,* Salamanca, febrero, 1913; XI, 252.

En un discurso pronunciado en el Ateneo de Valencia [13] aconseja a los estudiantes que se rebelen contra todo lo que equivalga a «oír, ver y callar» y a los universitarios salmantinos, en su primera apertura de curso como rector, les propone todo un programa a realizar en la más ortodoxa línea krausista. Se precisa que descubran España a los mayores, que estudien al pueblo «porque siendo aquel de quien vivís, con quien vivís, y por quien vivís, es su estudio el único que puede llevaros como por la mano a conocer con entrañable conocimiento a a la humanidad toda» [14].

El estudio es necesario, pero no es más aplicado «quien se encierra en su cuarto a mascullar ajenas ideas, o, lo que es ya malo, a aprenderse de coro ajenas frases, sino quien va a todas partes con los ojos y los oídos bien abiertos y en la mano el corazón» [15]. Estudio y vida es la fórmula unamuniana; revisar todo, poner en tela de juicio todo, sin dogmatismos ni sumisión a ningún tipo de autoridad, incluida la eclesiástica, espíritu abierto, tolerante, no excluyente sino incluyente [16], con curiosidad despierta de niño, al estilo griego, preocupados por inquirir la verdad por la verdad misma.

No ha de venir la reforma de arriba sino de abajo. La acción quirúrgica que España necesitaba la brinda Unamuno a los estudiantes. De arriba sólo pueden venir decretos, intentos de reforma, pero la renovación de la enseñanza ha de venir de los propios estudiantes, que han de empujar y exigir la superación de los catedráticos.

Estas ideas de por sí paradójicas suenan a demagogia ante la masa estudiantil del nuevo rector y no salen de la bella utopía. Unamuno sabía que tal acción supone una madurez que los estudiantes, por el hecho de serlo, todavía no poseen. Sabía perfectamente que aquellos estudiantes nunca protestaban porque no se les enseñase o porque se les enseñase mal, sino porque se les hacía trabajar en serio.

El mensaje de Unamuno a la juventud estudiantil española podría enriquecerse con numerosos testimonios recogidos de aquí y de allá en su extensa obra escrita. Hacerlo nos llevaría demasiado lejos y alargaría necesariamente este capítulo [17]. Sírvanos como resumen el siguiente autógrafo dedicado a uno de sus antiguos discípulos:

---

[13] 24 de abril de 1902; VII, 505.

[14] *Apertura de Curso 1900 a 1901,* Salamanca; VII, 494.

[15] *Ibídem,* VII, 499.

[16] *Ibídem,* VII, 503 y 501.

[17] La actitud de Unamuno ante la huelga estudiantil y sus gestiones como Rector el 2 de abril de 1903 en que murieron dos estudiantes se halla descrita en su *Discurso en la inauguración del Curso Académico de 1934 a 1935* (VII, 1088-1089); en *Lo que ha de ser un Rector en España* (VII, 877); en la *Conferencia dada en el Teatro de la Zarzuela,* de Madrid, el 25 de febrero de 1906 (VII, 660). Puede con-

Γνῶθι σεαυτόν. "Conócete á tí mismo", decía Socrates con el templo de Delfos y Tomás Carlyle, el puritano, le responde "Conocete á tí mismo?" Harto te ha atormentado ese pobre tí mismo, ¡jamás le conocerás, creo! No creas que tu cuestión es conocerte: eres un individuo inconocible: conoce lo que puedes obrar y obra como un Hércules! Este será tu mejor plan!"

Tiene razón el puritano; la obra, no el hombre, porque tan chico como es este es aquella grande. Cuando la obra vale más que el hombre que la lleva á cabo, es cuando éste es digno de aquella.

Estudiarnos es encerrarnos en la pereza de nosotros mismos, y obrar vivir en comunión con nuestros hermanos; la ciencia es el principio del egoismo y la acción el de la caridad.

El de la sabiduría es saber ignorar y su fin detenerse ante el misterio. Pero allí donde el hombre se detiene, ante el abismo su fé viva, madre de la obra, colma el abismo. Esto hace la fé; la verdadera fé, la fé viva, no el espíritu seco de la fórmula legada ni la confianza en la palabra ajena, no, sino el esfuerzo vigoroso y propio por crear lo que no conocemos ni acaso conoceremos nunca.

A todo joven á quien se le abre el camino de la vida hay que repetirle: Déjate de tí mismo, que no vales nada, mira tu obra, ten fé en ella, y adelante!

Miguel de Unamuno

Salamanca, 28 de mayo de 1894

Este autógrafo se publicó en *Memorias de un estudiante en Salamanca,* de Balcázar y Sabariegos. E. Prieto, Madrid, 1935.

---

sultarse sobre la grave huelga de 1903 la *Vida de Don Miguel,* de E. Salcedo, páginas 121-123.

PROFESOR DE GRIEGO

I. CATEDRATICO DE GRIEGO POR AZAR

Los primeros contactos de don Miguel con la lengua griega tuvieron lugar en la Universidad de Madrid, con Lázaro Bardón, durante dos cursos, obligatorios para los alumnos de Filosofía y Letras. «Al salir del segundo curso era incapaz de traducirlo, ni aun con diccionario, el mejor alumno.» [1]

En principio, no era el Griego la materia que más atraía al futuro catedrático de esta lengua. Sólo comenzó a estudiarlo en serio después de haber fracasado repetidamente en las oposiciones a Psicología, Lógica y Etica, Metafísica y Latín. Comenzó a estudiar Griego, «no por el griego, para ganar una cátedra» [2]. Acuciado por la necesidad, más que por vocación, comenzó a estudiarlo a base de cinco horas diarias.

Una vez obtenida la cátedra de Salamanca, continuó sin interrupción su estudio intentando estar al día de los mejores manuales del momento, de las ediciones críticas de las obras clásicas y preparando cuidadosamente sus clases, como puede comprobarse en el extenso e interesantísimo epistolario del propio Unamuno y su amigo Pedro de Mugica tantas veces por mí citado [3].

En julio de 1891 tomó posesión de su cátedra y en 1901 se encargó de la de Filología comparada del Latín y Castellano, creada un año antes. Ambas cátedras desempeñó hasta febrero de 1925, en que salió desterrado a Fuerteventura. A su vuelta a España, en 1930, una vez en Salamanca visitó inmediatamente al sacerdote salmantino don Leopoldo de Juan que, cuatro años antes, había ganado la cátedra

---

[1] Unamuno, *De la enseñanza superior en España;* III, 80.

[2] Carta de Unamuno a P. de Mugica, ¿octubre? 1890; C. I., 129.

[3] A través de este epistolario pueden conocerse el desarrollo de las distintas oposiciones, los componentes de los Tribunales examinadores y la constante preocupación de Unamuno por conseguir las mejores obras escritas en la lengua homérica.

de Unamuno como único opositor, para decirle que no pensaba reclamarla y que se quedaría con la de Historia de la Lengua, tal como se llamaba entonces.

Esta última era la que con más gusto desempeñaba y en la que brillaba a mayor altura como profesor. Su temperamento no se avenía bien con la «sofrosyne» helénica, como él mismo confiesa a su amigo Maragall, en 1906: «Dieciséis años de estar traduciendo y comentando en clase a los antiguos clásicos griegos no han logrado reconciliarme del todo con el alma helénica. ¡Qué he de hacer! [4].

No obstante, y a pesar de todas las prevenciones contra los clásicos griegos, la huella de ellos en su obra no es superficial, sino profunda, como bien han demostrado García Blanco y otros unamunistas. «Si hubiera usted pasado —escribe Unamuno— más de treinta años leyendo, haciendo traducir y comentando en clase a los clásicos griegos —y mi clase era acaso aquella en que más se traducía, y variando (para mi ventaja) de textos casi todos los años— acaso no pensaría usted así. Cuando alguna vez me han dicho si he tomado ciertos temas de Nietzsche (...) respondo que él y yo —era también profesor de griego— los hemos tomado de la misma fuente, de la sofística helénica.» [5]

Nunca presumió de erudito, ni de investigador ni de sabio, aunque presumió de muchas cosas y, entre ellas, de ser un buen catedrático de Griego. Pocas cosas podían dolerle más que poner en tela de juicio su eficacia docente, como hicieron algunos de sus antiguos discípulos. Emilio Salcedo reproduce en su obra una carta dirigida a su discípulo Federico de Onís, quejándose amargamente en este sentido:

«Está aquí Modesto Pérez, atacado más que de indigencia, de anarquismo imposible. Todo el mundo se cree excepcional.

¿Tengo yo en parte la culpa de esto? ¿He dado mal ejemplo? Pero es el caso que a la edad de Rojas, Modesto y otros que se dicen discípulos míos, yo no escribía y estudiaba alemán día tras día, y leía al Dante, a Hegel, etc., en vez de mariposear.

Todo lo entienden al revés.

Estoy en la época de los remordimientos. Empiezo a ver con dolor que, fuera de unos pocos —tú uno— los más han tomado al revés cuanto he predicado y están desacreditándome. Así hay quien cree que en mi clase no se aprende griego y sí desorientación e indisciplina. Y esto me apena, créemelo.» [6].

---

[4] Carta de Unamuno a J. Maragall, 18 de noviembre de 1906. *Unamuno y Maragall. Epistolario y escritos complementarios,* Barcelona, Edimar, 1951, pág. 25.

[5] Carta de Unamuno a Manuel Gálvez, Hendaya, 15 de abril de 1928; XV, 875.

[6] Carta de Unamuno a Federico de Onís. 4 de diciembre de 1907; E. Salcedo, ob. cit., pág. 143.

Los testimonios adversos de Modesto Pérez, José Antonio Ochaíta, Quintiliano Saldaña y de otros autores más modernos, apoyados en estos discípulos, están suficientemente contrarrestados por los de numerosos discípulos suyos, algunos de ellos vivos aún. Veamos algunos textos unamunianos refrendados por testimonios de testigos directos.

II. DIDACTICA DE LA LENGUA Y LITERATURA GRIEGAS

A mediados de mayo de 1907 publicó Unamuno un ensayo que lleva por título «Sobre la enseñanza del clasicismo», a petición del catedrático Julio Nombela y Campos, para la revista *Vida Intelectual*. Después de repetir su actitud ante la Gramática, ya conocida, y su valor relativo para el aprendizaje de una lengua, escribe:

«Apenas mis alumnos conocen el alfabeto griego y pueden seguir la mera lectura de un texto, y mientras van imponiéndose en la declinación y conjugación regulares, voy yo traduciendo y comentando lo que se lee. Es decir, que empiezo a traducir griego desde el cuarto o quinto día de clase y no deja de traducirse hasta el último del segundo de los dos cursos de lección diaria, de que consta la asignatura.» [7]

Por tanto, si los alumnos no aprendían por su cuenta la Gramática, no eran capaces de seguir una traducción, por sencilla que fuese. Los alumnos llegaban a la clase de Griego sin ninguna preparación previa —no existía en el Bachillerato de entonces— y se veían obligados a prepararse por su cuenta. Ni el «mínimo de gramática» que Unamuno enseñaba era suficiente. En un documento recogido por Y. Turin afirma Unamuno: «En los seis años que vengo enseñando lengua griega en la Universidad de Salamanca no he tenido ni en un curso siquiera programa teórico para clase y examen, sino que siempre basándome en la doctrina gramatical estudiada por los alumnos en *preparación privada* he explicado cada caso concreto a medida que ocurría en el texto de análisis y traducción.» [8]

---

[7] Junio 1907; X, 152.

[8] «Programa de lengua griega» (Memoria presentada por Unamuno en su expediente de concurso ¿oposición?), 1897; *Unamuno Universitaire*, pág. 125. Dos antiguos discípulos —D. Paulino Ortega Lamadrid y D. Ramón Fradejas Sánchez— me han confirmado que la Gramática la tenían que aprender por su cuenta, pues Unamuno no la explicaba.

En clase se seguía la *Gramática Griega Elemental* de Jorge Curtius, traducida de la 15.ª edición alemana y como primer libro de lectura y traducción la pequeña *Chrestomathie* de L. Quicherat.

El objetivo de la enseñanza para Unamuno no era hacer helenistas —cosa imposible en tan sólo dos cursos—, sino familiarizar a los alumnos con el espíritu y cultura clásicas. El medio de conseguir esto no podía ser el estudio sistemático de la Gramática y Sintaxis sino la asidua traducción de textos clásicos. «Procuro que cada curso —sobre todo en los segundos cursos— se traduzca alguna obra completa. Hace dos años tradujimos dos cantos enteros de la *Ilíada,* un diálogo de Platón, la *Antígona* de Sófocles, el *Prometeo encadenado* de Esquilo y el *Manual* de Epicteto.

A quien conozca el griego —continúa Unamuno— le parecerá que esto es mucho traducir para un solo curso, pero he de advertirle que no me detengo con delectación morosa de lingüista o de gramático en las dificultades y pasajes oscuros, sino que a las veces los paso por alto dando la interpretación más corriente.» [9]

El testimonio de Unamuno coincide con los de algunos discípulos en cuanto al método empleado y a la cantidad de traducción por curso académico. Don Gabriel Gutiérrez afirma que en los dos cursos de Griego, después de traducir la *Crestomatía* de Quicherat, leyeron «un canto de la *Ilíada,* amplios capítulos de Heródoto y de Tucídides, algún diálogo de Platón, *Filoctetes,* de Sófocles y las *Homilías* de San Basilio y de San Juan Crisóstomo» [10]. Otro alumno afirma haber traducido muy pocos años después, en el primer curso, la *Vida de Demóstenes,* de Plutarco, *Cómo hay que escribir la Historia,* de Luciano, y el primer canto de la *Ilíada* y parte del segundo [11].

Todos los testimonios que he podido recoger de sus antiguos discípulos subrayan unánimemente que este profesor poseía el don de la amenidad en sus clases, la anécdota oportuna capaz de distender la atención, el rasgo de ingenio y de humor que hacía de sus clases un verdadero deleite para el espíritu. Le gustaba asombrar a sus alumnos con su extensísima erudición, aspecto que celaba conscientemente en sus publicaciones. Bástenos un solo testimonio:

«En la cátedra de Unamuno se aprendía de todo: técnica gramatical, filología comparada, medicina, ciencias naturales, historia, literatura. Su *causerie* siempre admirable era un surtidor de conocimientos, una sembradora de ideas (...) Razonaba sus explicaciones con tales

---

[9] Unamuno, «Sobre la enseñanza del clasicismo», ob. cit., X, 153.

[10] «Don Miguel en la Cátedra», *CCMU,* XVI-XVII, Salamanca, 1966-1967, páginas 99-106. Fue discípulo de Unamuno en los cursos 1915-1916 y 1916-1917.

[11] Don Abelardo Moralejo Laso, separata del *Homenaje al Profesor Alarcos,* página 335. Fue discípulo en los cursos 1919-1920 y 1920-1921.

citas y tales alardes de erudición, usando siempre un lenguaje claro y preciso, que cuando el bedel daba la hora nos parecía que había sido muy corta la clase.» [12]

La pregunta que cabe hacerse es si Unamuno, con su método peculiar, con sus digresiones y asociaciones, con sus incursiones a campos que nada tienen que ver con la enseñanza del Griego, con sus alusiones a la política nacional e internacional del momento, con su sistemático asistematismo, era eficiente en su labor docente. Creo con la mayoría de sus discípulos que sí lo era. Si en sus clases se traducían y comentaban tantas obras, quiere decirse que en ellas no se perdía el tiempo y que tales digresiones suponían la sal y pimienta de las dos horas largas que, sin interrupción, pasaban juntos maestro y discípulos. Hemos de pensar en la situación de las universidades de entonces y en la irregularidad de asistencia a las clases de los propios alumnos, a pesar de su escaso número; un curso cinco o seis alumnos se consideraba entonces numeroso. Cada día preguntaba a uno de ellos y traducía con su ayuda durante toda la hora; el número reducido hacía que el turno de intervención llegase con frecuencia. No existe semejante unanimidad respecto al trabajo exigido a los alumnos. Mientras unos afirman que trabajaban en serio, otros afirman lo contrario. Como por otra parte era liberal a la hora de las calificaciones finales y con tan pocos alumnos no era necesario hacer exámenes finales, la intensidad del estudio, más que del profesor, dependía de los alumnos. Desde luego, no les apremiaba, siguiesen o no sus explicaciones.

Los numerosos reparos que pueden ponerse a la labor docente —asistematismo, inmodestia, monodiálogo continuo e ininterrumpido...— quedan suficientemente compensados por su preparación, su «heroico furor» al enseñar, su escrupuloso sentido del deber, su preocupación por dar una visión global de la cultura —una cosmovisión diríamos hoy—, rompiendo los estrechos límites de la asignatura; por su accesibilidad y preocupación por cada uno de los alumnos, dentro y fuera del aula; por su entrega apasionada a su misión y por su obsesión por educar más que por instruir. Excepción hecha, quizá, de los hombres de la Institución Libre de Enseñanza, pocos maestros universitarios de entonces pueden contar en su haber saldo tan positivo.

Antes de finalizar, un nuevo texto de Unamuno que compendia una larga etapa de su labor docente:

«He tratado de darles (a sus discípulos) un cierto sentido de inquietud, que a mí nunca me ha faltado; un descontento íntimo, acaso

[12] Balcázar y Sabariegos, *Memorias de un estudiante de Salamanca,* Madrid, E. Prieto, 1935, pág. 10-14.

tanto mayor cuanto van mejor las cosas, por creer que todavía están lejos de lo que debieran ser, y hacer de ellos unos ciudadanos, no ya sólo de esta España transitoria y terrestre, sino de la otra España celestial y eterna con que he soñado tantas veces, y que puede ser una ilusión mística, e infundirles el que hagan una labor en el sentido del pasaje de Tucídides que tantas veces, en años, he comentado en mi clase, cuando decía escribir su historia *eis aiei:* para siempre.» [13]

[13] Unamuno, *Autonomía docente;* VII, 940.

BIBLIOGRAFIA

ABC, Número Extraordinario en conmemoración del primer Centenario de Unamuno. Madrid, 27 de septiembre de 1964.

ABELLÁN, J. L., *Miguel de Unamuno a la luz de la Psicología.* Editorial Tecnos, Madrid, 1964, 243 págs.

ACADA, J. M. M., «El Unamuno de 1901 a 1903, visto por M.», *Cuadernos de la Cátedra Miguel de Unamuno,* vol. II, Salamanca, 1951, páginas 13-29.

AGUILERA, C., «Pensamiento educacional de don Miguel de Unamuno», *Revista Calasancia,* año XI, octubre-diciembre 1965, núm. 44, páginas 411-523. Madrid.

ALBERÉS, R. M., *Miguel de Unamuno.* La Mandrágora, Buenos Aires, 1955, 171 págs.

ALBERICH, J., «Sobre el positivismo de Unamuno», *Cuadernos de la Cátedra Miguel de Unamuno,* vol. IX, págs. 61-67. Salamanca.

ALBORNOZ, A. de, *La presencia de Miguel de Unamuno en Antonio Machado,* Edit. Gredos, Madrid, 1968, 373 págs.

ARANGUREN, J. L., «Sobre el talante religioso de M. de Unamuno», en *Catolicismo y protestantismo como formas de existencia.* Edit. Revista de Occidente, Madrid, 1952.

AZAOLA, J. M. de, «El humanismo en el pensamiento de Miguel de Unamuno», *Boletín de la Real Sociedad Vascongada de Amigos del País,* 1948, págs. 211-234.

— «Las cinco batallas de Unamuno contra la muerte», *Cuadernos de la Cátedra Miguel de Unamuno,* vol. II, 1951.

BALCÁZAR Y SABARIEGOS, *Memorias de un estudiante de Salamanca.* Edit. Calatrava, Madrid, 1935, 314 págs.

BALSEIRO, J. A., «Mis recuerdos de Miguel de Unamuno», en *Cuadernos Hispanoamericanos.* Madrid, 1963, LIII, núm. 168, págs. 289-297.

BARRY, J., *Unamuno a la luz del empirismo lógico contemporáneo.* Las Américas Publishing Company, New York, 1969.

BECARUD, J., *Miguel de Unamuno y la 2.ª República.* Versión española de Florentino Trapero. Taurus Ediciones, S. A., Madrid, 1965, 65 páginas.

BECCARI, G., «Unamuno e l'europeizzazione», en *Cuadernos de la Cátedra Miguel de Unamuno,* núm. IV, 1953.

BENÍTEZ, H., «Unamuno y la existencia auténtica», *Revista de la Universidad de Buenos Aires,* julio-septiembre, 1948, págs. 13 ss., 4.ª época, año II, vol. I, tomo III.

— *El drama religioso de Unamuno.* Buenos Aires, Imprenta López, 1949. Universidad de Buenos Aires. Instituto de Publicaciones, 487 páginas.

— «Nuevo palique unamuniano. Introducción a doce cartas de Unamuno a González Trilla», *Revista de la Universidad de Buenos Aires.* números VII, 479-551. Buenos Aires, 1950.

BIRUTE CIPLIJANS-KAITE, «El amor y el hogar: dos fuentes de fortaleza en Unamuno», en *Cuadernos de la Cátedra de Miguel de Unamuno,* núm. XI, 1961.

BLANCO AGUINAGA, C., *El Unamuno contemplativo.* Méjico. El Colegio de México, 1959.

— «La madre, su regazo y el "sueño de dormir"», en *Cuadernos de la Cátedra Miguel de Unamuno,* núm. VII, 1956, págs. 69-84.

CABEZAS, J. A., «Una visita de don Miguel de Unamuno a las Escuelas del Ave María (6-IX-1903)», *Revista Salmanticensis,* núm. 9, 1962, págs. 231-239.

CASSOU, J., «Retrato de Unamuno», Prólogo a *Cómo se hace una novela,* X, 833 págs.

CLAVERÍA, C., *Temas de Unamuno.* Biblioteca Románica Hispánica. II. Estudios y ensayos. Edit. Gredos. Madrid, 1953, 156 págs.

CHÁREZ, J. C., *Unamuno y América.* Edic. Cultura Hispánica, 2.ª edición. Madrid, 1970, 423 págs.

COLLADO, J. A., *Kierkegaard y Unamuno. La existencia religiosa.* Biblioteca Hispánica de Filosofía. Edit. Gredos, Madrid, 1962, 571 páginas.

COMIN COLOMER, E., *Unamuno libelista. Sus campañas contra Alfonso XIII y la Dictadura.* Vasallo de Mumbert, editor. Madrid, 1968, 176 págs.

COROMINAS, P., «La trágica fe de Miguel de Unamuno», en *Revista de Catallunya,* núm. 83. Barcelona, 1938, págs. 155-170.

COSSÍO, J. M. de, «Recuerdos de don Miguel», *Boletín Real Academia Española,* tomo XLV, 1965, págs. 19-28.

Cuadernos Hispanoamericanos. Homenaje a Unamuno. Madrid, junio-julio 1956, XXVII, núms. 78-79.

CURTIUS, E. R., «Miguel de Unamuno, "Excitator Hispaniae"», *Cuadernos Hispanoamericanos,* XX, Madrid, 1954.

CRUZ HERNÁNDEZ, M., «La misión socrática de M. de Unamuno», *Cuadernos de la Cátedra Miguel de Unamuno,* núm. III, 1952.

— «El valor permanente del pensamiento filosófico de Miguel de Unamuno», en *Unamuno a los cien años,* págs. 59-67.

DELGADO, B., «Amor y Pedagogía de Miguel de Unamuno y Le disciple de Paul Bourget», *Perspectivas Pedagógicas,* núms. 21-22. Universidad de Barcelona, Facultad de Filosofía y Letras, 1968, páginas 25-36.

DÍAZ, E., *Pensamiento político de Unamuno.* Edit. Tecnos, S. A., Madrid, 1965, 874 págs.

— *Revisión de Unamuno.* Análisis crítico de su pensamiento político. Edit. Tecnos, Madrid, 1968, 212 págs.

D'ORS, E., *Saliendo de la confusión,* Nuevo Glosario, II. Aguilar, Madrid, 1947.

ESPINO, G., «El Magisterio de Unamuno», *Cuadernos de la Cátedra Miguel de Unamuno,* núms. XVI-XVII, 1966-1967.

Estafeta Literaria, La. Homenaje a Unamuno. Madrid, 1964, núms. 300, 301, 304.

FARRE, L., «Unamuno, William James y Kierkegaard», *Cuadernos Hispanoamericanos.* Madrid, septiembre 1954, núm. 57, págs. 279-299, y núm. 58, págs. 64-88.

FERNÁNDEZ LARRAÍN, S., *Cartas inéditas de Miguel de Unamuno.* Editorial Zig-Zag, Santiago de Chile, 1965, 455 págs.

FERNÁNDEZ TURIENZO, F., *Unamuno, ansia de Dios y creación literaria.* Alcalá. Madrid, 1966, 255 págs.

FERRATER MORA, J., *Unamuno, bosquejo de una filosofía.* Ed. Sudamericana, Buenos Aires, 1957, 141 págs.

— «Unamuno», *Revista de Occidente.* Madrid, octubre 1964.

FERRUCCIO MASINI, «L'esistenzialismo spagnolo di Unamuno», *Cuadernos de la Cátedra Miguel de Unamuno.* Universidad de Salamanca, 1955, núm. VI, págs. 51-61.

Gaceta Literaria. Número homenaje a Miguel de Unamuno. Madrid, 15 de marzo de 1930.

GÁLVEZ, M., *La maestra normal.* Losada, Buenos Aires, 1964.

GARAGORRI, P., *Unamuno, Ortega, Zubiri en la Filosofía española.* Editorial Plenitud, Madrid, 1968, 259 págs.

GARCÍA BLANCO, M., *Don Miguel de Unamuno y sus poesías.* Salamanca, 1945.

— *Amor y Pedagogía, nívola unamuniana.* La Torre, Universidad de Puerto Rico, homenaje a Miguel de Unamuno. Año IX, núms. 35-36, julio-diciembre 1961, págs. 443-478.

— «Aspectos biográficos de Unamuno», *Unamuno a los cien años. Estudios y discursos salmantinos en su primer Centenario.* Salamanca, 1967.

— *Prólogo a «Mi vida y otros recuerdos personales» de Unamuno,* volumen I (1889-1916). Losada, Buenos Aires, 1959.

— *En torno a Unamuno.* Edic. Taurus, Madrid, 1965, 625 págs.

— «Unamuno, profesor y filólogo», *La Gaceta Literaria,* Madrid, 15 de marzo de 1930.

— «Don Miguel y la Universidad», *Cuadernos de la Cátedra Miguel de Unamuno,* vol. XIII, págs. 13-32. Salamanca, 1963.

— *América y Unamuno.* Edit. Gredos, Madrid, 1964, 434 págs.

GONZÁLEZ, J. E., «Algunas observaciones sobre tres novelas de Unamuno (Paz en la guerra, Amor y Pedagogía y Una historia de amor)», *La Torre,* IX, núms. 35-36. San Juan de Puerto Rico, julio-diciembre 1961.

GONZÁLEZ CAMINERO, N., «El Unamuno de Hernán Benítez», *Razón y Fe,* CXLVI, págs. 27-44, Madrid, 1952.

— *Unamuno, I Trayectoria de su ideología y de su crisis religiosa.* Universidad Pontificia de Comillas, 1948.

— «Miguel de Unamuno, precursor del existencialismo», *Pensamiento,* vol. V, págs. 455-471, 1949.

— «Las dos etapas católicas de Unamuno», *Razón y Fe,* CXLVI, 210-239, Madrid, 1952.

GONZÁLEZ MENÉNDEZ-REIGADA, A., «¡Ay mi Castilla latina!... Don Miguel de Unamuno en trance con su cuita». *El Español,* núm. 279, Madrid, 10 de abril de 1954.

— «Algo más sobre Unamuno», *El Español,* núm. 287, Madrid, 5 de junio de 1954.

GONZÁLEZ RUANO, C., *Vida, pensamiento y aventura de Miguel de Unamuno.* Aguilar, Madrid, 1930.

GRANJEL, L. S., *Retrato de Unamuno.* Guadarrama, Madrid, 1957, 388 páginas.

GRENE, M., *El sentimiento trágico de la existencia.* Análisis del existencialismo, seguido de un ensayo sobre «Unamuno, filósofo existencialista», por Amando Lázaro. Aguilar, Madrid, 1952, 244 págs.

GULLÓN, R., *Autobiografías de Unamuno.* Gredos, Madrid, 1964, 389 páginas.

IRIARTE, J., «Los tres grandes de la Filosofía», *Razón y Fe,* DCCCIX, páginas 589-598. Madrid, junio de 1965.

— «En torno a la filosofía existencial: Heidegger y Unamuno», *Razón y Fe*, CXXX, págs. 103-114, Madrid, 1944.

ITURRIOZ, J., «Tras la condenación de Unamuno», *Razón y Fe*, CLV, páginas 317-328, Madrid, 1957.

JIMÉNEZ FRAUD, A., «Unamuno, residente», *El Nacional, papel literario*. Caracas, 31 de octubre de 1957.

MACHADO, A., «Unamuno, político», *La Gaceta Literaria*, Madrid, 1 de abril de 1930.

— «Unamuno», *Revista de las Españas*, núm. 101, Madrid, 1938.

MAEZTU, R. de, *Los intelectuales y un epílogo para estudiantes*. Rialp, Madrid, 1966.

MARÍAS, J., «La voz de Unamuno y el problema de España», en *Los Españoles*, Revista de Occidente, Madrid, 1963, 2.ª edic., págs. 269-279.

— *Miguel de Unamuno*. Espasa-Calpe, Colección Austral, Madrid, 1943, 225 págs.

— «Unamuno y los jóvenes», *El Noticiero Universal*, Barcelona, 3 de noviembre de 1964.

MARRERO, V., *El Cristo de Unamuno*. Rialp, Madrid, 1960, 274 págs. Libros de Bolsillo Rialp, 1.

MENÉNDEZ PIDAL, R., «Recuerdos referentes a Unamuno», *Cuadernos de la Cátedra Miguel de Unamuno*, vol. II, págs. 5-12. Salamanca, 1951.

MEYER, F., *La Ontología de Miguel de Unamuno*. Gredos, Madrid, 1962, 185 págs.

MOELLER, C., «Quelques aspects de l'itineraire spirituel d'Unamuno», *Unamuno a los cien años. Estudios y discursos salmantinos en su I Centenario*. Universidad de Salamanca, 1967, págs. 71-101.

— *Textos inéditos de Unamuno*. Athenas, Cartagena, 1965.

MORALEJO LASO, A., *Don Miguel de Unamuno, profesor de Griego y de Historia de la lengua castellana: Impresiones y recuerdos de un alumno*. Universidad de Valladolid, Separata del artículo publicado en el libro «Homenaje al Prof. Alarcos», tomo II, 1966.

ONIEVA, A. J., *Recuerdos de la Residencia*. Revista de Occidente. Madrid, septiembre 1968.

ONÍS, F. de., *La Universidad Española*. Boletín de la Institución Libre de Enseñanza. Madrid, 1912, 300 págs.

OROMI, M., *El pensamiento filosófico de Miguel de Unamuno*. Espasa-Calpe, S. A., Madrid, 1943, 220 págs.

ORTEGA Y GASSET, J., «En defensa de Unamuno», *Cuadernos de la Cátedra Miguel de Unamuno*. Salamanca, 1964-65, núms. XIV y XV.

— *Monodiálogos de don Miguel de Unamuno.* Edic. Ibérica, New York, 1958, 264 págs.

— *Obras Completas,* tomo V (1933-1941). En la muerte de Unamuno, pág. 264. Revista de Occidente, Madrid, 1961. 5.ª ed., 625 págs.

Papini, G., *Miguel de Unamuno.* Strocanture, 5.ª ed. Firenze, 1916.

Paris, C., *Unamuno. Estructura de su mundo intelectual.* Edic. Península, Barcelona, 1968, 396 págs.

Pérez de la Dehesa, R., *Política y sociedad en el primer Unamuno: 1894-1904.* Edit. Ciencia Nueva, Madrid, 1966.

Pildaín, A., *Don Miguel de Unamuno, hereje máximo y maestro de herejías.* Imp. del Obispado, Las Palmas de Gran Canaria, 1953. (Ecclesia, 1953, II, págs. 373-374).

Pitollet, C., «Notas unamunescas», *Cuadernos de la Cátedra Miguel de Unamuno.* IV, Salamanca, 1953.

Pizan, M., *El joven Unamuno. Influencia hegeliana y marxista.* Editorial Ayuso, Madrid, 1970, 70 págs.

Rabanal Alvarez, M., «Unamuno y Homero. La gran profundidad de sus conocimientos helénicos», *El Español,* núm. 114, Madrid, 30 de diciembre de 1944.

Regalado, A., *El siervo y el señor. La dialéctica agónica de Miguel de Unamuno.* Gredos, Madrid, 1968, 218 págs.

Revista de Occidente. Número extraordinario de homenaje a Miguel de Unamuno. I Centenario de su nacimiento. Madrid, octubre 1964.

Revista de la Universidad de Madrid. Número monográfico sobre Unamuno, vol. XIII, núms. 49-50, 1964.

Rof Carballo, J., «El erotismo en Unamuno», *Revista de Occidente.* Madrid, octubre 1964.

Roig Gironella, J., *Filosofía y vida. Cuatro ensayos sobre actitudes. Nietzsche, Ortega y Gasset, Croce, Unamuno.* Edit. Barna, S. A., 205 págs. Instituto Summa III. Barcelona.

Salcedo, E., *Vida de don Miguel.* Unamuno en su tiempo, en su España, en su Salamanca. Un hombre en lucha con su leyenda. Prólogo de Pedro Laín Entralgo. Edic. Anaya, S. A., 437 págs. Salamanca, 1964.

Sánchez Barbudo, A., *Estudios sobre Galdós, Unamuno y Machado.* Ediciones Guadarrama, 2.ª ed., 418 págs. Madrid, 1968.

Sánchez Ruiz, J. M., «Dimensión mundanal y social del ser, según Unamuno», *Cuadernos de la Cátedra Miguel de Unamuno,* número XII, 1962, págs. 31-74.

— «La estructura trágica y problemática del ser según don Miguel de Unamuno», *Salesianum,* XXII, págs. 570-627. Roma, 1960.

SASTRE, *El Magisterio español. Un siglo de periodismo (1867-1967)*. Editorial Magisterio Español, Madrid, 1967.

SERRANO PONCELA, S., *El pensamiento de Unamuno*. Breviarios del Fondo de Cultura Económica. México-Buenos Aires, 1953, 265 páginas.

SAGRADA CONGREGACIÓN DEL SANTO OFICIO, «Condenación de obras de Unamuno. Decreto. Proscripción de libros», *Razón y Fe*, CLV, páginas 293-295, Madrid, 1957.

SOBEJANO, G., *Nietzsche en España*. Gredos, Madrid, 1968.

TARÍN-IGLESIAS, J., *Unamuno y sus amigos catalanes. Historia de una amistad*. Prólogo del profesor A. Fernández-Cruz. Peñíscola, Barcelona, 1966, XX+193 págs.

TURIEL, P., *Unamuno. El pensador. El creyente. El hombre*. Compañía Bibliográfica Española, S. A., Madrid, 1970, 353 págs.

TURIN, Y., *Miguel de Unamuno, Universitaire*. S.E.V.P.E.N., París, 1962, 145 págs.

UNIVERSIDAD DE SALAMANCA, *Unamuno a los cien años*. Estudios y discursos salmantinos en su I Centenario. Secretariado de Publicaciones de la Universidad, Salamanca, 1967, 134 págs.

UNIVERSIDAD DE PUERTO RICO, *La Torre*. Número extraordinario dedicado a Unamuno, núms. 35-36, 1961-1962. Puerto Rico, 638 págs.

UNIVERSITY OF TEXAS, *Unamuno. Centennial Studies*. Edited with an introduction by Ramón Martínez-López.

VALDÉS, M. J., «*Amor y Pedagogía* y lo grotesco», *Cuadernos de la Cátedra Miguel de Unamuno*, vol. XIII, Salamanca, 1963.

VANDERBILT UNIVERSITY, *Pensamiento y Letras en la España del siglo XX*. Actas del Congreso Internacional convocado por la Vanderbilt University con ocasión del Centenario de Unamuno. Vanderbilt University Press, Nashvill, Tennessee, U.S.A., 1966, Ed. Bleiberg, German y Fox E. I.

VARIOS, *Unamuno y Bilbao*. Centenario del nacimiento de Unamuno. Publicaciones de la Junta de cultura de Vizcaya. Bilbao, 1967, 225 páginas.

VAYA MENÉNDEZ, J., «Unamuno, filósofo existencial», *Convivium*, número 21, págs. 287-298. Facultad de Filosofía y Letras. Barcelona, 1966.

VILLAMOR, M., *Unamuno*. E.P.E.S.A., Madrid, 1970, 198 págs.

VILLARRAZO, B., *Miguel de Unamuno. Glosa de una vida*. Premio de Biografía Aedos, 1958. Prólogo de José María Cossío. Edit. Aedos, Barcelona, 1959, 290 págs.

VINUESA, J. M., *Unamuno: persona y sociedad*. Edic. ZYX, S. A., Madrid, 1970, 104 págs.

ZUBIZARRETA, A. F., «Una desconocida "filosofía lógica" de Unamuno», *Boletín Informativo del Seminario de Derecho Político de la Universidad de Salamanca.* Salamanca, 1957-1958, págs. 241-252.
— *Unamuno en su novela.* Taurus, Ediciones, Madrid, 1960, 420 págs.
— *Tras las huellas de Unamuno.* Taurus, Ediciones, Madrid, 1960, 197 páginas.

INDICE ANALITICO

A

B

C

J

K

L

M

N

O

P

R

S

T

U

SIGLAS EMPLEADAS

Los números romanos corresponden a las Obras Completas de Unamuno, editadas, prologadas y anotadas por Manuel García Blanco. Vergara, S. A., Barcelona, 1958 (XVI volúmenes).

B. I. L. E. = Boletín de la Institución Libre de Enseñanza. Madrid.

C. C. M. U. = Cuadernos de la Cátedra Miguel de Unamuno. Salamanca.

C. I. = *Cartas inéditas de Miguel de Unamuno.*
Recopilación y prólogo de Sergio Fernández Larraín.
Zig-Zag, Santiago de Chile, 1965, 445 págs.

R. U. B. A. = Revista de la Universidad de Buenos Aires.